САМОУЧИТЕЛЬ ЛЕВИНА

По книгам Александра Левина учатся миллионы

ПИТЕР®

САМОУЧИТЕЛЬ ЛЕВИНА

Александр Левин

КРАТКИЙ
САМОУЧИТЕЛЬ
РАБОТЫ
НА КОМПЬЮТЕРЕ

Москва · Санкт-Петербург · Нижний Новгород · Воронеж
Ростов-на-Дону · Екатеринбург · Самара · Новосибирск
Киев · Харьков · Минск

2008

ББК 32.973.23я7
УДК 004.382.7(075)
Л36

Левин А. Ш.

Л36   Краткий самоучитель работы на компьютере. 3-е изд. — СПб.: Питер, 2008. — 363 с.: ил.

ISBN 978-5-91180-576-0

Краткая версия «Самоучителя работы на компьютере», популярной книги для начинающих пользователей персональных компьютеров, посвящена практическим вопросам освоения ПК. Большое внимание уделено самым характерным трудностям и проблемам, обращается внимание на типичные ошибки. Рассмотрены приемы и способы работы в самых распространенных на сегодня операционных системах семейства Windows (Windows XP, Vista, а также Windows 98/Me и 2000), в том числе работа с цифровыми фотографиями, MP3 и видео. Подробно рассмотрен текстовый редактор Microsoft Word. Отдельный раздел книги посвящен компьютерным вирусам и способам борьбы с ними. В заключительных разделах книги рассказывается об интернете и способах поиска информации в нем, а также об электронной почте.

ББК 32.973.23я7
УДК 004.382.7(075)

ISBN 978-5-91180-576-0

КРАТКОЕ СОДЕРЖАНИЕ

СОДЕРЖАНИЕ

7. ПРОГУЛКИ ПО ИНТЕРНЕТУ   291

8. ЭЛЕКТРОННАЯ ПОЧТА   325

1. КОМПЬЮТЕР – ЭТО ОЧЕНЬ ПРОСТО!

Столь обнадеживающему утверждению не поверят:

а) те, кто в глаза не видал компьютера;

б) те, кто купил себе компьютер, привез домой, включил, ну и, натурально, с тоской глядит на непонятные слова и картинки, не зная, что с ними делать; наконец,

в) те, кому показали, как запускать какую-нибудь игру или нужную для работы программу, зато все остальное для них – темный лес.

Автор этой книжки сиживал подолгу за компьютером, обложившись – как же иначе? – со всех сторон замечательными книжками, которые ему посоветовали для самообразования. Но книжки оказались темноваты, и основной упор пришлось делать на самый могучий научный метод российского самообразованца: метод научного тыка. Автор выяснил, что если очень долго во все тыкать, то или все к черту сломаешь, или, на худой конец, во всем разберешься.

Автор многое поломал, но многое и починил, во многом разобрался, а затем научил этому же некоторых своих более, а также менее понятливых знакомых. В результате он изрек истину (см. заголовок), которая ныне представляется ему бесспорной.

Конечно, со стороны читателя было бы наивно рассчитывать приобрести, что называется, шампунь и кондиционер в одном флаконе: по каждой из тем, которых мы с вами коснемся в этой книге, написаны отдельные и довольно-таки толстенькие книжки, в коих есть всё-всё-всё. Но, как выяснилось, всё-всё-всё на самом деле мало кому нужно. Речь у нас пойдет не о тех хитростях и тонкостях, что греют душу профессионала или эстета от компьютерной технологии, но лишь о том, что может пригодиться практически, в особенности начинающему игроку на персональном компьютере.

И все же, планы наши грандиозны. В первой части этой книги:

• мы поговорим об аппаратуре компьютера, о назначении его составных частей;

• подробно рассмотрим, как живет и действует начинающий игрок на персональном компьютере в системах Windows XP и Vista, а также Windows 98, Millennium и 2000;

• выясним, как установить новую программу или снять ненужную;

• дабы дать представление обо всем многообразии компьютерного мира, мы рассмотрим, какие бывают программы и для чего они нужны, и, конечно же, поговорим немного и о компьютерных играх.

Следующий раздел книги посвящен наиболее полезным прикладным программам из комплекта Windows – для обслуживания жесткого диска, для прослушивания музыки и просмотра видео, а также для работы с коллекциями цифровых фотографий.

Затем мы с вами поговорим о компьютерных вирусах и способах защиты от них.

Потом придет черед самой популярной программы для подготовки текстов – редактора Microsoft Word, причем мы постараемся освоить работу со всеми ходовыми версиями этой программы: от достаточно старой – Word 2000, и до новейшей – Word 2007.

Оставшаяся часть книги целиком посвящена всемирной компьютерной сети интернет и электронным коммуникациям:

• мы подробно рассмотрим способы и приемы путешествий по Всемирной сети с помощью браузера Internet Explorer;

• поговорим о способах поиска информации в сети;

• разберемся с тем, как посылать и читать электронную почту с помощью программ Outlook Express и Почта Windows;

• выясним, где и как получить бесплатный адрес электронной почты и как потом этим адресом воспользоваться.

Даже если вы не поняли и четверти того, что я здесь перечислил, прочитав эту книгу, вы, надеюсь, станете специалистом по всем вышеназванным темам. Специалистом, который не только умеет пользоваться всем этим богатством, но и – более того – понимает, что он делает. Уж во всяком случае, объяснить, что тут к чему, знакомой девушке вы точно сможете (во дни моего студенчества одного этого было бы довольно, чтобы оправдать покупку сей книги).

К сожалению, в этот самоучитель не поместятся все полезные сведения о компьютерах и программах, которые я бы хотел вам сообщить:

краткий он, самоучитель этот, тонкий и малорослый[1]. Поэтому по ходу дела я, с вашего разрешения, буду давать ссылки на другие свои книги, где желающие смогут обо всех непоместившихся материях прочесть, если сочтут их для себя важными.

Кроме того, хочу сразу честно вас предупредить: некоторые сложные настройки Windows, Word, интернета и других программ в этой книге не описаны. Опять-таки отсылаю самых любознательных к полным версиям самоучителя. Впрочем, вооруженные полученными знаниями, вы, возможно, и сами в них разберетесь.

Не станем же рассусоливать и сразу возьмем быка за рога.

Что такое компьютер и из чего он состоит?

> – ...Сколько у быка частей?
> – Осемь.
> – Отнюдь! Одиннадцать у быка!..
>
> *Из «Гисторических материалов*
> *Федота Кузьмича Пруткова (деда)»*

Что такое компьютер, объяснять никому не надо: это такая штука, чтобы играть в игры, набирать, красиво-красиво оформлять и распечатывать любые тексты, бланки, договоры, вести бухучет или архив, управлять финансовыми ресурсами в банке или страховой компании, делать научные или инженерные расчеты, ставить диагнозы больным и здоровым, рисовать картинки и мультики, записывать и исполнять музыку, обмениваться письмами по электронной почте, изучать какую-либо науку или иностранные языки, разгуливать по интернету ии т. д., и т. п.

Компьютеры бывают **настольные** (их еще называют – на американо-интернациональном жаргоне – десктоп) и переносные (**ноутбук**, то есть дословно «записная книжка»). А кроме того, большие (рабочие станции), очень большие, сверхмощные и сверхскоростные, которых мы с вами, может, и в глаза не видели и не увидим (и ладно).

Есть и такая сравнительно новая штука, как карманные компьютеры (**КПК** или **PDA**[2]). Они проще больших, лишены некоторых важных возможностей. Зато они действительно карманные – в отличие от ноутбуков (такую «записную книжку» не в каждый портфель уложишь!). Впрочем, КПК в этой книжке не рассматриваются. Так же, как и игро-

---

[1] Зато дешевый!

[2] От Personal Digital Assistant – персональный цифровой помощник.

вые приставки вроде PlayStation или Xbox, персональные органайзеры, смартфоны, коммуникаторы и прочие «недокомпьютеры».

Самая заметная часть компьютера, настолько заметная, что ее даже под стол чаще всего не прячут, – это **экран**, он же **дисплей** или **монитор**. (Читатель, похоже, уже созрел для предупреждения о том, что в мире компьютеров полно зарубежных слов, причем иногда по нескольку штук на одно понятие.) Вся самая важная начинка содержится в том прямоугольном ящике – **системном блоке**, – рядом с которым (или на котором) стоит ваш монитор. В нем находятся: процессор – то «железо», которое умеет считать; оперативная память (ОП) – то место, где хранится вся информация, необходимая для работы программ прямо сейчас, когда вы работаете (при выключении компьютера вся память стирается, зато она работает очень быстро – практически с той же скоростью, с какой считает процессор); жесткий диск, или винчестер (HDD – hard disk drive), где находится вся информация, в данный момент не используемая, которую зато можно долго хранить – даже после выключения компьютера.

Вдобавок к этому у компьютера есть клавиатура и мышь, дисковод для оптических дисков (CD и DVD), часто также имеется дисковод для трехдюймовых дискет (точнее, 3,5"), несколько так называемых портов – внешних разъемов для подсоединения к компьютеру дополнительных устройств: принтера (для печати), цифрового фотоаппарата или переносной карточки памяти (для обмена данными), модема (для связи с другими компьютерами через телефонную сеть), сканера (для ввода изображений в компьютер) и пр.

Основные узлы ноутбуков расположены в едином корпусе. Но сами узлы те же самые, и внешние разъемы в основном такие же.

Теперь посмотрим на составные части компьютера чуть более пристально.

Экраны (мониторы) бывают обычного размера (от 14 до 17 дюймов по диагонали), увеличенные (18, 19") и большие, как телевизор (20, 21 и даже 24 дюйма). У ноутбуков экраны бывают и поменьше: 10–12", хотя не редкость и ноутбуки с 17-дюймовым широкоформатным монитором. За совсем особые деньги, конечно.

Монитор – очень важная часть компьютера, примерно как колеса для автомобиля: на этом не экономят. Самое главное, чего мы хотим от мониторов, это четкость и устойчивость изображения, нормальная яркость и контраст, комфорт для глаз. В недавнем прошлом большинство мониторов были **электронно-лучевыми** (ЭЛТ), сегодня новые компьютеры продают в основном с **жидкокристаллическими экранами** (сокращённо ЖК, LCD или TFT). Помимо того, что они совершенно плоские (а значит, не искажают форму изображения), ЖК-монтиоры еще и значительно более безопасные: вредных излучений от них практически нет, изображение более устойчивое, чем у электронно-лучевых, нет неприятного мерцания, а значит, меньше устают глаза. Надо только подстроить яркость и контраст так, чтобы изображение не резало глаз.

На экранах мониторов изображение составляется из мельчайших цветовых точек – **пикселей** (от английского pixel – точечный элемент изображения)[1]. Важнейшим параметром монитора является количество этих точек по вертикали и горизонтали, или, как это называют, **разрешение экрана**. Чем больше точек, тем лучше выглядят фотографии и видеофильмы, аккуратнее и изящнее шрифты. Обычные 15- и 17-дюймовые мониторы имеют разрешение 1024×768, 19- и 20-дюймовые – 1280× ×1024 и даже выше, а экраны маленьких ноутбуков или старых, десятилетней давности мониторов – 800×600.

Если вы поделите ширину на высоту, то увидите: соотношение сторон у обычных мониторов 4 : 3 (4 в ширину, 3 в высоту). Но продаются и более дорогие широкоформатные мониторы с соотношением сторон 16 : 9, которое соответствует стандарту киноэкрана, А значит, видеофильмы на таком мониторе можно будет смотреть во весь экран – изображение крупнее и нет черных полей сверху и снизу. Разрешения экрана у них иные, например, 1280×768.

Монитор подключается к компьютеру через особую плату, находящуюся внутри системного блока. Ее называют **видеокартой** (или **графическим адаптером**). Один и тот же монитор может подключаться к компьютеру через самые разные адаптеры.

Сама видеокарта может стоять на одном из разъемов материнской платы, но бывают и видеокарты, встроенные в материнскую плату. В любом случае от нее наружу торчит разъем, куда и подсоединяется монитор. У многих современных карт два разъема, так что можно подключить пару мониторов. В качестве второго чаще всего используют экран телевизора, у которого имеется разъем для подключения к компьютеру. На одном работают, на втором кино смотрят...

Видеокарты за последние годы очень усложнились и стали чем-то вроде компьютера в компьютере – специализированного вычислительного устройства, отвечающего за изображение. На них установлен свой отдельный процессор, своя память (**видеопамять**), размер которой тоже

---

[1] Иногда говорят и пишут «пикселов».

очень важен – и для нормальной работы Windows, и для компьютерных игр. Для самых серьезных игрушек требуются еще и дополнительные навороты – **графические ускорители**, без которых геймеру просто никуда.

Встречаются видеокарты и с ТВ-тюнером, превращающие компьютер еще и в телевизионный приемник, позволяющий не только просматривать передачи, но и записывать их на жесткий диск.

Для каждой видеокарты существует программа, обеспечивающая правильную работу видеосистемы компьютера. Называется она **драйвером** (driver). Более того, для работы в системе Windows XP будет свой видеодрайвер, для Windows 98 – свой, для Windows Vista – еще какой-то особый, а для Windows 2000 или Windows 95 – какие-то еще более особые[1].

Теперь об остальной «начинке» системного блока. В нем много чего понапихано. Сняв с компьютера кожух, вы увидите (если узнаете) и блок питания, и дисководы, и винчестеры (жесткие диски), и кучу плоских кабелей-шлейфов, соединяющих отдельные блоки. Но самая главная здесь – так называемая **материнская плата** (от английского «Motherboard»), или просто мама. На маме установлены микросхемы процессора и памяти, сюда же подходят шлейфы от других частей компьютера. На маме есть разъемы, куда сажают дополнительные устройства – видеокарту, звуковую карту, сетевую, модем, телетюнер.

Существуют материнские платы, на которых видеокарта, звуковая карта и даже сетевая – уже есть, встроены внутрь. Особенно часто такие мамки используются в ноутбуках.

Процессоры персональных компьютеров отвечают единому стандарту, который задан фирмой Intel, мировым лидером в производстве процессоров для ПК. В самых старых компьютерах (10–15-летней давности) вы можете найти процессоры типов 386, 486; в несколько более новых (5–7 летних) – Pentium, Pentium II, Celeron (упрощенный вариант Пентиума); в новейших – Pentium 4.

Важный параметр быстродействия процессора – рабочая (тактовая) частота. Сегодня чаще всего встречаются процессоры с частотой 2–4 гигагерца. Чем выше эта частота, тем быстрее работает ваша машина. В недавнем прошлом именно этот параметр определял быстродействие, частоты все время росли, удваиваясь каждые полтора года. Сейчас рост приостановился: повышение частоты приводит к тому, что процессоры

---

[1] Драйвер имеется, конечно же, не только у видеокарточки. Для каждого электронного устройства в вашем компьютере должно быть по драйверу.

сильно греются и перегорают, так что прирост мощи компьютера идет в основном за счет совершенствования их структуры.

Так, Intel выпускает двухъядерные процессоры Core 2 Duo. Тут в одной микросхеме фактически находится сразу два процессора, работающих параллельно и тем самым значительно повышающих производительность компьютера. Более мощные четырехъядерные процессоры называются Core 2 Quadro.

Другой способ повышения быстродействия – увеличение размера данных, которые обрабатываются процессором за одну операцию. Обычные современные процессоры 32-разрядные, но есть и более мощные 64-разрядные «камни», применяемые чаще не в домашних условиях, а в качестве серверов предприятий. Intel выпускает, к примеру, процессоры Xeon, а также 64-разрядные Pentium 4.

У Intel в мире всего один серьезный конкурент – фирма AMD, которая выпускает процессоры, в общем, аналогичные интеловским, но на основе своих собственных разработок. Называются процессоры Athlon, Operton, Turion и т. п. По внутренней структуре эти процессоры иногда принципиально отличаются от интеловских, для них нужны совсем другие мамки. Но для нас с вами это все не так важно, потому что и те и другие работают с одними и теми же программами и операционными системами, мощность имеют примерно одинаковую, да и стоят, в общем, сравнимых денег.

Что еще в компьютере важно, кроме типа процессора?

Объем **оперативной памяти** (ОП). На древних компьютерах чаще всего ставили совсем мало памяти – от 1 до 16 МБ (мегабайт, то есть миллионов символов). На новых ставят от 64 МБ и до нескольких гигабайт (миллиардов байт) – и все мало!..

Дело в том, что программы, конечно, совершенствуются, становятся лучше, красивее, богаче возможностями, но при этом оказываются крайне прожорливы по части ресурсов компьютера. Для работы в стареньком DOS'е вполне хватало 1–2 МБ памяти, для Windows 95 и 98 требовалось уже минимум 16 МБ, для Windows Millennium – 32, для Windows 2000 и XP хорошо бы иметь 128 МБ, а для новейшей системы Windows Vista требуется уже не менее 512 МБ, а лучше – гигабайт оперативки.

Чем больше ОП вашего компьютера, тем быстрее и четче будут в нем работать программы и тем больше программ вы сможете запускать одновременно. Существенно то, что память можно наращивать, прикупая микросхемы и ставя их в отведенные для них места на материнской плате или обменивая (с доплатой) старые микросхемы на новые, большей емкости. Цены на оперативку не слишком высоки, так что ставьте себе столько памяти, сколько выдержит ваш семейный бюджет.

Важно только понимать, какая память подойдет к вашей «мамке» и процессору, а какая нет – читайте инструкцию по своему компьютеру.

Очень важный параметр – **объем жесткого диска**. На старых «компах» были диски размером в сотни мегабайт – и в те времена этого вполне хватало. На новых диски уже имеют размеры десятки и сотни гигабайт – чем больше, тем лучше: больше программ, фильмов, музыки и игрушек поместится.

Немаловажно также **быстродействие жесткого диска**: время поиска информации на диске должно быть поменьше, а скорость передачи данных – побольше. Особенно важны эти параметры для тех, кто собирается работать с большими объемами данных – базами данных, звуковыми и видеофайлами. Большинство современных высокопроизводительных дисков вращается со скоростью 7,2 тыс. об/мин, есть и диски на 10 тысяч оборотов. Старые же, наоборот, вращались медленнее (5,4 тыс. об/мин), а значит, медленнее считывали данные.

Скоростные диски работают быстрее, но сильнее греются. Иногда даже требуется ставить для них дополнительный вентиляторчик-кулер (от слова cool, что в данном случае следует понимать не как «круто», а как «охлаждать»).

Когда возникает необходимость купить и установить в компьютере дополнительный хард-диск (или заменить старый), при выборе модели приходится учитывать еще и вид ***интерфейса***[1] – то есть способ подключения «винта» к «маме».

Более старые модели жестких дисков подключаются через интерфейс **IDE** (читается как «ай-ди-и») – с широким кабелем (см. рис. 1.1, *слева*). Интерфейс этот не отличается большой скоростью передачи данных, а потому те, кто работает со звуком или видео, часто играют в современные высококачественные игры, стараются купить что-то побыстрее.

Заметно быстрее работают диски, подключенные через интерфейс **Serial ATA (SATA)** – узкий разъем (см. рис. 1.1, *справа*). Самые быстрые и вместительные диски сегодня чаще всего выпускаются именно под стандарт SATA.

---

[1] Интерфейс в слишком буквальном переводе с английского означает «междумордие» (inter – между, face – лицо). Под этим ужасно умным с виду термином понимают способ общения кого угодно с кем угодно – винчестера с мамой, компьютера с принтером или человека с программой.

Рис. 1.1. Кабели для подключения к мамке диска IDE (*слева*) и SATA (*справа*)

Изредка используется и другой скоростной интерфейс для подключения жестких дисков – **SCSI**. Если обычные жесткие диски имеют ширину 3 дюйма, то скази-диски – пятидюймовые.

В ноутбуках применяют *более компактные и тонкие двухдюймовые диски.*

Недавно появились винчестеры нового достаточно перспективного типа – **переносные**. Они могут быть обычного размера или маленькие (двухдюймовые и даже меньше), их не вставляют под крышку компьютера, а просто подключают к нему проводком на специальный наружный разъем. Чаще всего, это разъемы для скоростного интерфейса **FireWire** (он же – **IEEE 1394**) или **USB 2.0**, более быстрой разновидности стандартного разъема USB.

Я не привожу тут никаких технических деталей, они мало кого из начинающих интересуют. А вот термины знать стоит. И при покупке пригодится, и начнешь хоть понимать, о чем твои друзья разговаривают...

В каждом современном компьютере имеется **CD-** или **DVD**-дисковод – для записи и воспроизведения лазерных (оптических) дисков. Основная масса программ, игр и фильмов выпускается сегодня на CD или DVD. Современные DVD-дисководы отлично читают и записывают также и CD.

Компакт-диск (CD) вмещает около 650–700 МБ данных (или около 70 минут звука[1]), DVD – более 4 ГБ. А вот скромненькая старенькая дискетка вмещает данных в десятки раз меньше – всего 1,5 МБ.

Различаются дисководы по скорости передачи информации – обычные (встречаются только в музее), с двойной, учетверенной, ушестеренной и т. д. скоростью. Но какой бы высокой (по мерками оптических

---

[1] Понятно, что речь не идет об mp3-дисках, куда влезает намного больше музыки – за счет снижения ее качества.

дисков) ни была скорость работы вашего CD/DVD-привода, до скорости жестких дисков им далеко.

Сейчас практически не встретишь дисководов CD-ROM, предназначенных только для воспроизведения и не позволяющих ничего записывать на диск. Обычно вы будете иметь дело с **пишущими** накопителями компакт-дисков (**CD-RW** – ReWritable). Такие устройства умеют не только читать информацию с дисков, но и записывать данные на чистые диски, а также стирать ранее записанную информацию и писать вместо нее новую.

Правда, надо понимать, что купив чистые диски с надписью «CD-R», вы не сможете с них стирать данные – раз записал, и все. Для многократной записи предназначены диски (болванки, как их часто называют), на которых написано «CD-RW».

Диск, записанный на CD-накопителе (если, конечно, он исправен и записан без ошибок!), можно будет прочитать практически на любом другом компьютере. Ничего стандартнее, чем CD, сегодня в компьютерной технике нет.

А вот про DVD такого не скажешь. Так, покупая болванки для однократной записи, вы можете встретить в магазине диски **DVD+R**, а также **DVD-R**. Соответственно диски для многократной записи будут называться **DVD+RW** и **DVD-RW**. Покупать нужно только те, с которыми умеет работать ваш DVD-привод – посмотрите инструкцию по нему.

К счастью, есть и универсальные приводы (хоть и стоят они подороже), которые справляются с болванками обоих типов.

Совсем недавно в широкую продажу поступили накопители для чтения и записи оптических дисков еще большей вместительности – от 15 и 25 ГБ до ста и выше. Тут уже можно разместить миллионы песен, десятки фильмов обычного или DVD-качества.

Но и тут, к сожалению, тоже два стандарта: **BluRay** и **HD-DVD**. Будем надеяться на то, что один из них быстро вымрет, не введя людей в лишние расходы, а второй окажется просто диво как хорош. Или же на то, что инженеры придумают, как их поженить, и выпустят универсальные накопители, способные работать с дисками обоих стандартов.

А заодно, с CD и DVD, чтобы не пришлось под каждый тип болванки покупать отдельный дисковод.

У каждого компьютера обязательно есть несколько внешних разъемов для подсоединения дополнительных устройств. Чаще всего это:

• большой разъем **LPT** для подключения принтера (печатающего устройства) или сканера (устройства для ввода в компьютер картинок и текстов с бумаги);

• маленький разъем **USB** для подключения цифрового фотоаппарата, карточек флэш-памяти, принтеров и некоторых других дополнительных устройств. В связи с быстрым ростом популярности USB-устройств разъемы этого типа часто располагают не сзади, а на передней панели компьютера или наверху, на крышке;

• еще один небольшой разъем – для подключения к компьютерной сети или к интернету через компьютерную сеть (**сетевой разъем**);

• и другой – для подключения к интернету **по телефонной линии**.

Пусть вас не смущает такое количество разнообразных разъемов. Когда полезете что-то подключать, ошибиться будет невозможно: все эти кабели и разъемы устроены так, что к разъему подходит только кабель своего типа. Все остальные можно забить в разъем, разве что, применив молоток и клещи.

• На ноутбуках бывают еще выдвижные разъемы **PCMCIA** для подключения специфических малоформатных внешних устройств.

• Кроме того, на «ноутах», как правило, есть разъемы для прямого подключения **карт флэш-памяти** разных размеров и вида. Флэш-память отличается от обычной оперативной памяти, прежде всего, тем, что не стирается при отключении питания. Потому-то эти карточки и используют в цифровых фотоаппаратах для хранения снимков.

Скажем, вы вытащили карточку памяти из фотоаппарата, подключили ее напрямую к ноутбуку и перекачали оттуда все фотографии на жесткий диск компьютера.

Впрочем, типов флэш-карт существует такое количество, что ни в один, даже самый навороченный ноутбук столько разъемов не впихнуть. Так что обычно ограничиваются одним-двумя разъемами под самые распространенные типы карт. Чаще всего встречаются разъемы под карты SD и MMC (типы карт разные, а разъемы у них совместимы).

На настольный компьютер тоже можно подключать карты памяти. Но придется купить специальный переходничок – **кард-ридер** (Card Reader). Есть среди них и универсальные, с разъемами под разные карты. Сам переходник подключается к компьютеру на USB.

Очень удобны флэшки другого типа – такие, для которых не требуется даже переходник: они сразу сделаны под разъем USB и вставляются в него непосредственно. Разработаны эти **USB-флэшки** именно как устройства для переноски данных. Как правило, они снабжены крышечкой, закрывающей разъем (см. рис. 1.2), а иногда и колечком, чтобы можно было вешать такую флэшку на связку ключей или на шею – в качестве

амулета, защищающего своего хозяина от магических чар, сглаза и потери данных.

Сегодня USB-флэшки делают на размеры от сотни мегабайт до нескольких гигабайт.

Принтер – это печатающее устройство. Самые старые модели принтеров для персональных компьютеров – это *матричные*. Они печатают специальными иголочками, ударяющими по красящей ленте и таким образом рисующими некоторую комбинацию точек. Из точек и составляется

Рис. 1.2. Флэшка
типа «свисток»

буква, цифра или рисунок. Матричные принтеры сегодня встретишь разве что в учреждениях. Их покупают из-за дешевизны. Но работают они медленно и более или менее противно тарахтят.

Лазерные принтеры работают быстро и бесшумно, дают очень высокое качество печати (как из типографии). Они относительно дороги (порядка 200–400 долларов, а то и выше). Зато каждая отпечатанная на лазернике страница обходится очень дешево: одной заправки принтера хватает на несколько тысяч страниц. Чаще всего принтеры эти черно-белые. Цветные оказываются достаточно дорогими.

Самые распространенные сегодня принтеры – *струйные*. Они печатают особыми чернилами и могут дать достаточно высокое качество печати. Для нас существенно то, что современные струйники – сплошь цветные (в отличие от принтеров первых двух типов) и что они почти не шумят (для домашнего применения это крайне важно).

В последние годы появились приличные и недорогие цветные струйники, печатающие в четыре–шесть красок; качество – близкое к фотографическому, особенно когда применяется специальная бумага. Однако при качественной цветной печати краска в сменных баллончиках (картриджах) кончается довольно быстро, а сами картриджи стоят недешево, что приводит к серьезному увеличению стоимости каждого отпечатка.

На самом деле хитроумные фирмы-производители сознательно занижают цены на принтеры, чтобы стимулировать продажи, а цены на картриджи, наоборот, завышают. Может оказаться, что три-четыре заправки новыми чернилами обойдутся вам в ту же стоимость, что и сам принтер!

Так что, покупая принтер, хорошо подумайте, под какие задачи он вам нужен. Если цель – печать текстов, лучше брать лазерный принтер. А собираясь печатать цветные графики и диаграммы, распечатывать карточки со своего цифрового фотоаппарата или результаты своей дизайнерской и художественной работы, покупайте цветной струйный принтер (под графики и диаграммы самый дешевый, под фотографии – высококачественный).

Принтеры различаются по скорости печати – от одной страницы текста за пять минут у стареньких матричных до десяти страниц в минуту и выше у новеньких лазерных.

Кроме того, у принтеров разное качество печати: разрешающая способность может быть 90, 180, 300, 600, 1200 dpi, то есть точек на дюйм (dot per inch). К примеру, разрешение 300 dpi обеспечивает вполне профессиональное (пригодное и для типографии) качество при печати текстов и самых простых черно-белых изображений, а 1200 – любых черно-белых изображений, включая полутоновую графику. Некоторые принтеры дают разное разрешение по вертикали и по горизонтали. Тогда пишут: 300×600 dpi.

Еще одно важное различие – размер бумаги, которую в этот принтер можно вставлять. Большинство бытовых принтеров рассчитано на стандартный писчий лист **формата A4** (размер 21×29,7 см). Но есть принтеры формата A4+ (увеличенные по сравнению с A4), формата A3 (удвоенный A4), A3+ и т. д.

Обычно принтеры подключаются на параллельный порт (LPT), новые модели создаются и для USB.

Теперь пару слов о компьютерной **мыши**, с помощью которой мы будем объяснять компьютеру, что взять и куда отнести, что запустить, а что так оставить.

Мышка классической конструкции имеет две кнопки, назначение которых в компьютере различно – все зависит от конкретной программы, с которой вы работаете. Основная кнопка – левая, а правая используется для всяких дополнительных операций.

Часто продаются мыши с дополнительным колесиком, с помощью которого удобно пролистывать экран при чтении, делать изображение крупнее или мельче, выполнять некоторые другие специфические операции. Встречаются и более «навороченные» породы мышей – с дополнительными кнопками. Например, с парой кнопок под большой палец, с помощью которых очень удобно в интернете переходить на следующую страницу и возвращаться на предыдущую.

Мышь лучше всего возить по специальному коврику[1] – тогда она лучше слушается управления.

---

[1] Помните, в анекдоте: «– У вас есть коврик для мыши? – А может, вам еще тапочки для таракана?!»

Выпускаются мышки с проводком и без. Первые подключаются непосредственно к маленькому круглому разъему, торчащему из компьютера, – он называется **PS/2**. Во втором случае на PS/2 подключается только приемник, связывающийся с мышкой.

Подключается мышка с помощью радиосигнала или с помощью инфракрасного луча (**IR** – infrared, устаревший и не слишком удобный способ).

Клавиатуры, кстати, тоже бывают беспроводные, иногда для мышки и «клавки» используется один и тот же приемник.

Понятно, что электронное устройство не может существовать без электропитания. Если у мышки и «клавки» нет провода, значит, они работают на батарейках или на аккумуляторах.

В переносных компьютерах (ноутбуках) вместо мыши используют **тачпад** (touch pad) – отдельный миниатюрный экранчик под клавиатурой, по которому вы водите просто пальцем. Обычно тачпад снабжается парой кнопок, которые будут нам заменять щелчки мышкой. Но и к ноуту можно подключить мышку, если захочется. И большую клавиатуру, если кому на маленькой непривычно.

В карманных моделях (КПК) и некоторых специфических вариантах ноутбука (так называемых **планшетных** компьютерах) мышь не используется вовсе. Зато в них можно тыкать в экран простой пластиковой палочкой, и этот компьютерчик (маленький, а умный!) поймет, чего вы от него хотите. А иногда в компьютере может найтись и программа для распознавания рукописного ввода. Тогда можно не тыкать мышкой по экранной клавиатуре, вводя текст, а просто писать буквы – прямо на экране.

Для компьютерных художников и дизайнеров очень полезна будет особая разновидность мыши, которая называется **графическим планшетом**. По планшету (листу специальной конструкции) водят почти настоящим карандашиком, а рисунок появляется на экране. Качество планшетного рисунка может быть на порядок выше, чем мышиного. Но и цена планшета тоже на порядок выше.

Впрочем, художнику все же привычнее орудовать обычным карандашом или кистью. Тогда, чтобы перевести свой рисунок в компьютерную форму, ему потребуется **сканер**. Сканер может превращать в компьютерные файлы любые изображения – рисунок, открытку, фотографию, страницу книги или журнала. Хоть отвертку в него положите, он и ее переведет в компьютерную форму.

Сканеры различаются, как и принтеры, по разрешающей способности (300, 600, 1200 точек на дюйм) и по формату бумаги, которую можно отсканировать разом (А4 – стандартный писчий лист, А4+ – увеличенный, А3 – лист двойного размера и проч.). Есть специальные слайдовые сканеры, предназначенные для работы с фотопленкой. Но чаще пользуются универсальными сканерами, у которых имеется отдельная рамка для сканирования пленки.

Веб-камера – это еще один тип устройств, которые могут передавать в компьютер визуальную информацию. Простейшие веб-камеры стоят недорого, а с их помощью, подключив к этому делу одну из специализированных программ (вроде Skype), вы сможете устроить у себя что-то вроде видеотелефона.

К внешним устройствам компьютера вполне можно отнести даже **цифровые фото- и видеокамеры**. Цифровые фотоаппараты стремительно вытесняют пленочные аппараты: цифровые снимки отлично выглядят при просмотре с экрана, их легко выставить в интернете или записать на компакт-диск, а на печати они ничуть не хуже пленочных.

Если вспомнить о том, что каждый снимок можно всячески обрабатывать в компьютере, поправляя ошибки экспозиции, устраняя всякие характерные дефекты, вроде красных глаз, то станет понятно, насколько мужичок-цифровичок удобнее, чем пленочная мыльница.

Цифровик подключается к компьютеру через USB-порт, после этого вы спокойно перекачиваете снимки с помощью программ, входящих в комплект операционной системы Windows.

Модем (слово это означает «модулятор-демодулятор») позволит нам подключаться к компьютерным сетям через телефонную линию, передавать и принимать данные. Скорость работы у модемов невысокая, не превышает 56 килобит в секунду, да и телефонная линия занята, пока вы сидите в интернете.

Встречаются как **внутренние** модемы, которые ставятся на мамку, так и **внешние**, которые подключаются на соответствующий разъем.

Внутренние модемы дешевле (за счет того, что у них нет корпуса и отдельного блока питания), а по качеству они ничем не хуже.

Еще одна разновидность таких устройств – **ADSL-модемы**. Вот эти уже обеспечивают вполне приличную скорость доступа в интернет, хотя пользуются для этого той же телефонной линией. И телефон остается свободен: интернет сам по себе, а телефонная связь сама по себе.

Звуковая карта. Компьютеров без звуковой карты сегодня уже не продают. Но среди старых моделей (а также среди компьютеров в фирмах и организациях) немых сколько угодно.

Звуковая карта может представлять собой отдельное устройство, установленное на материнской плате, а может быть встроена в нее. Чтобы подключить к ней микрофон для записи или колонки для воспроизведения, от звуковой карты наружу торчат свои собственные разъемы. Если карта обеспечивает многоканальный панорамный звук, то разъемов может оказаться довольно много

Звуковая карта может комплектоваться динамиками, и тогда мы называем ее **звуковой приставкой**. Если же динамиков нет, то для воспроизведения сгодится любой внешний усилитель, наушники или кассетный магнитофон.

Если вам надо объединить пару компьютеров в домашнюю сеть, чтобы обмениваться данными, запускать программы, которые есть на другом компьютере, но отсутствуют у вас, вместе работать или играть в игры, заходить в интернет по одной линии, – вам следует приобрести **сетевую карту (сетевой адаптер)** – если на вашей мамке нет встроенной. Сетевые карты различаются по скорости передачи информации (например, 100 МБ/с или 1 ГБ/с).

Так, не составит большого труда объединить в сеть старый компьютер, который модернизации уже не подлежит, но выбросить его жалко, и новый. Или большой компьютер и ноутбук. А мои знакомые дети кинули кабель с седьмого этажа на пятый: два компьютера, две карточки, 20 метров кабеля – и Quake вдвоем 24 часа в сутки!..

Новая разновидность сетевых карт – **беспроводные**, которые общаются друг с другом по радио (по стандарту **Wi-Fi**[1]). Тогда никаких кабелей не требуется вообще – наружу вместо разъема торчит маленькая антеннка. Детишки могут резаться в «кваку» в пределах радиуса действия передатчика. А радиус может быть и 10, и 20 метров, и даже больше!

Ну вот, собственно, и все. Многовато новых слов, но ведь ничего ужасного и уму непостижимого нет, не правда ли?

Кнопки и клавиши

На корпусе компьютера есть кнопка включения питания. На ней может быть написано **Power** (питание), но чаще вместо надписи кнопка снабжена значком, примерно таким, как на рисунке справа.

На самом деле, современные компьютеры чаще всего имеют два выключателя питания: кнопку на лицевой панели и выключатель сзади, на

---

[1] От Wireless-Fidelity (качественное беспроводное соединение), читается «вай-фай».

блоке питания. Если первая кнопка выключает компьютер осторожно, с сохранением данных, то тумблер на блоке питания просто, что называется, вырубает свет, а это небезопасно.

На передней панели любого компьютера есть также кнопка перезагрузки[1] – часто без всяких надписей, но иногда там может стоять буковка R (reset). Бывает на панели и один-два светодиодных индикатора. Обычно один светодиод загорается, когда компьютер включен, а второй – когда ваш компьютер обращается к жесткому диску, что-то с него читает или пишет.

На мониторе тоже есть кнопка выключения питания, но во многих моделях при выключении компьютера выключается и монитор, так что пользоваться ею не приходится. Кроме того, мониторы имеют специальные органы управления яркостью, контрастом, цветностью и пр. – все как в телевизоре, только лучше.

CD- или **DVD-дисковод** имеет обычно кнопочку для открывания (она же служит и для закрывания), гнездо для подключения наушников, регулятор громкости звука в наушниках и маленькую лампочку-индикатор (горит только тогда, когда в накопителе есть компакт-диск и к нему происходит обращение – какая-то программа его читает). В некоторых моделях есть и кнопка для перехода к следующей песне при прослушивании аудио-CD.

Если дисковод пишущий, то у него может быть еще индикатор другого цвета, который загорается, когда идет процесс записи. Но может быть и один-единственный индикатор, который при чтении данных с диска будет одного цвета, а при записи данных на диск – другого.

CD или DVD кладут в выдвижной лоток этикеткой вверх (рис. 1.3), а зеркальной поверхностью вниз и закрывают, нажав кнопку или слегка толкнув лоток (только осторожно: не все сидюки правильно понимают такое рукоприкладство).

Встречаются диски (обычно это болванки CD-R), у которых нет этикетки и обе поверхности зеркальные. Чтобы правильно определить рабочую поверхность такого диска, поводите пальцем по кольцу между отверстием в центре и началом блестящей поверхности. С одной стороны вокруг отверстия будет выпуклый валик, а с другой не будет. Вот этим валиком вниз и кладите!

Рис. 1.3. Компакт-диск в дисководе

---

[1] На ноутбуках таких обычно не делают.

3-дюймовый дисковод расположен на обычном компьютере спереди (на ноутбуке – сбоку[1]) и выглядит как прорезь, в которую вставляется дискета. Дискеты-трехдюймовки (см. рис. 1.4) заключены в пластмассовые корпуса, магнитный слой защищен от случайного прикосновения металлической пластиной, которая сама сдвигается в тот момент, когда вы вставляете дискету в дисковод. На лицевой стороне дискеты непременно что-нибудь написано, тогда как на оборотной если что и написано, то гораздо меньше.

Рис. 1.4. Трехдюймовая дискета лицом вверх

Вставлять 3"-дискету надо *металлической пластинкой вперед и лицевой стороной* вверх. Если дискета установлена верно, кнопочка, расположенная на дисководе, возле прорези, выскочит вперед. Если вы тычете дискету неправильно, то она будет сопротивляться. Только не применяйте силу, это вам не трактор и не танк! Чтобы достать дискету, нажмите кнопку, и она наполовину выскочит сама.

Это все о кнопках. Теперь о клавишах.

На клавиатуре (рис. 1.5) имеется обычно около сотни клавиш и 3–4 лампочки (точнее, светодиода, но нам это без разницы). У ноутбуков клавиатура несколько иного вида и клавиш меньше. Ну и конечно, существует масса разновидностей навороченных клавиатур – со всякими дополнительными кнопками произвольной формы и какого угодно назначения.

Основная часть клавиатуры – с буквами, цифрами и знаками препинания – расположена в центре «кнопочной доски» (так буквально пере-

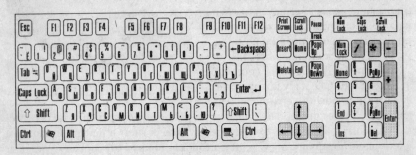

Рис. 1.5. Клавиатура

водится на русский английское слово keyboard). Обычно на русифицированной клавиатуре вверху на каждой клавише написан символ латинского алфавита, а под ним (иногда другим цветом) – русского.

Стрелками вниз, вверх, влево и вправо помечены клавиши управления курсором – той мерцающей черточкой, что перемещается по экрану, слушаясь стрелок и отмечая то место, «где вы сейчас находитесь». В некотором смысле можно сказать, что курсор – это и есть вы, это та активная точка, которая действует за вас на экране компьютера[1]. Клавиши управления курсором расположены внизу, правее основной клавиатуры, и продублированы на правой, цифровой клавиатуре (цифры 2, 4, 6 и 8).

В нижнем ряду находится самая заметная (потому что самая длинная) клавиша – **пробел**.

Выше нее – справа и слева – две длинные клавиши **Shift**, предназначенные для перевода регистра (то есть перехода со строчных букв на заглавные). А чтобы все время печатать заглавными буквами, можно нажать клавишу **Caps Lock** (тут же загорится индикатор Caps Lock – «защелка» верхнего регистра).

Наверху расположено 12 функциональных клавиш – от **F1** до **F12**, – предназначенных для выполнения каких-то чаще всего используемых операций. Для каждой программы или игры они имеют свое особое назначение. Но, например, клавиша F1 почти во всех программах делает одно и то же – вызывает справку по программе.

Кроме того, есть ряд специальных клавиш: **Esc** («эскейп» – убежать, отмена чего-либо – весьма часто используемая клавиша); одна или две клавиши **Enter** (ввод, подтверждение, перевод строки – еще чаще используемая клавиша), **Tab** (табуляция).

На современных клавиатурах вы всегда найдете по два экземпляра важнейших управляющих клавиш **Ctrl** («контроль») и **Alt** («альтернатива»). Эти клавиши (а также клавишу Shift) чаще всего используют не самостоятельно, а в сочетании с какими-нибудь другими клавишами – для быстрого вызова команд. Правая и левая клавиши Ctrl и Alt могут вызывать разные действия (правда, чаще эти действия все-таки одинаковы).

---

[1] В современных компьютерах два курсора. Один (его называют текстовым курсором) слушается этих кнопочек-стрелочек, а другой слушается мышки (мышиный курсор). В некоторых программах и в некоторых режимах работы может у вас не оказаться мышиного курсора, только текстовый. А иной раз, наоборот, не будет текстового, только мышиный (например, при рисовании картинок в графической программе).

Также по две клавиши **Del** или **Delete** (удалить)[1]; **Ins** или **Insert** (вставить)[2]; **Home** (домой – переход в начало страницы или строки); **End** (в конец); **Page Up** и **PgUp** (листание на страницу вверх), **Page Down** и **PgDn** (листание на страницу вниз).

Клавиша **Backspace** (назад) на многих клавиатурах не длинная, как на нашем рисунке, а обычного размера и на ней вовсе не всегда пишут слово – просто рисуют стрелку влево (такую ⇦ или такую ←). Но не следует ее путать с соответствующей клавишей управления курсором: это совершенно разные клавиши! Backspace всегда находится справа в верхнем ряду, выше клавиши Enter (это может не относиться к каким-то необыкновенным экзотическим клавиатурам, а также к ноутбукам).

В правой части доски располагается группа клавиш с цифрами и знаками арифметических действий – *цифровая клавиатура*. Когда нажата клавиша **Num Lock** («защелка цифровой клавиатуры») и горит соответствующий индикатор, с цифровой клавиатуры вводятся цифры, а когда не нажата, она дублирует действие стрелок управления курсором и клавиш Home, End, PgUp и PgDn.

Еще несколько клавиш на цифровой клавиатуре – косая черта (она же знак деления) «/», звездочка (она же знак умножения) «*», минус «−» и плюс «+» – служат для ввода знаков арифметических действий (когда горит индикатор Num Lock). А когда не горит, могут выполнять и некоторые специальные функции – в каждой программе свои.

Клавиши на цифровой клавиатуре часто обозначают с приставкой **Num** (от numeric – цифровая клавиатура). Например, когда вы видите надпись **Num +** – это означает клавишу плюс на цифровой клавиатуре, а **Num 5** – это пятерка на ней же.

В новых моделях клавиатур бывают и дополнительные клавиши со своим специфическим назначением. Так, уже едва ли не стандартом стала клавиша **Windows** (или **Start**). Названия на ней может и не быть, но обязательно будет нарисован логотип Windows – типа такого: ⊞. Клавиша такая может быть не одна, часто ставят две – между клавишами Alt и Ctrl, как на рис. 1.5. По нажатию этих клавиш вызывается так называемое главное меню Windows (оно же меню Start).

Весьма полезна бывает (особенно в текстовых редакторах, вроде Microsoft Word) еще одна клавиша, на которой изображена маленькая

---

[1] Одна может называться Del, а другая Delete, но делают они одно и то же – удаляют что-либо, подлежащее удалению.

[2] Аналогично и с этой парой. По этим клавишам происходит вставка чего-то такого, что необходимо вставить, – например, вставка в текст рисунка или слова.

табличка и стрелочка мышиного курсора: (на нашем рисунке расположена между правой клавишей Windows и правой клавишей Ctrl). По ней вызывается так называемое контекстное меню, за что и называется она **Context**. О том, что это такое и зачем оно такое, мы с вами еще поговорим.

Если нажать клавишу (букву, цифру, иной символ) и подержать ее около секунды, то компьютер начнет повторять её (еёёёёёёёёё). Так что стукать по клавишам надо довольно отрывисто – как говорят пианисты, стаккато.

В системе Windows время, после которого начинается это еёёёёёёё-моё, можно изменить – уменьшить, если вы такой весь из себя спортсмен-пианист-скорострельщик, или, наоборот, увеличить, если вы задумчивый такой флегматик или же у вас имеются нарушения двигательных функций.

Очень часто в компьютерной жизни требуется нажимать не одну клавишу, а **сочетание клавиш, клавиатурную комбинацию**. Например, во множестве программ-редакторов – текстовых, графических, музыкальных и проч. для записи на жесткий диск результатов нашего труда – мы будем пользоваться клавиатурной комбинацией Ctrl-S (иногда пишут Ctrl+S или Ctrl+[S]). При этом клавиши Ctrl и S не требуется нажимать одновременно, да такое ни одному спортсмену не под силу. Достаточно нажать сперва клавишу Ctrl, а потом, не отпуская ее, клавишу S. Текст ваш или рисунок пойдет записываться на диск, а клавиши можно будет уже отпустить.

Точно так же мы будем поступать, когда нам потребуется в текстовом редакторе набрать вместо строчной буквы заглавную. Нажмем сперва клавишу Shift, а потом, не отпуская ее, нужную нам букву.

Бывают комбинации и более сложные – из трех пальцев (имеется в виду не столько фига с маслом, сколько Ctrl-Alt-Del, Ctrl-Shift-Esc или Ctrl-Alt-1) и даже из четырех (Ctrl-Alt-Shift-S). Про комбинации из пяти клавиш слышать пока не доводилось. Но, может быть, в книге рекордов Гиннесса найдутся и такие.

2. САМОЕ НАЧАЛО

Включил компьютер – глядь, а там...

Что же вы увидите на экране, включив впервые свой компьютер?

Как правило, сегодня компьютеры продают не пустыми. То есть кто-то – продавец или изготовитель – подготовил уже к работе жесткий диск (это называется «отформатировал») и записал на него какие-то минимально необходимые и включенные в продажную цену программы. Так что здесь мы не будем говорить, как поступать с неподготовленным компьютером.

Машина после включения начинает ворчать, пищать и булькать, при этом все время пишет что-то на черном экране. Потом перед вами появляется та или иная картинка с надписью Microsoft Windows[1]. А заканчивается вся эта возня тем, что на экране оказывается некая поверхность (рабочий стол), в большей или меньшей степени усыпанная мелкими картиночками – значками, каждый из которых имеет свою подпись.

---

[1] В переводе – «Окна корпорации Майкрософт». Остряки переводят еще и слово Microsoft, и тогда получается «Окошки мелкомягкие». Как только не называют Windows! И форточками, и «виндами», и «виндозой», и даже «must die» (должен умереть!)...

Если это произошло, значит, компьютер успешно **загрузился** (то есть все программы, какие должны были включиться автоматически, – включились).

А что, собственно, такое загрузка и зачем она нужна?

Сразу после включения никакие программы не работают, оперативная память компьютера пуста. Надо запустить какие-то управляющие программы, чтобы те сами решали, сколько дать места в памяти игре, в которую мы хотим сыграть, или текстовому редактору, в котором нам захочется поработать, какие данные и в какое место диска записывать, как реагировать на наши действия, когда мы станем нажимать на клавиши или тыкать туда-сюда мышкой.

Всю эту черную, но абсолютно необходимую работу за нас делает особая программа – **операционная система** (ОС). Мы можем ее в упор не видеть, но, как дельный заместитель при важном гендиректоре, который все время торчит на разных брифингах и презентациях (или на Канарах), ОС работает всегда, даже когда мы играем в игры или сочиняем программу геополитических исследований на XXI век. Эта-то программа и запускается самой первой, сразу после того, как аппаратура компьютера сама себя проверит на исправность.

Именно запуск ОС, а также некоторых других служебных программ мы и называем загрузкой.

А откуда берется операционная система?

Она записана на жестком диске, и компьютер ее оттуда считывает (грузит, как говорят компьютерщики) и запускает. А дальше уже она сама...

Операционных систем на свете немало. На компьютерах фирмы Apple используется операционная система MacOS. Некоторые люди, особенно из научно-технической среды, пользуются бесплатной операционной системой Linux. Но все же подавляющее большинство людей «сидит под виндами» – работает с операционной системой Windows.

Windows имеет несколько разновидностей (версий), которые выходили в разные годы, начиная с середины 90-х годов прошлого века. Сегодня большинство людей пользуется системой **Windows XP** (вышла в 2001 году), но растет и число обладателей новой системы **Windows Vista** (2007). Найдется и немало старых компьютеров, на которых стоят операционные системы предыдущих версий – Windows 2000, Windows Millennium Edition (редакция тысячелетия, 2000) или Windows 98 (соответственно, 1998 года выпуска). Между ними есть важные различия, но в главном – в приемах и способах нашей работы – они одинаковы.

Так что мы с вами поучимся пользоваться компьютером на примере самой популярной на сегодня системы Windows XP, но со всеми инновациями самой новой на сегодня системы Windows Vista разберемся достаточно подробно.

Одно замечание в сторону. Все программы, если они пользуются спросом, время от времени обновляются, выходят новые, более мощные, более умелые их версии. Принято версии нумеровать в порядке возрастания: 1.0, 2.0, 3.0. Кроме того, могут существовать «подверсии» – более поздние варианты программы, в которых нет кардинального обновления, но исправлены те или иные ошибки, добавлены новые возможности. Тогда пишут: версия 6.5 или версия 4.01 (или так: v4.01).

Существуют и другие способы наименования версий. Так, операционные системы Windows с конца 80-х годов называли чинно, по порядку: 1.0, 2.0, 3.0, 3.1. Но вместо Windows 4.0 в 1995 году компания Microsoft представила систему Windows 95. Следующими были Windows 98 (номер версии 4.1) и Windows Millennium (4.9). Все это семейство операционных систем, предназначенных для домашнего использования, сокращенно называли **Windows 9x**.

Для деловых нужд корпорация Microsoft разрабатывала другое семейство – **Windows NT** (от new technology – новая технология). Дошли в этих новых технологиях до версии Windows NT 4.0, а потом захотелось чего-то новенького и коммерчески привлекательного. Версия NT 5.0 была выпущена в 2000 году под названием Windows 2000, а два года спустя вышла сильно обновленная подверсия 5.1, которую и назвали Windows XP (от слова experience – опыт, мастерство, познание).

Ну, и шестая, радикально переработанная версия получила название Vista (что переводится, как перспектива, вид на будущее).

Внутри каждой из версий или подверсий тоже существует видовое разнообразие – прямо, как у бабочек в саду. Каждая версия ОС может продаваться с разным набором программ и возможностей. Скажем, для домашнего пользователя без особых профессиональных запросов предлагается **Windows XP Home Edition** (домашняя редакция), для делового применения – более богато укомплектованная редакция **Professional**, а для продвинутых любителей музыки, видео и ТВ – **Media Center Edition**. Есть также совсем бедненькая и дешевая редакция для слаборазвитых стран – **Starter Edition**. Ну, и есть вариант для мощных 64-битных процессоров **Professional ×64 Edition**.

У Windows Vista выбор тоже достаточно широкий: для домашних пользователей предлагается три редакции: **Home Basic** (домашняя базовая), **Home Premium** (домашняя усиленная) и **Ultimate** (максимальная комплектация). Соответственно, для деловых применений предлагаются Windows Vista **Business** (для предпринимателей и небольших компаний), Windows Vista **Enterprise** (для крупных компаний) и та же **Ultimate**. Для слаборазвитых стран предлагается дешевая редакция Windows Vista **Starter**.

К нашему счастью, в способах работы с базовыми, усиленными, деловыми или домашними редакциями особой разницы нет. Программы запускаются так же, с текстами работаешь так же, в интернет лезешь или почту читаешь так же. Нет в этой редакции какой-то программки, которая есть в той, – ну так что?! Вполне возможно, что вам для повседневной работы все эти усиленные комплектации, навороты и бонусы совершенно будут не нужны.

Но и это еще не все! Для устранения замеченных неисправностей, ошибок, дырок в защите корпорация Microsoft периодически выпускает обновления (апдейты, патчи). Компьютер, подключенный к интернету, может даже автоматически, без нашего участи скачивать и устанавливать эти обновления.

Время от времени Microsoft собирает все обновления вместе и выпускает так называемые **пакеты обновлений** (по-английски **Service Pack**, или, как часто сокращают, **SP**). Впрочем, сервис-паки только латанием дырок не ограничиваются, частенько добавляя в систему и какие-то новые полезные функции, обучая ее работе с новыми устройствами и т. п. Так что Windows XP в исходном виде – это не совсем то, что Windows XP с пакетом обновлений 2 (SP2). И я бы сказал, что XP (SP2) намного лучше и безопаснее. А потому в основу своего рассказа я собираюсь положить именно этот вариант системы Windows.

Все это многообразие, конечно, путает новичка. Но слишком уж сильно пугаться не стоит. Различия во внутреннем устройстве разных версий «виндов» могут быть как угодно велики, но для человека, работающего в новой для себя системе, важно только одно: чтобы его привычные способы работы не менялись слишком сильно. Обычно, готовя новые версии программ и операционных систем, разработчики стараются не слишком нас пугать – приемы работы сильно не меняют. Но иногда такое отчубучат, что просто туши свет!..

Так что если какая-то важная операция в XP делается так, а в Vista иначе, мы с вами посмотрим оба варианта. Тогда, перейдя на новую работу или купив новый компьютер с другой версией «виндов», вы сможете быстро и без особых проблем включиться в работу.

Кое-какие важные особенности старых версий Windows мы тоже постараемся не забыть. Мало ли, куда судьба человека забрасывает, на какой рухляди приходится денежку зарабатывать!..

Прогулка по столу

Прежде чем выпускать вас в джунгли Windows, я хотел бы сходить с вами на легкую ознакомительную прогулку по системе с тем, чтобы вы сразу поняли, из чего состоит повседневная жизнь ее обитателей, какие звери там водятся, а каких нет и никогда не будет. Впрочем, лес этот не настоящий, а настольный, так что прогуливаться мы будем по столу.

Рис. 2.1. Рабочий стол Windows XP

То, что открывается нашему взору после загрузки Windows (см. рис. 2.1), разработчики предлагают называть **рабочим столом (desktop)**. На столе могут лежать рабочие инструменты: значки программ, которые можно будет запускать, папки с документами и даже отдельные документы. В старых версиях системы (Windows 98, Millennium или 2000) на рабочем столе сразу же окажется довольно много важных значков, некоторые из которых не удастся убрать оттуда, даже если мы этого и захотим. Программы, всякие наши текстики и картиночки можно будет быстро запускать в работу прямо отсюда, с рабочего стола.

В XP здесь поначалу лежит одна только Корзина (Recycle Bin), в которую мы будем выкидывать все ненужное. Торопыги, выкинувшие то, чего выкидывать не следовало, всегда смогут залезть в корзинку и поправить свою ошибку. И только приказав Windows опорожнить ее, мы добьемся полного уничтожения мусора.

Но даже в XP на рабочем столе вскоре оказывается много всяческих значков. Часть из них создают различные программы, которые мы себе устанавливаем, – чтобы нам было удобнее их запускать, другие мы кладем на стол сами, если возникает такое желание.

На рисунке 2.1 вы видите, что я положил на рабочий стол своей основной рабочей системы Windows XP (SP2). Тут лежат у меня проигрыватель, с помощью которого я смотрю видеофильмы и слушаю музыку; графический редактор Photoshop, помогающий мне делать иллюстрации к этой книжке, обрабатывать фотографии из моего цифровика; значок антивируса, который спасает меня от всяческой компьютерной заразы, значок музыкального редактора Sonar, который помогает мне делать потрясающие (меня) до глубины души аранжировки собственных песенок, и значок конвертера Lame, который переводит эти песенки в формат mp3. Вы у себя сможете поставить другие – те, которые будут нужны вам, и расположить их так, как удобно именно вам.

Обратите внимание на значок Звук и музыка, который имеет форму папки для бумаг (точнее, мы сделаем вид, что он и правда имеет форму папки для бумаг). Такой объект и называется **папкой** (folder), **директорией** или **каталогом**. И лежат в нем **файлы** (наши программки, рисунки, песенки, текстики). Папка – очень важная для нас штука, мы постоянно будем иметь дело с папками. Все файлы на диске нашего компьютера разложены по таким папочкам. Причем в папочках могут находиться свои, вложенные папочки (поддиректории, подкаталоги), а в тех – свои и т. д.

На нашей картинке значки Photoshop, BSPlayer, Total Commander, Sonar, а также ряд других – это значки **программ**. У каждой программы свой особый значок (пиктограмма). А значок Книга.doc – это **документ**, который предназначен для работы в самой распространенной в мире программе для работы с текстами – текстовом редакторе Microsoft Word.

А вообще, мы будем называть скучным словом «документ» тексты, электронные таблицы и даже такие нескучные, в общем, вещи, как музыкальные файлы или картинки. Если Windows точно знает, какая программа-редактор предназначена для создания и обработки данной единицы хранения, значит, это – документ. А если не знает – так просто, сам по себе файл.

А теперь посмотрите на рисунок 2.2, где показан рабочий стол в системе Vista. Как видите, тут есть справа некие дополнительные штуковинки – стрелочные часы, окошечко с красивыми картинками, окошечко с заголовками новостей и т. п. Это **боковая панель** Висты, на которой могут размещаться крошечные программки (**мини-приложения**, или гаджеты – **gadgets**).

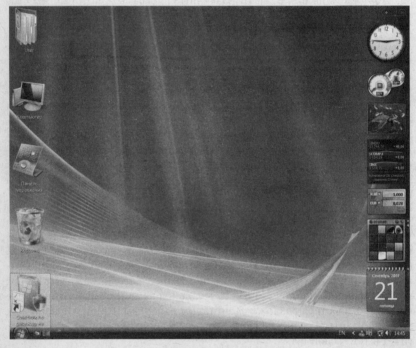

Рис. 2.2. Рабочий стол Windows Vista

Кроме тех мини-программок, которые будут установлены вместе с Вистой, можно будет установить еще несколько штук или скачать себе что-нибудь из интернета. Как их устанавливать и удалять, мы с вами позднее поговорим (глава «Боковая панель Windows Vista»). Ничего сложного в этом нет.

А сейчас мы ненадолго прервем нашу прогулку по рабочему столу и поговорим о том, как со всем этим богатством управляться при помощи мышки.

Мышка и ее применение в народном хозяйстве

Если подвести бегающий по экрану указатель мыши (курсор в виде стрелочки, вот такой: 🖱) к любому значку на рабочем столе и щелкнуть *левой кнопкой мыши*[1], то значок и надпись под ним станут темными. Это означает, что значок **выбран** (еще говорят **выделен**). С выбранным значком можно много чего сделать – запустить (если это программа), удалить (если он не нужен), подвинуть в другое место (для красоты и удобства), создать его копию (если нужна копия). И т. д., и т. п.

Щелкнув по свободному месту, в стороне от значка, вы *снимете с него выделение*.

Чтобы выбрать несколько значков на рабочем столе, нужно щелкнуть мышью в стороне от значка и, *не отпуская левой кнопки*, потянуть указатель мыши по экрану так, чтобы захватить нужные значки. Windows растягивает прямоугольную рамочку, как показано на рисунке 2.3. Всё попавшее внутрь этой рамки выделится. Даже когда вы отпустите кнопку, выделение останется. И можно будет разом все это запустить, удалить, подвинуть куда-нибудь, скопировать

Рис. 2.3. Выделяем несколько значков

и т. д., и т. п. О том, как это делается (а главное – для чего это нужно), вы скоро узнаете.

Щелкнув по свободному месту, в стороне от значков, вы снимете выделение со всех ранее выделенных значков. Иногда у начинающих это получается как-то само собой – навыделяет всякого-разного, а потом нечаянно щелкнет где-нибудь и долго удивляется, почему все выделение сбросилось...

Щелкнув по одному из выделенных значков с нажатой клавишей Ctrl, вы снимете выделение только с него, если вам на самом деле вовсе и не нужно было его выделять.

Вообще, **чтобы выбрать несколько значков вразбивку**, можно не растягивать рамочку, а воспользоваться клавишей Ctrl. Щелкаете по первому значку, а потом, нажав Ctrl, – по второму, третьему и так далее. И все они будут выделяться.

---

[1] Большинство операций с мышью выполняется именно таким «левым» способом. Так что выражение «щелкните мышью» следует везде понимать, как предложение щелкнуть именно левой кнопкой. Когда же нам понадобится щелчок правой кнопки мыши, я всякий раз буду это специально оговаривать.

Если мы подведем указатель мыши к значку и щелкнем по нему не один раз, а дважды, причем быстро, то это будет уже совершенно иное, важнейшее в системе Windows действие, именуемое **двойным щелчком мыши**. По двойному щелчку происходит следующее:

• если значок представлял собой программу или игру, то она запустится и вы сможете начать работу с ней;

• если это была папка, то она раскроется и покажет, что в ней лежит. Можете отыскать то, что вам в ней нужно;

• а если это был документ, то он загрузится в ту программу, для которой предназначен. Например, щелкая по значку Книга, я тем самым запускаю текстовый редактор Microsoft Word, и в нем уже оказывается книга, над которой я как пчелка тружусь аж с одна тыща девятьсот девяносто четвертого года, а вот теперь и краткую версию смастерил.

Рис. 2.4. Хотели запустить файл, а вышло переименовать...

Если вы щелкаете по значку дважды, но недостаточно быстро, то Windows может воспринять это ваше действие не как двойной щелчок, а как **два обычных, однократных**. И тогда ничего не раскроется, не запустится и не загрузится. Вместо этого вы увидите (рис. 2.4), как подпись под значком обведется рамочкой и на конце этой подписи замигает вертикальная черточка – **текстовый курсор**. Стоит вам теперь набрать на клавиатуре какое-то слово, и вы переименуете этот значок!

Если же вы вовсе не это имели в виду, откажитесь от переименования, щелкнув мышью по любому другому значку или нажав клавишу отмены **Esc**.

Чтобы вместо двойного щелчка не получалось у вас два однократных, потренируйтесь, пощелкайте мышью по значкам. Вскоре вы усвоите правильный темп и больше не будете так ошибаться.

Если значок был выбран (вы щелкнули по нему один раз), то, нажав клавишу **Enter** на клавиатуре своего компьютера, вы получите в точности тот же результат, что и по двойному щелчку – запуск программы или открывание папки. А нажав клавишу **F2**, сможете значок переименовать[1].

Это один из важнейших принципов организации Windows: большинство операций можно выполнять разными способами – как при по-

---

[1] Если, конечно, его можно переименовать. Например, нам не позволено менять названия дисков, корзины, а также особых папок Windows: Панель управления, Принтеры, Назначенные задания, Удаленный доступ.

мощи мышки, так и нажатием клавиш или их комбинаций. Некоторые люди предпочитают все делать одной только мышью, другие стараются где только возможно использовать также клавиатуру. Это уж дело вкуса. Поэтому я буду везде рассказывать, как сделать то или иное действие и с помощью мышки, и с помощью «клавы».

Клавиша или комбинация клавиш, выполняющая некоторую операцию, называется **быстрой**, или **горячей**, клавишей (hot key). Например, нажав клавишу **Alt** и, не отпуская ее, – клавишу F4, мы получаем клавиатурную комбинацию для закрытия любого виндоузовского окна и выключения любой программы, в которой работали. Как вы уже знаете, мы будем это записывать так: **Alt-F4**.

В каждой программе свои горячие клавиши. Одна и та же комбинация в текстовом редакторе может выполнять одну операцию, в графическом – совсем другую, а в программе для работы с файлами – третью. Для удобства я собрал в приложении клавиатурные комбинации, используемые в системе Windows – на рабочем столе и в проводнике Windows (о проводнике чуть позднее).

Каждый значок на рабочем столе можно взять мышкой и **перетащить на другое место**. Делается это так. Щелкаете по значку и, *не отпуская левой кнопки мыши*, тащите в нужное место экрана. Где отпустите кнопку, там значок и останется[1]. То же можно сделать с группой выделенных значков.

Такой способ работы с объектами называется **drag-and-drop** (перетащить и бросить). Он широко применяется в самых разных областях компьютерной жизни. Например, так перетаскивают на новое место куски текста в текстовом редакторе, так в рисовалке двигают по рисунку фрагменты изображения, а в электронных таблицах – выбранные ячейки. Так двигают по экрану сами окна программ и папок. Так таскают файлы из одной папки в другую или с диска на дискету. Просто полный и всеобщий дрыг-энд-прыг.

Если же вы смеха ради станете таскать объекты по столу, держа нажатой клавишу **Ctrl**, то они станут копироваться со страшной силой. Появится сначала вторая точно такая же с виду папка, программа или документ, потом третья, потом четвертая. Но вместо, например, «Звук

---

[1] Если только для рабочего стола не задан особый режим, при котором значки сами упорядочиваются – расставляются в столбик с определенным интервалом. Тогда после перетаскивания все значки сами перестраиваются. См. главу «Сортировка файлов в окне».

и музыка» имя их будет «Копия Звук и музыка», «Копия Копия Звук и музыка», «Копия Копия Копия Звук и музыка» и т. д. Возможен вариант «Копия(2) Звук и музыка», «Копия(3) Звук и музыка» и т. д.

Вообще **перетаскивание любого объекта с клавишей Ctrl означает его копирование**. Для напоминания об этом Windows при таком перетаскивании рисует рядом с мышиным курсором-стрелочкой маленький плюсик в квадратике («плюс один»):

Почти любой объект можно потащить и бросить также:

• в мусорную корзину, и тогда он исчезнет в ее необъятных недрах (того же можно добиться, выбрав его мышью и нажав клавишу **Del**),

• на значок диска или папки, в другое открытое окно, и тогда он переместится или скопируется в эту папку, на этот диск или в это окно,

• на значок программы, и тогда файл в нее загрузится (если, конечно, программа может в себя загрузить такой файл!).

Можно еще кое-куда его бросить, но нам пока хватит и этого.

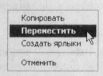

Рис. 2.5. Перетаскиваем значок правой кнопкой мыши. Если передумали – выберите строку Отменить

Кстати, объекты можно таскать и **правой кнопкой мыши**. В этом случае Windows сразу предложит вам выбрать (выдаст на экран соответствующую табличку со списком возможностей – рисунок 2.5), хотите ли вы просто переместить объект на новое место, создать его копию или создать ярлык – специальный значок для вызова программы или документа. Для чего нам нужны ярлыки, мы поговорим в главе «Что такое файл».

Если просто двигать курсор по этой табличке (мышью или стрелками управления курсором), строки ее будут поочередно окрашиваться синим (выделяться). Стоит щелкнуть по нужной вам строке (левой кнопкой или правой – в данном случае не имеет значения, можно также нажать клавишу Enter), и произойдет именно то, что в этой строке написано. Написано Переместить (Move) – значок переместится, написано Копировать (Copy) – появится копия. А если вы передумали что-то куда-то двигать или копировать, щелкните по строке Отменить (Cancel) или нажмите клавишу **Esc**, и все вернется на свои места.

Такая табличка называется **меню**. Практически у каждой программы, которой мы будем пользоваться, есть свой набор этих самых меню – табличек, с помощью которых можно подавать команды программе.

Кроме того, **при щелчке правой кнопкой** по любому объекту рабочего стола мы будем получать меню, показывающее, что с этим объектом можно сделать. Например, на рисунке 2.6 показано, что можно сделать со значком папки. Табличка, которая появляется при щелчке правой кнопкой, – это не простое меню, а **контекстно-зависимое (контекстное)**. Кучерявое это название означает, что у разных объектов по нажатию правой кнопки мыши выскакивают немного разные меню: для «мой-компьютера» одно, для папки другое, для программы – третье, для документов, корзины и прочего – какие-то свои. Ведь садясь в автомобиль, вы не будете даже пытаться с его помощью варить кофе, а беря в руки кофеварку, не будете пытаться на ней куда-то поехать. Объекты в Windows могут так же сильно отличаться друг от друга, как кофеварка и автомобиль, отчего и контекстные меню у них будут разными[1].

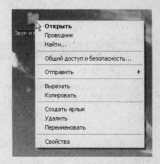

Рис. 2.6. Контекстное меню папки

Но какими бы разными ни были контекстные меню виндоузовских объектов, практически во всех появляется строка Свойства (Properties). Обычно она самая нижняя, и выбрав ее, можно многое узнать об объекте, а кое-какие его свойства даже поменять. О свойствах некоторых объектов мы с вами еще поговорим. Свойства тех, о которых мы не говорим, вам стоит изучить самостоятельно. Непременно найдете что-то полезное.

А теперь продолжим нашу прогулку по столу и взглянем на...

Панель задач

Панель задач (taskbar) выглядит как синенькая (в Windows 98 и 2000 – серенькая, а в Висте – черненькая и блестящая, как будто из пластмассы) горизонтальная полоска в самом низу экрана. Этот зверь позволяет нам постоянно видеть список всех работающих программ.

Как только вы запустите какую-то программу или игру, тут же на панели задач появляется прямоугольная кнопка с ее именем (см. рис. 2.7). Как видно на этом рисунке, у меня сейчас запущены текстовый редактор Microsoft Word с файлом Книга.doc, графическая программа Adobe Photoshop и программа для работы с файлами Total Commander. В Ворде я пишу книгу, с помощью Фотошопа обрабатываю иллюстрации для этой книги, а с помощью Тотал Коммандера управляюсь с файлами.

---

[1] Контекстное меню вызывается также клавишей Context: выделяете нужный объектик, жмете на эту клавишу и видите меню. Конечно, если клавиша эта на вашей клавиатуре имеется.

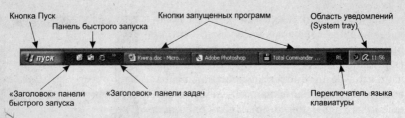

Рис. 2.7. Панель задач в Windows XP

Вы тут же поняли, что нам с вами разрешается запускать несколько программ (по науке говоря, задач) одновременно. Потому что **Windows** – многозадачная операционная система. Можете, как самые настоящие Юлии Цезари, делать несколько дел одновременно: ползать по интернету, читать почту и обрабатывать фотографии в графическом редакторе, перескакивая из одной программы в другую.

Максимальное количество одновременно работающих задач ограничивается только объемом оперативной памяти вашего компьютера и тем, сколько этой памяти хочет урвать каждая из программ.

Для чего нам панель задач? Только ли для того, чтобы иметь перед глазами список всех ранее запущенных программ? Вовсе нет. Ткнув в любую из этих кнопочек (конечно, не пальцем, а мышкой: подведя курсор и нажав левую кнопку), вы мгновенно оказываетесь в соответствующей программе и работаете в свое удовольствие уже в ней. Панель задач позволит сделать это в любой момент и из любой программы.

Переходить между запущенными программами иногда удобнее не мышкой, а с помощью клавиатурной комбинации **Alt-Tab**. Нажимаете клавишу **Alt** и, не отпуская ее, – клавишу **Tab**. Появится табличка со значками всех запущенных вами программ, как на рисунке 2.8. Если, по-прежнему не отпуская клавишу Alt, нажимать несколько раз Tab, то рамочка вокруг значка будет переходить с одной запущенной программы на другую. В каком положении вы отпустите клавишу Alt, в ту программу и перекинет вас Windows.

Рис. 2.8. Переход в другую запущенную программу по клавиатурной комбинации Alt-Tab

Этот способ очень удобен, им пользуются почти все, когда работают с клавиатурой (например, набирают текст), так что советую и вам его освоить.

Заметьте, что на рисунке 2.8 есть два совершенно одинаковых значка – в виде листочка с буквой W. Это потому, что у меня в текстовом редакторе Word открыты сразу два документа. Значки у них одинаковые, так что выбрать нужный документ я могу, посмотрев на его название, которое пишется внизу (в Windows Vista – вверху). В данном случае табличка сообщает мне, что если я отпущу клавишу Tab, то попаду в документ под названием Книга.doc.

В Windows Vista (кроме выпусков Starter и Home Basic) есть продвинутый режим работы **Aero**, предназначенный для мощных и быстрых компьютеров. В нем по Alt-Tab вместо значков показывают уменьшенное изображение окошка каждой из запущенных программ (см. рис. 2.9). А значит, разные окна Ворда или разные папки мы сможем различать не только по их названию, но и по внешнему виду.

Рис. 2.9. Переход по Alt-Tab в Windows Vista, режим Aero

В продвинутом режиме Aero есть еще некоторые изюминки, которых не было ни в одной предыдущей версии Windows. Например, можно переходить между окнами открытых программ по сочетанию клавиш **Windows-Tab** (тут мы видим одно из применений клавиши с логотипом Windows – далеко не последнее!). Но дело, конечно, не в сочетании клавиш, а в том, как при этом ведут себя окна. Они поворачиваются, как на рисунке 2.10, и при каждом нажатии клавиши Tab меняются местами – сдвигаются по кругу. Какое из окон будет на первом плане, когда вы отпустите клавишу Windows, в то и попадете.

Способ эффектный (это называется Flip 3-D – «трехмерный переворот»), а главное очень наглядный. Когда окна такие крупные и все так хорошо видны, можно быстро и без особого напряжения узнать из множества открытых окно именно то, которое сейчас требуется открыть. Даже рабочий стол в свою очередь выезжает на первый план наравне со всеми.

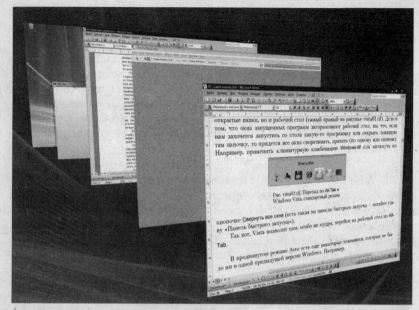

Рис. 2.10. Режим Aero: переход между запущенными программами
по Windows-Tab

У Висты имеются и другие необычные способы листания списка
программ – загляните в таблицу 1 в приложении.

Рис. 2.11. Всплывающая
подсказка

На кнопке программы-редактора
может быть написано еще и имя документа, который в него загружен. Правда,
слишком длинное название программы
или имени файла на кнопочке не поме-
щается. Но стоит вам просто подвести курсор мыши к этой кнопке и подержать так секундочку, не нажимая никаких кнопок и клавиш, как из
самых потаенных глубин Windows всплывет желтенькая такая подска-
зочка (рис. 2.11) и расскажет, что за программа запущена и какой файл
в ней находится. Если, конечно, в ней есть какой-то файл.

Точно такие же **всплывающие** (pop up) **подсказки** дают о себе кнопки практически в любых программах – и в текстовых редакторах, и в графических программах, и во всех остальных. Это очень удобно: забыл, что
это за кнопочка, – пододвинул к ней курсорчик да все и вспомнил.

Всплывают **подсказки и над значками**: над файлом пишется его
тип, дата изменения и размер (в байтах, килобайтах или мегабайтах),

над папкой – общий размер файлов в ней и имена нескольких файлов, над значком диска – полный размер и количество свободного места. Правда, касается это только новых версий операционной системы. Старые таких подсказочек не дают.

Когда у вас запущено так много задач, что их кнопкам становится тесно на панельке, система соберет все однотипные задачи на одной кнопочке, сделав что-то вроде выпадающего меню. На рисунке 2.12 показано, как на этой кнопке объединились пять окон текстового редактора Microsoft Word, в которых открыты пять разных разделов самоучителя. Щелкая по кнопке, разворачиваю список. Щелкая по любой строке этого списка, попадаю в нужное окно.

Рис. 2.12. Пять окон Word'а на одной кнопке

Группировка кнопок появилась впервые только в Windows XP. В Windows 98 или 2000 при запуске еще одной копии программы или при открывании еще одного окна у вас будет просто появляться новая кнопка на панели задач.

Если же, вопреки всем стараниям системы, кнопок становится слишком много, XP и Vista (в отличие от старых версий Windows) не пытаются сделать их шириной в долю миллиметра, лишь бы только все они поместились. Они просто прячут непомещающиеся кнопки – переносят их на другую страницу.

Справа на панели задач появляется пара галочек носиками вверх и вниз (как на рисунке 2.13). Щелчок по нижней галочке листает список задач вперед, на следующую страницу. Галочка носиком вверх возвращает список назад, на первую страницу кнопок.

Рис. 2.13. Задачи не помещаются на панели – можно их пролистывать

Меню Пуск

Продолжим нашу обзорную экскурсию по рабочему столу. Взглянем теперь на кнопку **Пуск** (в англоязычной версии **Start**), которая расположена в левом нижнем углу экрана. При первом запуске Windows это будет единственная кнопка на вашей панели задач, и, сказав вам радушное американское Welcome (вас приветствует, типа, Microsoft Windows), система предложит начать работу с нажатия именно этой кнопки. Мы не послушались, потому что пока мы еще не работаем. Мы просто гуляем по столу.

Но теперь пора последовать этому совету. Щелкнем, наконец, по кнопке Пуск и посмотрим на **меню Пуск (Start menu)** – **главное меню операционной системы Windows** (см. рис. 2.14).

Рис. 2.14. Что мы увидим, щелкнув левой кнопкой мыши по кнопке Пуск в Windows XP

В верхней строке написано имя пользователя – человека, который в настоящий момент работает на компьютере. А ниже в две колонки идут значки программ и папок, разбитые на несколько групп.

В левой колонке сверху (выше серенькой разделительной линии) изначально находятся только два значка – электронной почты и программы для прогулок по интернету (браузера Internet Explorer). Я, как видите, добавил к ним еще парочку программ – тех, которыми особенно часто пользуюсь. Просто притащил сюда мышкой их значки (об этом мы еще будем с вами говорить).

Ниже разделительной линии система помещает значки тех программ, которыми вы пользуетесь чаще всего (она ведет такую статистику). Работая по определенной теме (например, сочиняя дипломный проект, обрабатывая фотографии, создавая веб-страницу или квартальный отчет), вы постоянно работаете с одним и тем же набором программ, которые и будут для вас самыми часто используемыми и самыми легкодоступными. А сменив направление своей деятельности, вскоре получите и совсем другой список популярных программ.

В правой колонке вверху находятся самые, по мысли разработчиков, полезные для нас места. Так, щелкнув по строке Мои документы (My Documents), мы окажемся в основном хранилище своих файлов – **папке Мои документы**. В эту персональную папку попадают наши тексты, наши фотографии, музыка и другие созданные нами файлы.

Но чтобы все у нас не перепуталось и не перемешалось, цифровые фотографии, рисунки и музыку предлагается хранить отдельно – в папках Мои рисунки и Моя музыка. Мы будем попадать в них, щелкая по соответствующим строкам главного меню.

(Интересно, что обе эти папочки на самом деле лежат внутри главной папки Мои документы. Зайдя в «свои документы», вы увидите там, в числе прочего, и значки соответствующих вложенных папок (поддиректорий). Но поскольку предполагается, что с изображениями и музыкой мы будем иметь дело очень часто, разработчики Windows поставили их значочки прямо в главное меню. Для нашего удобства[1].)

Ниже находится еще один важнейший значок – **Мой компьютер** (My Computer) или просто Компьютер, как это называется в Висте. Эта команда поможет нам просмотреть содержимое любого из наших дисков (жесткого диска, дискеты, CD, DVD или флэшки). И не только просмотреть, но и удалить что-нибудь ненужное, сделать копии с чего-то, наоборот, крайне важного, переписать текст на дискету, а фотографии из цифрового фотоаппарата – на жесткий диск, записать компакт-диск и т. п.

В старых версиях Windows значок «мой-компьютера» даже выносили на рабочий стол, но теперь решили, что лучше уж ему сидеть вместе со всеми в меню Пуск.

Посмотрите теперь на строку Недавние документы (Recent). Здесь нам будут показывать список пятнадцати последних документов (текстов, картинок, электронных таблиц и т. п.), с которыми мы недавно работали, – чтобы можно было снова к ним обратиться и продолжить работу (см. рис. 2.15).

---

[1] В Windows Vista эта нелогичность устранена: тут папки для музыки, картинок, видео и обычных текстовых документов лежат рядышком, а не вложены друг в друга.

Рис. 2.15. Вложенное меню (подменю)

Большинство современных программ-редакторов тоже запоминают несколько последних документов, которые вы в них загружали (обычно 5–10 штук). Особое удобство Недавних документов в том, что тут хранится общий список документов самых разных типов. Это освобождает вас от необходимости помнить, в какой именно программе-редакторе вы работали с тем или иным текстиком или рисуночком и по каким закоулкам потом все это распихали.

У строки Недавние документы есть одна особенность, отличающая ее от соседних строк главного меню. Я имею в виду треугольничек вершиной вправо (примерно такой: ▶). Увидев в строке такую штуковину, мы понимаем, что перед нами не просто некая команда, а **вложенное меню (подменю**[1]**).** Стоит вам щелкнуть по такой строке или просто подвести к ней мышку и секундочку подождать, как вложенное меню развернется.

Если теперь аккуратненько передвинуть стрелочку мышки на это дополнительное меню, то можно будет щелкнуть по любой команде, которая там находится, и тем самым запустить ее. В данном случае – по

---

[1] Не в том смысле, что я вам с его помощью что-нибудь подменю, как кидала у пункта обмена валюты, а в смысле – меню второго уровня (от английского submenu).

имени файла, с которым мы недавно работали и хотели бы немедленно эту работу продолжить.

Подобные раскладные меню будут нам встречаться постоянно. Когда команд, которые требуется втиснуть в одну менюшку, оказывается слишком много, программисты распихивают их в подменю. Увидев в какой-то строке меню треугольничек вершиной вправо ▸, мы тут же об этом вспомним.

Вторая группа команд в правой колонке предназначена для настройки компьютера. Здесь расположен наш главный настроечный инструмент – **Панель управления** (Control Panel), управляющий самыми важными режимами работы системы и отдельных ее частей. О панели управления и отдельных ее компонентах мы с вами поговорим позднее.

Команда **Справка и поддержка** (Help) (а также нажатие клавиши **F1** на рабочем столе) позволяет обратиться к справочной системе Windows. В главе «Справочная система Windows» в самом конце этого раздела мы с вами посмотрим, как с этой системой общаться и как в ней находить ту справку, которая нам сейчас нужна.

Команда **Поиск** (Search) призвана снабдить нас удобными и практичными средствами для поиска файлов на жестком диске нашего компьютера. Насколько эти средства удобны и эффективны, вы сможете решить сами, почитав главу «Поиск файла: найти то, не знаю что» и попытавшись применить «искалку» на практике.

Строка Выполнить (Run) позволит нам запустить программу, введя соответствующую команду с клавиатуры. Дело в том, что некоторые служебные программки, которые что-то полезное могут для нас сделать, требуется запускать именно так – указав ее имя и какие-то дополнительные параметры. Новичкам эта строка вряд ли понадобится.

Хочу сразу предупредить: в дальнейшем команды, строки меню, кнопки и прочие штуки, которые новичкам «вряд ли понадобятся», я просто не буду упоминать. Когда перестанете быть новичками, сами с ними разберетесь.

В разных версиях Windows состав и внешний вид главного меню может отличаться от показанного на рисунке 2.15. Так, в Windows Vista (см. рис. 2.16) в правой колонке некоторые строки слегка переименованы – за счет удаления местоимения «мой»: вместо строки Мой компьютер там окажется строка Компьютер, вместо Мои документы – просто Документы. Для чего было это «мой» и почему теперь исчезло, никому на свете в точности неизвестно. Можно лишь догадываться.

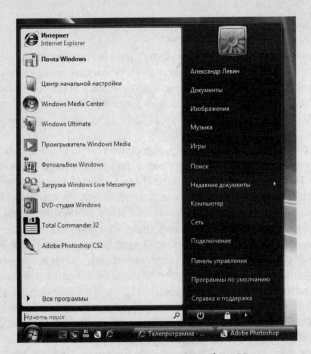

Рис. 2.16. Главное меню в Windows Vista

Вдобавок к этому, в главном меню Висты найдутся совсем новые строки. Например, строка Игры (Games), которая выводит на экран папку с коллекцией игрушек. Или строка Подключение (Connect To), которая позволит подключиться к интернету. А в самой нижней строке левой колонки вы найдете еще один новый элемент управления – строку поиска (в ней написано Начать поиск), куда надо будет вписывать имя разыскиваемого файла или человека, чей электронный адрес хочется быстро отыскать.

А в Windows 98, Millennium или 2000 вообще не окажется левой колонки со списком часто используемых программ (рис. 2.17). Ну, не окажется, и бог с ней! Главное знать способы работы, понимать, какая команда или папка для чего предназначена, а уж где она там расположена – в самом главном меню или во вложенном, не так важно, верно ведь?

Я, кстати, знаю немало опытных пользователей, которые и в XP и даже в Висте отказываются от навороченного меню нового фасончика и работают с компактным и простым главным меню а-ля Windows 98.

Рис. 2.17. Главное меню Windows 98

Но поскольку в этом так называемом классическом меню нет места строкам для вызова «мой-компьютера», «моих документов» и некоторых других, соответствующие значки появляются у них на рабочем столе, едва они переходят в этот режим работы.

Как именно они это делают, вы узнаете в главе «Панель управления Windows».

– Но где же все программы? Где игры? – спросите вы. – Как все это найти и запустить?

В XP и Висте программы и игры ждут нас в последней строке левой колонки, которая называется Все программы (All Programs), а в старых версиях строка называется просто Программы и расположена вверху списка.

Как легко понять, взглянув на рисунки 2.17, 2.16 или 2.15 и увидев в этой строке треугольничек вершиной вправо, перед нами не просто команда, а вложенное меню. Да еще какое!..

Как запускать программы

Меню программ – это, конечно же, самый важный для нас объект в компьютере. С его помощью мы сможем запустить игру, текстовый или графический редактор, служебные утилиты и все прочее. Все установленные в вашей системе программы (то есть те, про которые Windows знает) вы найдете именно тут – даже если их нет на рабочем столе.

Например, вам хочется поскорее посмотреть, какие игры припасла для вас корпорация Microsoft. Вполне понятное желание. Но как его реализовать?

1. Щелкаете левой кнопкой мышки по кнопке Пуск. Вываливается все содержимое главного меню.

2. Двигаете курсор до строки Все программы, не нажимая никаких кнопок. Вываливается его содержимое – меню программ.

3. Аккуратно, стараясь двигать курсор мыши горизонтально (или воспользовавшись стрелкой вправо на клавиатуре), переползаете в меню программ и дальше едете уже по нему – до строки Игры (Games)[1].

4. Вываливается меню игр – аккуратно переползаете в него, выбираете то, что вам хочется, и щелкаете мышкой по соответствующей строке (см. рис. 2.18). Игра запустится, и море удовольствия вам обеспечено.

Рис. 2.18. Нашел игру Сапер во вложенном меню Игры. Стоит мне теперь щелкнуть мышью по выделенной строке или нажать Enter, и игра запустится

---

[1] В Windows 98 игры спрятаны на шаг глубже: в меню программ есть подменю Стандартные (Accessories), а уж в нем – Игры.

В комплекте с Windows приходит четыре карточные игры, точнее одна игра (Червы) и три пасьянса (Косынка, Паук, Солитер[1]). Кроме того, можно погонять шарик в Пинболе и разминировать поле в логической игре Сапер. Но это еще не все. Как видно из рисунка 2.18, имеются в наличии еще пять игрушек, названия которых начинаются со слова «интернет». Все они предназначены только для игры с живым партнером – через всемирную компьютерную Сеть. Нет подключения к интернету – нет партнера. А нет партнера – нет и игры.

В Vista добавлены также шахматы с трехмерными фигурами (Chess Titans), китайский пасьянс маджонг (Mahjong Titans), симпатичная игра для младших школьников Purble Place (на самом деле, три несложных игры в одной упаковке), а также игра с шариками, которые можно гонять при помощи мышки (Ink Ball). Правда, в самую простую редакцию Висты (Home Basic) и в запредельно простую (Starter Edition) некоторые новые игры не включены.

Если кто-то когда-то устанавливал в вашем компьютере другие игры, то вы без труда найдете их в меню программ: почти каждая игра создает для себя отдельное выпадающее меню со своим именем. Опытные люди могли собрать все игрушки в отдельную папку (подменю) для игр, назвав ее, например, Games, Игрушки или Другие игры. Там вы их и отыщете, оттуда и запустите.

А если никаких других игр пока нет, значит, вы со временем сами их себе поставите с компакт-дисков. То же касается и прочих программ – тех, которые не для развлечения, а для работы.

Вообще, каждый более или менее опытный пользователь умеет устанавливать себе новые программы (см. главу «Как установить новую программу или игру»), а если она не оправдала возлагавшихся на нее ожиданий – то знает и как ее удалить (см. главу «Как удалить программу»). Очень важно также суметь настроить программу под себя, под свои запросы. Если вы этого не добьетесь, значит, не вы пользуетесь своим компьютером, а он вами.

Впрочем, ничего сложного и головоломного в таких настройках нету: все во имя человека, все для блага человека, как писала когда-то махровая советская пресса («И чукча видел этого человека!»).

Из всего показанного на рисунке 2.18 разнообразия в вашей папке программ может оказаться всего три вложенных меню, которые создаются автоматически – при первоначальной установке Windows. Это меню

---

[1] Не глист-солитер, а solitaire (франц.) – одиночка (тот, кто любит быть один); карточная игра для одного; наконец, украшение, состоящее из одного-единственного бриллианта.

Автозагрузка (она же StartUp), где находятся программы, которые система Windows сама запускает при своем старте, меню Стандартные (Accessories), где лежит джентльменский набор начинающего компьютерщика, и меню Игры (Games).

В меню Стандартные и вложенных папках Развлечения, Служебные, Связь вы найдете много полезных вещей, в том числе виндоузовские текстовые редакторы Блокнот и WordPad, программу для рисования и обработки картинок (графический редактор) Paint, программу Калькулятор и много служебных программ (утилит, как часто говорят) – для настройки обычной и беспроводной сети, для обслуживания жесткого диска, для восстановления системы Windows и т. п.

Не во вложенных папках, а в самом меню Все программы вас поджидает также проигрыватель Windows Media, умеющий воспроизводить му-

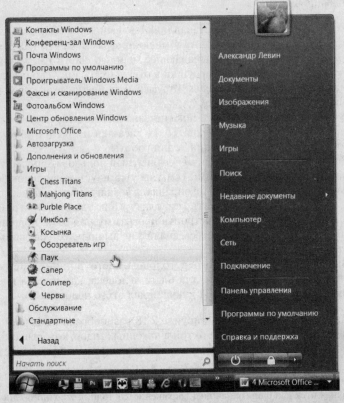

Рис. 2.19. Меню программ в Windows Vista: смотрим список игр

зыку разных форматов и показывать видео, программа-почтальон Outlook Express, программа для прогулок по интернету Internet Explorer, программа для отправки мгновенных сообщений Windows Messenger и программа для создания домашних видеофильмов Movie Maker.

В Висте имеется интересное нововведение: меню программ не болтается сбоку наподобие последнего осинового листочка на зимнем ветру, как во всех остальных версиях виндов, а появляется прямо здесь же, в главном меню (см. рис. 2.19): соответствующие пункты левой колонки заменяются списком программ. Так что осторожничать, передвигая мышку из одного меню в другое, вам уже не придется.

А щелкнув по одному из вложенных меню, здесь же получите и список значков, которые в этом меню лежат. На нашем рисунке показано содержимое меню игр. Обратите внимание, что значки всех этих игрушек немного сдвинуты вправо, чтобы мы не запутались, где у нас само меню, а где его содержимое.

☞ Чтобы не путаться, сразу запомните, что в меню программ Висты значки вложенных меню всегда имеют одинаковый вид – выглядят как мелкие такие, открытые папочки желтого цвета. Тогда как значки программ все больше разноцветные, с самыми разнообразными рисунками. Сходство с папочками не случайно: на самом деле, в виде таких вот меню показаны обычные папки, расположенные на жестком диске вашего компьютера.

У некоторых программ имеются свои подменю (вложенные папки). Тогда их содержимое будет сдвинуто вправо еще на шажок.

Ну и для возвращения в предыдущее меню внизу найдется строка Назад (Back) с треугольничком вершиной влево: ◀.

О самых полезных программках из виндоузовского набора мы с вами будем говорить еще неоднократно – и в этом, и последующих разделах самоучителя. А сейчас нам стоит обсудить назначение тех кнопочек в меню Пуск, которые заведуют завершением работы.

Как выключить или перезагрузить компьютер

В XP кнопок, о которых я говорю, всего две: оранжевая кнопка Выход из системы и красная – Выключение.

Кнопка Выключение (Shut Down) позволит нам выключить питание компьютера. Как только мы по ней щелкнем, Windows чуть пригасит экран и на таком сероватом фоне выдаст нам табличку (**диалоговое окошко**) под названием Выключить компьютер (см. рис. 2.20).

Рис. 2.20. Окно завершения работы
в Windows XP

На выбор дается четыре варианта завершения работы: выключение, перезагрузка, переход в ждущий и спящий режим. Если же мы передумали завершать свои труды праведные, щелкнем по кнопке Отмена (Cancel) или нажмем клавишу отмены **Esc**.

Вы можете мне возразить, что кнопок только три и никакого спящего режима тут и в помине нет. И будете правы, но лишь отчасти. Стоит вам нажать на клавиатуре клавишу **Shift**, и тут же чудесным образом на месте Ждущего режима окажется Спящий! Правда, в XP спящий режим изначально (по умолчанию, как принято говорить у компьютерщиков) отключен. Но включить его несложно – в главе «Панель управления Windows» я вам расскажу, как это сделать.

Чем же отличаются друг от друга все эти режимы завершения работы? Давайте поглядим.

- По команде **Выключение** (Shut Down) Windows поочередно закрывает все запущенные нами программы, удаляет всякие оставшиеся от них временные файлы, завершает обращения к дискам и отключает питание.

Современные компьютеры разрешается выключать и кнопкой отключения, расположенной на корпусе. Будет проделана точно та же последовательность действий, что и при выключении через меню Пуск. Но если ваш компьютер недостаточно продвинутый и у него нет так называемого *расширенного управление питанием*, то кнопку выключения забудьте, как страшный сон. Ведь если просто выключить такую машину на полном ходу, на диске остается всяческий мусор. А то, вдруг, могут возникнуть и неисправности.

Также нельзя пользоваться для отключения тем выключателем, который на современных настольных компьютерах расположен сзади, на блоке питания. Этот просто разом вырубит ток – и что там вы увидите при следующей попытке поработать, никому наперед неведомо. Может, ничего страшного, а может...

Если в каком-то редакторе (текстовом, графическом, звуковом, табличном, видео и т. п.) оставались файлы, с которыми вы поработали, а результаты своей работы не сохранили (то есть не записали файл в окончательном варианте на жесткий диск), то выключение не пойдет.

Может, у вас там гениальное изобретение или сорок страниц великого романа (дипломного проекта) не сохранены, рассуждает Windows. Распорядиться его судьбой может только автор – компьютер такой ответственности на себя не берет. Поэтому вам покажут диалоговое окошко с предложением сохранить последний вариант (нажать кнопку **Да**), отказаться от сохранения (**Нет**) либо вообще отменить выключение компьютера (**Отмена**). И пока вы не щелкнете по одной из кнопок в этом окошке, система будет стоять и терпеливо ждать.

Иногда случается: нажимаешь кнопку выключения и уходишь, не поглядев, как винды выполняют это распоряжение. Приходишь на следующий день с вымытыми ушами и желанием поработать, а компьютер стоит включенный, терпеливо ждет ответа. Скажешь ему «блин», ответишь Да... Тут он и выключится.

Изредка возникает ситуация, когда компьютер вообще не желает выключаться. Система проделает все необходимые операции по завершению программ, а потом, сообщив нам, что идет выключение компьютера, на самом деле ничего не отключает. Так все и торчит неопределенно долгое время.

Чаще всего причина этого неприятного дела в устаревшей или некорректно работающей программе, которая управляет материнской платой вашего компьютера. Такие управляющие программы, как мы уже говорили, называются драйверами. И они иной раз могут стать причиной самых разнообразных неприятностей и неудобств.

Чтобы все-таки отключить питание, нажмите кнопку выключения на корпусе **и подержите нажатой две-три секунды**. Это действие компьютер поймет так, что вы категорически требуете отключения тока, наплевав на все глюки системы.

• **Перезагрузка** (Restart) – это выключение всех программ, выход из Windows, а потом новый запуск – с чистого листа. Строку эту приходится выбирать после установки каких-то серьезных программ, вроде антивируса, или после важного обновления системы Windows. Правда, свежеустановленные программы или обновления чаще всего сами предлагают нам перезагрузить систему, выдавая соответствующий запрос. Но мы не обязаны это им разрешать – когда доделаем свои дела, дочитаем то, что читали, допишем то, что писали, дослушаем то, что слушали, тогда сами и перезагрузимся.

В системах Windows 9x (то есть Windows 95, 98 и Millennium) компьютер приходится перезагружать также после сбоев программ. Если выдается сообщение о серьезной ошибке программы, с который вы работали, и программа эта «слетает» (принудительно завершается), весьма возможно, что сбой повторится еще раз. Что-то может перестать работать или начать работать неустойчиво. В такой ситуации лучше всего перезагрузиться.

На наше счастье, в XP или Висте это обычно не требуется: сбои программ тут редко приводят к сбою всей системы[1]. Если уж винды сбойнули по-настоящему – зависли или вывалились на «синий экран смерти» с непонятными сообщениями об ошибках, – то вовсе не из-за программок, а из-за серьезных неполадок оборудования (неисправности оперативной памяти, материнской платы, жесткого диска, видеокарты и т. п.), из-за установки для какого-то устройства драйвера, который не вполне к нему подходит или просто устарел, не может нормально работать с вашей версией Windows.

К обсуждению темы о сбоях и отказах мы вернемся ближе к концу этого раздела.

☞ На корпусе многих компьютеров имеется кнопка перезагрузки. Ею приходится пользоваться в случае зависания системы – когда компьютер упорно не реагирует на нажатия клавиш и движения мышки. Во всех остальных случаях эту кнопку лучше не трогать, потому что она мгновенно прерывает работу системы – без нормального закрытия программ и сохранения данных.

● Еще один вариант завершения работы – **Ждущий режим** (Standby) – напоминает отключение телевизора с помощью пульта дистанционного управления: аппарат выключен, но контрольная лампочка горит – какой-то блок остается включенным, ожидая команды на повторное включение.

Кнопка Ждущий режим выключает экран, жесткий диск, останавливает диск в CD/DVD-приводе и вентиляторы в корпусе компьютера (в комнате становится тихо!). Но компьютер понимает, что вы собираетесь скоро вернуться, а потому оперативная память не выключается, а значит, все запущенные программы остаются в ней в целости и сохранности.

Когда вы щелкнете мышкой или нажмете на клавиатуре любую клавишу (any key, как это называется по-английски), все быстренько включится. Введете свой пароль (защита на случай, если кто-то захочет без вас нажать «любую клавишу») и продолжите работу с того самого места, на котором остановились.

Ждущий режим – очень удобная штука. Если ваш компьютер выходит из него достаточно быстро и никогда в таком «ждущем» положении

---

[1] Программа, предназначенная для другой версии операционной системы, может иной раз работать из рук вон плохо. Если, например, вам удастся в Висте запустить программу, созданную в расчете на Windows XP, но не совместимую с самой Вистой, то возможны неприятные сюрпризики, включая не только аварийное завершение программы, но даже и зависание, сбой системы!..

не застревает (а это, увы, случается!), вполне можете им пользоваться вместо отключения.

Надо только понимать пару важных вещей, чтобы не попасть впросак. Если в момент, когда компьютер находится в ждущем режиме, отключится питание в квартире, в доме, в офисе, вы потеряете всю несохраненную информацию – уходя, все сохраняйте! Это первое.

И второе: *Windows не может бесконечно жить и работать без перезагрузки или полного отключения.* От слишком долгой непрерывной работы в системе накапливаются мелкие ошибки, которые могут вызывать нестабильность. Как увидите, что программы начинают странно себя вести или даже аварийно завершаться без всяких видимых причин, а система принимается ни с того ни сего выдавать сообщения об ошибках, так и понимаете: пора перезагрузиться!..

• **Спящий режим** (Sleep Mode) отличается от ждущего тем, что компьютер тут выключается полностью. А от простого выключения отличается тем, что ни программы, ни операционная система не закрываются, так что после включения питания вы получите тот же набор запущенных программ, что и до отключения. Даже несохраненные файлы сохранять не потребуется![1]

Вы спросите, как это может быть? Ведь если компьютер выключается полностью, то содержимое оперативной памяти (где и хранится информация о запущенных программах) будет стерто!

Верно, будет, но при включении компьютера оно восстановится! Дело в том, что перед засыпанием Windows записывает содержимое оперативки на жесткий диск (который, как мы знаем, ничего не забывает даже при выключенном питании). Когда мы в следующий раз включаем компьютер, все это быстренько переписывается с диска обратно в память, и можно продолжать работу. Если вы работали с каким-то документом в Ворде или играли в игру, документ окажется загружен в Word и курсор будет стоять в том же месте, где вы его оставили, а монстрик, который собирался вас слопать до выключения, все-таки вас слопает...

То есть, с нашей точки зрения, спящий режим – то же самое, что ждущий, только включается медленнее. Но при этом не боится прекращения подачи электричества.

☞ Как и ждущий режим, спящий не может применяться бесконечно. Не забывайте о необходимости раз в несколько дней перезагружать или выключать систему – во избежание неприятностей.

 Оранжевая кнопка **Выход из системы** (Log off) в главном меню Windows XP тоже сделает рабочий стол серень-

---

[1] Лучше, все же, сохранять. Мало ли что...

Рис. 2.21. Смена пользователя

ким, но покажет иное диалоговое окно, которое называется Выход из Windows (см. рис. 2.21). Предлагается два варианта выхода: временная смена пользователя (левая кнопка) и смена пользователя с завершением текущего сеанса работы и закрытием всех программ (правая). Зачем это все?

Система Windows устроена, как английский дом на много жильцов, у каждого из которых свой отдельный вход. В собственном «подъезде» каждый пользователь может установить свои собственные программы и игры, использовать свои настройки, свою картинку на рабочем столе, свою почту – вообще все свое, включая пароль для входа в Windows.

• Кнопка Выход (Log off) закроет все запущенные программы и завершит текущий сеанс работы, после чего вам будет предложено заново войти в систему, выбрав свое или другое имя (и введя пароль), как будто вы уже совсем другой человек и пришли поработать на общий компьютер.

• Кнопка Смена пользователя (Change User) тоже предлагает вам войти в систему под другим именем, но при этом **запущенные программы не закрываются**. Скажем, дети играли в какую-то очень важную стрелялку, а тут пришел папан, чтобы прочесть свою никому не нужную почту. Прочел и ушел. Детки возвращаются в систему под своим именем и продолжают игру с того самого места, на котором остановились.

Для быстрой смены пользователя предусмотрена специальная клавиатурная комбинация с использованием клавиши Windows (она же Start, она же ▥) – **Windows-L** (сначала надо нажать клавишу Windows, а потом, не отпуская ее, клавишу L).

В старых версиях Windows команды выключения будут выполнять те же действия, что и в ХР, но вид окошка, которое вам покажут, будет несколько иным. Например, таким как на рисунке 2.22 (вариант Windows 98). Щелкаете мышкой по той строке, которая вам требуется, и точка в кружочке переключателя переходит в эту строку (или нажимаете несколько раз стрелку управления курсором). После этого остается щелкнуть по нарисованной внизу кнопке **OK** («О'кей, шеф!») или нажать клавишу **Enter**, и компьютер пойдет делать то, что вы попросили.

У Windows Millennium и Windows 2000 окошко завершения работы будет немного иного фасона – с выпадающим списком (см. рис. 2.23).

Щелкаете по треугольничку носом вниз (▼) и видите весь выпавший список, а в нем – те же, примерно, строки. Не будет только последней, с предложением перезагрузиться в режиме MS-DOS – за неимением самого этого режима во всех новых системах.

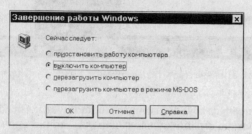

Рис. 2.22. Диалоговое окно **Завершение работы Windows** (вариант Windows 98)

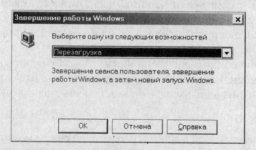

Рис. 2.23. Окно завершения работы в Windows Me и Windows 2000

В подсказке, которая появляется под строкой-списком, Windows сообщит вам, что именно вы собираетесь сейчас делать – отключаться, перезагружаться или еще чего.

А теперь посмотрим, как устроено отключение, перезагрузка и все прочее в новейшей системе Windows Vista. Здесь в нашем распоряжении две неподписанные кнопочки в нижней части меню **Пуск** и дополнительная менюшка, которая открывается, если щелкнуть мышкой по белому треугольничку правее кнопки-замочка (см. рис. 2.24).

Эта кнопка переводит компьютер в ждущий режим. Как видите, создатели Висты предлагают быстрый способ отключения компьютера в качестве основного. На самом деле, все еще интереснее: тут сделана попытка объединить достоинства ждущего и спящего режимов в один, комбинированный (**гибридный**) режим, который и включается быстро и от потери данных из-за отключения электричества застрахован.

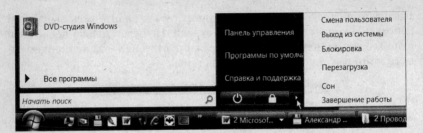

Рис. 2.24. Нижняя часть главного меню Windows Vista: команды отключения питания

Кнопка с замочком запирает, **блокирует** компьютер – переводит его на страничку ввода пароля – точно такую, которая выскакивает при включении компьютера или при смене пользователя. Желая ненадолго отлучиться от машины, вы нажимаете на замочек, и никто без вашего ведома не сможет подсмотреть, чем вы там у себя занимались – не покладая рук трудились на благо родной фирмы или раскладывали пасьянс.

Ну, а в меню, которое вытаскивает на свет божий кнопка с треугольничком, нам даются на выбор все остальные варианты завершения работы: смена пользователя, выключение, перезагрузка, погружение в сон...

☞ Переводу компьютера в спящий или ждущий режим может помешать неверно работающий драйвер или дополнительное внешнее устройство, вроде флэшки, которую вы забыли отключить.

Игра Сапер как типичный представитель

> Все хорошие программы похожи друг на друга.
>
> *Л. Толстой?*

Понимаю, как некоторым не терпится во что-нибудь поиграть. Но серьезных людей, настроенных учиться, учиться и еще раз учиться, как завещал уж и не вспомню кто, я тоже приглашаю сыграть в Сапера (Minesweeper). Во-первых, симпатичная игра, а во-вторых, поучимся на этом примере и кое-чему серьезному (см. рис. 2.25).

Наша задача – разминировать поле. (Сегодня эту дисциплину, пожалуй, стоило бы включить в учебные планы начальной школы.) Когда вы щелкаете левой кнопкой мыши по клеточке, она открывается, и если там была мина, вы взорветесь и придется начинать игру сначала (нажать F2 или щелкнуть разок по улыбчивому солнышку вверху). Если же мины в клеточке не было, в ней появится цифра, указывающая, сколько мин спрятано по соседству. Скажем, 3 означает, что в каких-то трех примыкающих к ней клетках таятся мины, а остальные пусты.

Рис. 2.25. Устройство окна, в котором работает программа Сапер

Если вы твердо уверены, что на какой-то клеточке находится мина, щелкаете по ней правой кнопкой мыши и тем самым ставите флажок («Ахтунг: минен!»).

Счетчик левее кнопки-солнышка показывает, сколько осталось нераскрытых мин, счетчик справа отсчитывает время игры.

В нашем арсенале есть еще миноискатель – нажатие одновременно двух мышиных кнопок. Щелчок по клетке миноискателем открывает все пустые клеточки по соседству. Но миноискатель срабатывает только в том случае, когда вы поставили вокруг клетки ровно столько флажков, сколько вокруг нее мин. Если на ней написана цифра 3, то и флажков надо поставить три. Не угадали, куда ставить флажок, – взорветесь, угадали – раскроется много соседних полей.

Солнышко вверху улыбается, только пока игра продолжается. Стоит вам взорваться, как оно загрустит (рис. 2.26). Когда же вы разминируете все поле, оно оказывается в темных пижонских очках. Кстати, победителя просят занести свое имя в список рекордистов и рекордисток (если имел место рекорд скорости).

Обратите внимание на слова Игра и Справка над игровым полем. Это **меню программы Сапер**. Практически у каждой из десятков и сотен тысяч существующих программ есть строка с пунктами меню. Другое дело, что пункты эти, количество их и содержание могут отличаться довольно сильно.

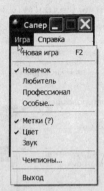

Рис. 2.26. Игра Сапер: он ошибся...   **Рис. 2.27.** Меню Игра

Щелкнем мышкой (один раз) по пункту Игра и поглядим, что нам там приготовили (рис. 2.27).

Щелчок по строке Новая игра начинает игру сначала. Здесь же для напоминания написана и горячая клавиша. А значит, начать игру сначала можно аж тремя способами: щелчком по кнопке-солнышку, клавишей F2 и строкой Новая игра в меню Игра (мы будем в таких случаях сокращенно писать Игра ▸ Новая игра – сперва название меню, потом команда).

В современных программах самые важные команды разрешается запускать именно такими тремя способами:

• выбрать нужную строку в одном из меню;
• нажать горячую клавишу (одну клавишу либо сочетание клавиш);
• щелкнуть мышью по соответствующей кнопке. Здесь у нас такая кнопка всего одна – солнышко, но в других программах их может быть куча. Тогда они компонуются в этакие управляющие панельки, которые называют **панелями инструментов** (toolbars). В наиболее продвинутых программах кнопочные панели можно компоновать по своему вкусу, добавляя и убирая кнопки, переставляя кнопки с одной панели на другую. Да и сами эти панели разрешается по экрану двигать.

Во второй секции меню Игра[1] мы можем выбрать размер игрового поля и количество мин на нем, а значит, и сложность игры. Здесь три

---

[1] Секциями меню мы будем называть группы строк, отделенных от других линиями, как на рис. 2.27. Обычно в секции собирают команды одного типа.

стандартных поля: маленькое – с десятью минами (пункт Новичок, Beginner), средненькое – с сорока (Любитель, Intermediate) и большое – с девяносто девятью (Профессионал[1], Expert). Выбрав тот или иной пункт, вы можете почувствовать себя большим или очень большим человеком в этом деле.

А выбрав строку Особые (Настройка, Custom), вы получите от программы **диалоговое окно**, которое называется Специальное поле (или Размер игрового поля) (см. рис. 2.28). Вставая мышкой в окошки[2] Высота, Ширина и Число мин, вы можете ввести с клавиатуры необходимые размеры игрового минного поля (высота не более 24 клеток, ширина не более 30).

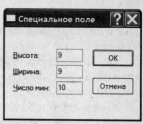

Рис. 2.28. Диалоговое окно Специальное поле

Если после этого нажать на кнопку подтверждения ОК, то поле станет таким, как вы хотели. А если вместо этого нажать кнопку Отмена (Cancel), то все сделанные вами сейчас изменения будут отменены.

Диалоговые окна самых разных наименований, фасонов и размеров мы с вами будем наблюдать в самых разных программах. Практически во всех. Диалоговое окно, диалог – основной способ взаимодействия программы с нами, ее пользователями. Она предлагает нам ввести данные с клавиатуры или выбрать мышкой из предложенного списка, пометить мышкой какие-то строки (поставить галочку или точку). На основании всего этого программа и пытается понять, чего мы от нее хотим.

Работа с диалоговыми окнами и меню

Несколько слов для тех, кто начинает свою компьютерную жизнь с самого полного и абсолютного нуля, – о том, как ввести число или текст в диалоговом окне.

Когда вы щелкнете мышкой в окошке (правильнее было бы называть его *строкой ввода*), куда собираетесь ввести новое значение, там появится мигающая вертикальная черточка – текстовый курсор.

Если вы ткнули в начало строки, курсор замигает перед цифрой, если в конец – после нее. А если там стояло слово или несколько слов,

---

[1] В некоторых версиях Windows команда может называться иначе – Специалист. К тому, что одни и те же команды в разных версиях системы могут называться по-разному, тоже придется привыкнуть. Не говоря уж о том, что одни и те же команды могут переезжать в совершенно другие меню!

[2] Окошки в окошках – это и есть Windows!

что тоже не редкость в диалоговых окнах, то можно угодить и в середину слова, и между словами.

Чтобы теперь вписать свое число или слово, надо сначала удалить то, которое было, нажимая клавишу **Del (Delete)** или **Backspace**. Del удаляет следующий символ (правее), а Backspace — предыдущий (левее).

Можно поступить иначе: поставить указатель мыши в строку ввода и, не отпуская левой кнопки мыши, подвинуть его по строке, тем самым выделив старое значение (в нашем случае это число, а в каком-нибудь другом диалоге это будет текст или адрес). Стоит вам теперь ввести что-нибудь с клавиатуры, как все выделенные слова разом заменятся тем, что вы вводите.

Существует и более быстрый способ **выделить все слово или число в строке ввода** — **двойной щелчок** мыши по нему.

А вот совсем иная возможность, которой имело бы смысл воспользоваться, раз уж мы все равно бросаем мышку и беремся за клавиши для ввода цифр или букв. По всем элементам диалоговых окон — строкам для ввода с клавиатуры, переключателям, даже по кнопкам (OK, Отмена и др.) — можно перемещаться клавишей **Tab**.

Например, на рисунке 2.28 вы можете, если приглядитесь, увидеть пунктирную рамочку внутри кнопки OK. Это означает, что кнопка выбрана, выделена. Нажав Enter, мы завершим диалог. По нажатию клавиши Tab, мы перейдем на следующий элемент — на кнопку Отмена: клавишей Enter можно будет отменить изменения. Следующий Tab — и мы в строке ввода Высота, потом во второй, в третьей и, наконец, опять на кнопке OK. Вот так по кругу мы и будем ходить в диалоговых окнах по клавише Tab.

А по **Shift-Tab** мы пойдем в обратную сторону — в окошко Число мин, потом во второе, потом в первое, потом на кнопку Отмена...

Самое приятное в этом способе то, что вам не придется стирать или выделять старое содержимое полей ввода. Зайдя в любое поле клавишей Tab или комбинацией Shift-Tab, вы увидите, что все его содержимое *уже выделено*. Останется только ввести новое значение.

Попав в какой-то выключатель или переключатель и желая поставить или убрать галочку или точку в нем, не прибегая к мышке, нажмите клавишу **пробел**.

Хороший способ, удобный. У него один только недостаток: в больших диалоговых окнах со множеством выпадающих строк, полей ввода, выключателей и переключателей долго приходится тыкать в клавишу Tab.

Этого недостатка лишен следующий способ. Обратите внимание, что в названиях полей и переключателей диалоговых окон (рис. 2.28), в названиях пунктов меню (рис. 2.25 и 2.26) и в строках этих меню (рис. 2.27) подчеркнута какая-то буква. Что это значит?

Это значит, что создатели Windows припасли для нас еще один, чисто клавиатурный способ входа в меню, перехода по его строкам, а также по диалоговым окнам. Он поможет вам в экстренной ситуации, когда по какой-то причине недоступна мышка (например, разрядились батарейки беспроводной мыши), а компьютер включен, в редакторе остались несохраненные файлы и вообще – работа не окончена.

Нажатие клавиши с той буквой, которая подчеркнута, равносильно щелчку мышью по этой строке. Но только тогда, когда вы вошли в соответствующее диалоговое окно или раскрыли соответствующее меню. А войти в меню программы позволит нам **клавиша Alt**[1]. (В Висте вы сможете входить даже в такие меню, которые обычно спрятаны: нажали и отпустили Alt – и вот оно, спрятанное меню!..)

Например, чтобы поменять количество мин в Сапере, надо нажать Alt (попадаем в меню), клавишу И (открывается меню Игра), клавишу С (Особые – открывается окно Специальные поля[2]) и клавишу Ч (оказываемся в строке Число мин)[3]. Содержимое поля ввода, что приятно, будет сразу выделено.

Тоже очень хороший способ, тоже удобный (я знаю людей, которые с такой скоростью набирают все эти «Alt ▶ И ▶ С ▶ Ч», что никакой мышкой за ними не угнаться). Но способ тоже не без существенного недостатка.

Дело в том, что нажимая клавишу И, С или Ч, на самом деле вы, может быть, вводите совсем другие буквы – латинские B, C или X. Зависит это от того, какая выбрана *раскладка клавиатуры* (*язык ввода*). Если раскладка английская, будет X, если русская – Ч.

☞ Немного забегая вперед, сообщу вам, что сменить язык ввода с русского на английский и обратно можно клавиатурной комбинацией **Alt-Shift** (иногда используется Ctrl-Shift). Или щелкнув мышкой по значку переключателя языка на панели задач (см. рис. 2.33 в следующей главе) и выбрав в списке нужный язык.

---

[1] Выйти оттуда, если залетели по ошибке, можно клавишей Esc или повторным нажатием Alt.

[2] Сапер, который показан на наших рисунках, взят из комплекта Windows XP. В Windows 98 и Me эта команда называется Другой. А значит, там нажимать надо будет клавишу «д».

[3] Мы будем сокращенно писать в таких случаях: левый Alt ▶ И ▶ С ▶ Ч. Какую букву вы нажимали – заглавную или строчную – системе безразлично.

Так вот, если ваша программа на русском языке и в меню ее подчеркнута русская буква, то надо и буковки с клавиатуры вводить, перейдя в русскую раскладку. И наоборот, работая в программе с англоязычными меню (как говорят в таких случаях, «с английским интерфейсом»), чтобы перейти в меню File, надо нажать Alt-F в английской раскладке.

Есть на свете и весьма сообразительные программы (вроде Microsoft Word или Excel из пакета Microsoft Office), которые понимают, что Alt-F в английской раскладке – это то же самое, что Alt-A в русской. Но таких, увы, мало.

Последняя строка меню – **выход из программы** (в отличие от временного выхода по Alt-Tab), полностью завершает работу программы, выключает ее. Вообще из любой виндоузовской программы можно выйти одним из трех уже знакомых нам способов:

• через меню – строкой Выход (Exit). Эту команду программисты всех стран и народов помещают в самой нижней строке самого левого пункта меню. Чаще всего это пункт Файл (File); в Сапере, однако, это пункт Игра;

• клавишами – единой для всех программ комбинацией **Alt-F4**;

• мышью – щелкнуть в строке заголовка по самой правой кнопке, с крестиком ☒ (всплывающая подсказка сообщает, что называется эта кнопочка Закрыть).

В строке заголовка есть еще пара кнопочек, достойных того, чтобы вы про них помнили. Щелкнув мышью по кнопке с минусом▭ **Свернуть** (Minimize), вы просто уберете окно с экрана, чтобы не мешалось. Оно свернется, но на панели задач останется его кнопочка. То есть программа не закрыта, не выключена. Если там была запущена какая-то длинная операция, она не прервется, а будет себе потихоньку выполняться, как говорят, в фоновом режиме. Стоит щелкнуть мышью по кнопке программы в панели задач, и окно вновь развернется.

А кнопка ▢ (**Развернуть**, Maximize) растягивает окно на весь экран, делает его максимально большим. Таким расположением окна пользуются очень часто, работая с текстовым или графическим редактором, просматривая сайт в интернете и т. п. При этом *все остальные открытые окна видны вам не будут*. Но взглянув на панель задач, вы вспомните об их существовании. У Сапера эта кнопка для виду присутствует, но на самом деле она не работает – вся такая серенькая и недоступная...

В развернутом окне кнопки Развернуть уже не окажется, да и зачем бы ей там быть? На ее месте обнаруживается другая: ⊡ (**Восстановить**,

Restore). Она снова возвращает окно к предыдущему виду, к неполному экрану.

В этом, последнем режиме (неполный экран), **взявшись мышкой за строку заголовка, можно перетаскивать окно по экрану** в любое понравившееся место, а **взявшись за краешек (или за уголок)** – растягивать и сжимать окно по своему усмотрению[1].

Собираясь растянуть или сжать окно, вы должны сначала отыскать то место, за которое можно взяться, иначе ничего у вас не выйдет. Впрочем, узнать его легко: там, где можно хвататься и тащить, мышиный курсор вместо толстенькой белой стрелочки превратится вдруг в две худенькие черненькие, направленные в разные стороны (примерно так ⬉, так ↔ или вот так ↕). Едва только это произойдет, тут же нажимайте левую кнопку мыши и тащите границу окна.

Дважды щелкнув по заголовку окна, можно раскрыть его на весь экран, а потом тем же способом вернуть «в первобытное состояние».

Некоторые программы могут открывать внутри своего главного окна несколько рабочих окон. Например, в текстовом редакторе вы сможете держать одновременно несколько документов и работать с ними по очереди. И каждое такое окно будет иметь свою строку заголовка, а в ней – кнопки управления, каждое можно будет свернуть, развернуть, совсем закрыть. Одно только отличие: такие «внутренние» окна закрываются комбинацией **Ctrl-F4**. Эту комбинацию тоже неплохо бы помнить.

Область уведомлений

Теперь посмотрим на самую правую часть панели задач, возле виндоузовских часов. Эта прямоугольная область отведена для некоторых постоянно работающих программ или управляющих средств Windows. Значки эти должны информировать нас о чем-то очень (или не очень) важном. Например, на рисунке 2.29 вы можете увидеть, о чем уведомляет меня мой компьютер. Тут показаны (справа налево):

- виндоузовские часы;

- значок антивируса, который я себе установил (в состав Windows антивирус не входит, а потому приходится его приобретать и устанавливать самостоятельно);

---

[1] Только если размеры данного окна разрешено менять. Окно Сапера, например, увеличению и уменьшению вручную не подлежит.

• значок регулятора громкости звука[1];

• значок виндоузовского средства обмена мгновенными сообщениями через интернет (Windows Messenger)

Рис. 2.29. Область уведомлений (System Tray)

• и, наконец, значок с конвертиком, уведомляющий меня о поступлении новой почты.

Сюда же попадают значки некоторых других программ. Например, на ноутбуках тут непременно сидит индикатор состояния аккумуляторной батареи. Здесь же может сидеть индикатор связи с интернетом или локальной сетью. Здесь появится значок, сообщающий о том, что мы подключили к компьютеру флэш-карту памяти, КПК или цифровой фотоаппарат.

Или желтый значок в форме щита, извещающий нас о запущенном процессе скачивания и установки очередного обновления Windows.

Или красный значок в форме щита, уведомляющий нас о неполадках в системе обеспечения безопасности – например, о том, что антивирус уже несколько дней не обновлял свою антивирусную базу. Или о том, что у нас вообще нет никакого антивируса.

В Висте здесь же сидит значок, выдвигающий боковую панель с мини-приложениями.

Так вот, прямоугольная область, где сидят все эти значки, называется **областью уведомлений** – по-английски **System Tray** (в примерном переводе – **системный лоток**).

Каждый из значков в этом лотке выдает о себе всплывающую подсказку. На рисунке 2.29 видно, что часы, которые показывают нам только время, в подсказке сообщают также, какое сегодня число, месяц и год (если кто забыл, а доктор спрашивает).

По значкам в лотке можно щелкать мышью – левой кнопкой, правой кнопкой, двойным щелчком. Но тут уж нет никакого единообразия: каждая из программ реагирует на это по-своему.

Например, щелкнув один раз по значку **регулятора громкости**, вы получите специальное окошко, с помощью которого можно сделать погромче или потише звук в колонках компьютера (см. рис. 2.30). Просто беретесь левой кнопкой мыши за движок и тянете вниз или вверх. Если щелкнуть мышью в любом другом месте экрана, окошко регулятора исчезнет.

---

[1] Этот значок есть только в тех компьютерах, где установлена звуковая карта. Нет карты – нет и значка. А если у вас есть звуковая карта, а значка все-таки нету, это, скорее всего, означает, что карта неверно опознана системой (или вовсе не опознана) или что ее управляющая программа (драйвер) работает неверно.

Когда же вы дважды щелкаете по значку регулятора, появляется большое окно микшера с движками, с помощью которых вы сможете управлять разными каналами своей звуковой карты.

Рис. 2.30.
Регулируем
громкость звука

А если вы щелкнете по этому же значку правой кнопкой мыши, то получаете еще и контекстное меню значка (см. рис. 2.31), позволяющее не только попасть в окно микшера, но и вызвать многостраничное окно настройки звуковых параметров.

Vista реагирует на щелчок правой и левой кнопкой по значку регулятора так же, как XP. А вот по двойному щелчку она не запускает многоканального микшера – выдает простой регулятор. Тут микшер вызывается иначе: под движком громкости найдется соответствующая команда – на рисунке 2.32 на нее указывает мышиный курсор, специально для этого дела поменявший свой вид и превратившийся в руку с выставленным указательным пальчиком.

Рис. 2.31. Контекстное меню
регулятора громкости

С таким пальчиком наверняка сталкивались те из читателей этой книги, кому доводилось уже лазать в интернет. Там этот палец обозначает ссылки – строчки, по которым можно щелкнуть мышкой. Собственно, тут тоже.

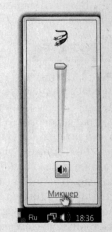

Значок **переключателя клавиатуры** в Windows XP и Vista представляет собой отдельную мини-панельку об одной-единственной кнопке, расположенную левее лотка (она называется **языковой панелью**), тогда как в предыдущих версиях системы сидел переключатель в лотке, что называ-

Рис. 2.32. Регулятор
громкости в Висте

ется, на общих основаниях. Но и будучи повышен в должности, он сохраняет старые привычки и управляется мышкой так же, как и значки в лотке.

Если вы щелкнете по значку левой кнопкой мышки, всплывает такое меню, как на рисунке 2.33. Стоит вам теперь щелкнуть по нужной строке этого меню, как раскладка переключится, и вы сможете вводить слова с клавиатуры на нужном вам языке. А на значке вместо **Ru** будет написано **En** (или наоборот).

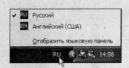

Рис. 2.33. Меняем раскладку клавиатуры с помощью мыши

По правой кнопке мыши вы получите другое меню – с командами для управления языковой панелькой (можно ее, к примеру, вообще убрать, а переключаться только клавишами – по Alt-Shift). На двойной щелчок эта кнопка не реагирует.

Некоторые программы, которые мы запускаем с помощью кнопки Пуск или с рабочего стола, попадают не на панель задач, как принято у всех порядочных программ, а в область уведомлений. Так может поступить, например, программа-словарь, которая поможет вам читать иноязычные тексты, программа для скачивания файлов из интернета, программа, периодически создающая резервные копии ваших файлов и т. п. Обычно в контекстных меню таких значков бывает строка Закрыть или Выход (Close, Exit, Disable), которой вы можете воспользоваться, если эта программа, как мавр, сделала свое дело и может уйти[1].

Вот чего нельзя – это взять значок мышью и утащить из лотка: не тащится.

Рис. 2.34. Лишние значки спрятались

Через некоторое время после начала работы Windows замечает, что некоторые уведомления долго остаются неактивными, ни о чем нас не уведомляют, только место зря занимают. Такие значки система прячет[2]. Галочка носиком влево на рисунке 2.34 как раз и говорит о том, что есть спрятанные значки. Щелкните по ней и увидите их все (галочка повернется носиком вправо).

Мы сможем даже указать системе, какие значки можно прятать, а какие мы желаем видеть постоянно, вне зависимости от их активности или неактивности (например, на ноутбуке необходимо всегда держать в поле зрения индикатор зарядки аккумуляторов, а электронный словарь может понадобиться в любую секунду). Делается это в диалоговом окне настройки уведомлений – читайте главу «Панель управления Windows».

Панель быстрого запуска

Одно из самых ценных изобретений программистов корпорации Microsoft по части удобства и комфорта – это **панель быстрого запуска** (Quick Launch), область, расположенная возле кнопки Пуск (см. рис. 2.35).

---

[1] Но не всегда. Некоторые очень не любят, чтобы их снимали со своих постов.

[2] Так ведут себя только XP и Vista, более ранние версии всегда показывают все значки.

В нее можно притащить мышкой значки нескольких самых нужных и часто используемых программ. Все работающие под виндами люди, ко-

Рис. 2.35. Панель быстрого запуска

торых я знаю, и, думаю, большая часть тех, которых я не знаю, запускают свои любимые программы именно с помощью этой панельки. Ведь куда проще и быстрее щелкнуть разок по значку, который всегда на виду, чем лезть сначала в меню Пуск, оттуда переползать в меню Все программы, отыскивать в общем списке меню нужной программы, а в ней – нужную строку...

Но, сделав доброе дело, программисты из Microsoft как будто устыдились и в XP (в отличие от Windows 98, Millennium и даже Висты) панельку убрали. Дескать, оцените наше новое гениальное изобретение – емкое и функциональное меню Пуск!!!

Оценили. И правда, емкое и функциональное. А теперь щелкнем «правой крысой» на панели задач по месту, свободному от кнопок (выскочит такое контекстное меню, как на рисунке 2.36), потом по строке Панели инструментов (развернется вложенное меню со списком дополнительных панелек, которые можно включить или выключить), найдем строку Быстрый запуск и щелкнем по ней (чтобы там появилась галочка). Вуаля! Панелька тут как тут! (Мы будем это записывать так: Панели инструментов ▶ Быстрый запуск.)

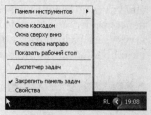

Рис. 2.36. Контекстное меню панели задач

Изначально здесь находится кнопка запуска Internet Explorer и кнопка Свернуть все, позволяющая одним щелчком мыши свернуть все открытые окна и перейти на рабочий стол (кстати, того же эффекта можно добиться клавиатурной комбинацией Windows-M). Сюда может попасть также значок проигрывателя Windows Media, который поможет нам слушать музыку и смотреть видео.

В Висте здесь же будет кнопка под названием Переключение между окнами. Она позволит перебирать мышкой список запущенных программ примерно так же, как это делается по Alt-Tab (вспоминаем рисунок 2.9). Такое переключение, возможно, будет удобнее стандартного, когда одновременно открыто слишком много окон: Alt-Tab'ом перебирать слишком долго, а ткнуть мышкой прямо в нужную кнопку на панели задач не получается: не помещаются на панели задач все окошки разом.

Значки по панельке быстрого запуска можно перетаскивать мышью. Например, вам удобнее, чтобы значок Свернуть все стоял всегда первым, самым левым. Просто берете его левой кнопкой мышки и, не отпуская кнопки, тащите.

Что особенно приятно, в эту новую область можно притащить значок программы или документа, взяв из какой-то папки или из главного меню, и он попадет в число самых важных, постоянно ожидающих запуска. Например, когда я работаю с музыкальными программами, у меня там сидят значок специального микшера, управляющего моей звуковой картой, и музыкальная программа-секвенсор, а когда пишу эту книгу – значок текстового редактора Microsoft Word и графического редактора Photoshop.

Точно так же, мышкой можно любой ненужный значок отсюда убрать. Взять, к примеру, кнопку проигрывателя Windows Media, которым вы не пользуетесь (предпочитая что-то более функциональное и менее навороченное), и утащить – куда? – правильно, в Корзину! Можно также щелкнуть по значку правой кнопкой и выбрать команду Удалить. Windows переспросит: мол, правда ли вы надумали выкинуть такую потрясающую штуку, на разработку которой мы угрохали столько денег?! А потом, вздохнув (мысленно), выкинет.

Рис. 2.37. Меняем размеры панели быстрого запуска

Но притащив новый значок на панель быстрого запуска, мы можем его и не увидеть: там хватает места ровно на те три-четыре значка, которые поставила нам система. А если мы увидим новый значок, то не досчитаемся какого-то старого, который уползет за край.

Эта беда небольшая. Возьмитесь мышкой за *правую* границу панели быстрого запуска (курсор превратится в двойную стрелку, как на рисунке 2.37) и потяните ее вправо так, чтобы все добавленные значки нормально на ней поместились. Вот и все.

Но учтите, что вносить какие-либо изменения в устройство панели задач (в том числе и двигать границу панельки быстрого запуска) можно, только если панель задач **не закреплена**.

Посмотрите на рисунок 2.36. Там возле строки Закрепить панель задач стоит галочка. Это как раз и означает, что панель заперта, никакие операции по изменению ее внешнего вида нам недоступны. На чистой, только что установленной системе галочка эта обязательно стоит, чтобы новичок, плохо понимающий, что делает, не испортил ее устройства и расположения.

Но стоит вам щелкнуть мышкой по строке Закрепить панель задач, как *галочка в строке пропадет*. Зайдя в это меню в следующий раз, вы ее уже не увидите. Это значит, что система вас поняла, а панель перешла в незакрепленное, настраиваемое состояние.

Можно еще раз щелкнуть по строке **Закрепить панель задач**, тогда галочка снова появится, и панель зафиксируется в своем новом состоянии[1].

Подобных строк, в которые можно поставить галочку или убрать ее, мы с вами встретим немало в самых разнообразных программах. Правда, иногда вместо галочки используется жирная точка (примерно такая: •).

Растягивая панельку быстрого запуска, не надо слишком уж увлекаться. Сделав ее очень длинной, вы не оставите на панели задач достаточного места для запущенных программ.

К тому же, панелька эта на самом деле гораздо вместительнее, чем кажется! Обратите внимание на двойную галочку >> в ее правой части. Она появляется, если все нужные нам значки на панельке не помещаются[2]. Что мы тогда делаем? Щелкаем по галочке (см. рис. 2.38) и тут же видим все непоместившиеся значки! Останется щелкнуть разок по нужной строке...

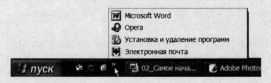

Рис. 2.38. Можно увидеть не поместившиеся значки панели быстрого запуска и запустить нужную программу

Таким образом, мы сможем держать три-пять-семь значков самых нужных программ на самой панели быстрого запуска и еще штук десять-пятнадцать-двадцать – в ее выпадающем продолжении. Выясняется, что для большинства людей этого вполне достаточно, так что лезть в главное меню и елозить там мышкой по многочисленным подменю им практически не приходится! Все и так под рукой – как говорится, на расстоянии одного, максимум – двух щелчков мыши.

А теперь давайте поговорим о том...

---

[1] Обратите внимание, как легко и незаметно мы с вами проделали одну из операций настройки Windows! Задали режим закрепления панели – появилась галочка, отменили – пропала.

[2] Если у вас в компьютере стоит старая версия Windows 98 и, тем более, Windows 95, галочки такой у вас не окажется.

Что такое файл

Файл – это одна программа, один текст, одна картинка, один видео-фильм, один мультик, одна музыкальная композиция, – короче говоря, любой набор любых данных одного типа, который хранится на диске отдельно от прочих. Это, так сказать, единица народонаселения, отдельный гражданин компьютерного государства. У него, само собой, есть название (имя). Безымянных файлов не бывает, как не бывает беспачпортных граждан (а если и бывают, то только граждане, а не файлы: в компьютере все строго!).

Про каждый файл Windows знает дату и время его создания, последнего изменения и последнего обращения к нему (просмотра), а также физические размеры. Размеры файла измеряются:

- в **байтах** (один байт (1 Б) – это длина одной буквы, восемь двоичных битов, то есть 1 Б = 8 б);
- в **килобайтах** – тысячах байтов (записывается Кбайт или КБ);
- в **мегабайтах** – миллионах байтов (пишется Мбайт или МБ),
- а также в **гигабайтах** – миллиардах байтов (ГБ).

Если быть более точным, то 1 КБ = 1024 байта (2^{10} Б), а 1 МБ = = 1048576 байт (2^{10} КБ, или 2^{20} Б), но это уже детали.

Имя файла в Windows состоит обычно из двух частей – собственно **имени** и **расширения** (чаще всего длиной 3 символа). Имя и расширение отделяются друг от друга точкой (точка тоже часть имени). Например: «Vova01.doc», «tetris.exe», «Архивы за май.arj», «Лена&Миша.txt», «Копия septmb.dbf», «Прайс-лист текущий.xls» и даже «Краткий самоучитель работы на компьютере. Третье издание.doc».

Если в названии файла есть несколько точек (как в последнем примере), то расширением считается то, что следует за последней из точек.

На имена файлов накладываются некоторые ограничения. Имя вместе с расширением не может быть длиннее 255 символов. Кроме того, в нем не должна использоваться косая черта (как говорят компьютерщики, слэш) обеих разновидностей (\ и /). Слэшем мы будем отделять имя папки (директории) от имени лежащего в ней файла, когда нам понадобится указать местоположение файла на диске (адрес). Или же она отделяет имя папки от имени вложенной папки. Короче говоря, это служебный символ, который в именах использовать запрещено.

Кроме того, запрещено использовать знак вопроса (?), звездочку (*), знаки «больше» и «меньше» (> и <), двоеточие (:), кавычку (") и вертикальную черту (|). У всех этих символов тоже есть свое особое назначение.

Зачем вообще мы говорим о каких-то расширениях имени? Не все ли равно, как файл называется?

Нам с вами, может, и все равно, да вот для операционной системы это очень важно. Дело в том, что расширение сразу же показывает ей, с чем она имеет дело – с программой, текстом или картинкой.

На самом-то деле не все равно и нам с вами, поскольку придется-таки разбираться в типах, видах и подвидах всех этих файлов. Как ни печально, но файлы одного типа – текстовые, рисунки, таблицы, звук – тоже могут быть устроены совершенно по-разному. Например, файл с текстом, созданный в редакторе Microsoft Word, нельзя вот так взять и загрузить в другой текстовый редактор. В какие-то просто нельзя (они не понимают вордовского формата и отказываются такие файлы читать), а другие хоть и понимают, но не воспроизводят некоторых особенностей оформления текста. Есть и универсальные, общепонятные форматы файлов.

Среди графических файлов (рисунков, фотографий) ситуация примерно такая же: есть специализированные форматы, применяемые только в определенных графических редакторах или в фотоаппаратах определенных фирм, а есть универсальные, понятные всем программам, которые берут на себя смелость называться графическими редакторами.

Но и среди универсальных форматов существует большое разнообразие! Одни виды наиболее пригодны для цифровых фотографий, другие для рисунков, третьи хороши тем, что очень малы и т. д.

Более или менее опытный пользователь хорошо ориентируется в типах файлов и делает о них на этом основании довольно важные выводы. Правда, система Windows в своих окнах изначально (по умолчанию) не показывает расширения некоторых файлов, но в наших силах будет попросить систему, чтобы показывала (см. главу «Настройки проводника»).

Имена папок (директорий, каталогов) подчиняются тем же законам, что и имена файлов. С одним только отличием: папкам редко дают расширения, поскольку в этом нет особого смысла.

В одной папке имена файлов должны быть уникальны и неповторимы. Зато несколько файлов могут иметь одно и то же имя, если при этом у них разные расширения. Например, в одной папке рядышком вполне могут лежать файлы readme.txt, readme.doc и просто readme (имя без расширения).

А вот вопрос на засыпку: могут ли несколько файлов иметь совершенно одинаковые имя и расширение?..

Да, конечно. Но только если они лежат в разных папках.

Типы файлов – типы значков

Итак, какие же типы файлов чаще всего будут встречаться нам на жизненном пути?

Прежде всего – **программы (приложения)**. Это может быть игра, редактор (текстовый, графический, музыкальный, электронных таблиц), служебная или сервисная программа (*утилита*), программа просмотра картинок или веб-страниц, почтовая, для обмена короткими сообщениями через интернет, проигрыватель, архиватор и т. д., и т. п. Программы имеют обычно расширение **exe** (изредка – **com**). Двойной щелчок по значку программы запускает ее.

У большинства программ есть свои собственные, специально для них созданные значки, которые мы и видим в виндоузовских окнах (как на рисунке 2.39).

Рис. 2.39. Файлы программ: игра Сапер, проводник Windows, текстовый редактор Microsoft Word, браузер Internet Explorer

Но у служебных программ, не рассчитанных на то, что ими будет пользоваться рядовой юзер, своего значка может и не быть. Все такие программы нам показывают с одной и той же пиктограммой (как на рисунке 2.40), так что отличать их друг от друга мы сможем только по именам. Впрочем, имени вполне достаточно, если, конечно, вы понимаете, о чем идет речь.

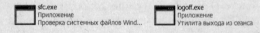

Рис. 2.40. Файлы программ, у которых нет своих значков

Дважды щелкнув по значку файла с расширением **lnk**, мы тоже запустим программу. Но lnk-файл – это не сама программа, а ее **ярлык** (**shortcut**) – крошечный файлик, предназначенный для вызова какой-то другой программы. Создаются такие малыши для того, чтобы можно было одну и ту же программу запускать из самых разных мест – из меню программ, с панели быстрого запуска, с рабочего стола, из нужной нам папки. В ярлыке просто прописан полный адрес запускаемой программы (начиная с имени диска), а также указаны некоторые параметры ее запуска.

Если не пользоваться ярлыками, пришлось бы для запуска текстового редактора Microsoft Word каждый раз открывать диск С, на нем отыскивать папку Program Files, в ней – вложенную папку Microsoft Office, там еще одну вложенную – Office 12 (или 11, 10, 9 – смотря какая версия пакета Microsoft Office установлена у вас в компьютере), а там, среди нескольких десятков или даже сотен вспомогательных файлов отыскивать файл программы, носящий не вполне очевидное имя winword.exe!

А чтобы запустить Сапера, пришлось бы лезть совсем в другое место – в папку Windows, а в ней в поддиректорию System32 и искать файлик под именем winmine.exe среди уже не сотен, а тысяч других файлов!

А тут – щелк-щелк! – и поехали...

Значок у ярлыка обычно такой же, как и у самой программы. Но есть и некоторые отличия. Во-первых, в левом нижнем углу такого значка стоит ***стрелочка в квадратике*** (это чтоб мы не запутались, где сам чемодан, а где только квитанция на чемодан). А во-вторых, Windows никогда не показывает расширение lnk[1].

Понимать разницу между ярлыком и самой программой хорошо бы хоть потому, что удалять ярлыки совершенно безопасно, а вот удалять сами программы следует весьма осторожно и строго по науке (см. главу «Как удалить программу»).

Есть и другие типы файлов, которые запускаются по двойному щелчку – все они называются **исполняемыми файлами**.

Это могут быть командные файлы (расширения **cmd** или **bat**), с помощью которых можно запустить не одну программу, а несколько – список этих программ находится внутри файла. То есть тут у нас что-то вроде ярлыка для поочередного запуска нескольких программ. Значки у командных файлов стандартные, с шестеренкой – такие, как на рисунке 2.41, *а*.

login.cmd   msdtcvtr.bat   WebDrive.msi   logon.scr   scrnsave.scr   prnjobs.vbs

а   *б*   *в*   *г*

Рис. 2.41. Файлы, которые могут запускаться по двойному щелчку

Файлы – установщики программ могут иметь расширение **msi** (рисунок 2.41, *б*), файлы сценариев VB Script, JAVA Script, Windows Script и т. п. могут иметь расширения **vbe**, **vbs**, **js**, **jse**, **wsf**, **wsh** (рис. 2.41, *г*). У них тоже значки более или менее стандартизованные.

А вот файлы экранных заставок (программок, которые показывают нам во время простоя компьютера всякие движущиеся и летающие картинки) могут иметь значки довольно разнообразные. Но чаще содержат изображение экрана (рис. 2.41, *в*). Расширение у заставок **scr**.

---

[1] А другие программы для работы с файлами (файловые менеджеры), вроде известных программ Total Commander или Far Manager, – показывают!

Не все исполняемые файлы будут нам с вами реально для чего-то нужны. Я сообщил вам о них главным образом потому, что они **потенциально опасны**. Если перед вами не файл из комплекта операционной системы, если перед вами не файл известной программы, полученной из надежного проверенного источника, а что-то пришедшее само собой неизвестно откуда – присланное по электронной почте неизвестным доброжелателем (автор пишет, что это, мол, классная программка для ускорения интернета или прикольная заставка), тогда будьте настороже, ни в коем случае не запускайте такие подарки! Подцепите или вирус или, в лучшем случае, шпионскую программу.

И скачав своими руками программку с ненадежного сайта, тоже вполне можете подцепить какую-нибудь заразу – обязательно надо все это добро проверять антивирусом.

shell32.dll

Файлы с двумя шестеренками и расширением **drv**, **vga**, **sys**, **ocx**, **vxd**, **dll** и некоторыми другими – это драйверы, модули программ и другие компоненты операционной системы или прикладных программ. В отличие от исполняемых файлов, по двойному щелчку они не запускаются. Просто потому, что нам с вами запускать их вручную не положено – это дело самих программ или операционной системы.

Рисунки   Звук и музыка   Мои документы

Рис. 2.42. Папки со стандартным и нестандартными значками

Значки **папок** по умолчанию такие, как на рисунке 2.42, *слева*. Но при желании мы с вами сможем поменять этот стандартный значок на любой другой – чтобы легче было среди ненужных папок находить нужные. На нашем рисунке (*в центре*) показана папка Звук и музыка, которая вместо стандартного значка показывается с некоторым другим. В главе «Свойства ярлыка» мы увидим, как это сделать.

Ну, и есть такие общественно-полезные папки, которым система Windows сама дает особые значки, как, например, папке Мои документы (на нашем рисунке, *справа*).

В Висте, где весь дизайн коренным образом переработан, значки выглядят немного иначе – более богато, тонко, продвинуто и т. п. Так что узнать в папке папку тут будет даже проще (хоть она и не горизонтально лежит, а как бы стоит на столе). Более того, папки с файлами разных типов – с текстовыми или графическими, с программами или с видео – будут выглядеть чуть-чуть по-разному (см. рис. 2.43), сразу намекая нам на то, что именно мы можем в них найти. Что самое интересное, маленькие картиночки, торчащие из папки с рисунками или фото, будут уменьшенными копиями реально лежащих в этой папке изображений!

Рис. 2.43. Папки в Windows Vista: с файлами разных типов, с текстами, с картинками, с программами, с видео

Немного иначе, но тоже вполне узнаваемо будут выглядеть в Висте и файлы других типов.

Файлы с расширениями **hlp** (от английского help – «помощь») и **chm** содержат справки по программам. Справочники по разным программам организованы в Windows единым образом (правда, в Windows 98 одним, в Windows Me и XP несколько иным, в Висте третьим...), в них предусмотрена возможность отыскать справку по какой-то теме, точного названия которой вы не знаете. Обо всем этом мы поговорим в главе «Справочная система Windows».

Следующая группа файлов – это ***документы***, то есть файлы, про которые Windows знает, в какую программу (редактор или программу просмотра) они должны быть загружены по двойному щелчку. В таком случае говорят, что файлы такого-то типа ассоциированы с такой-то программой.

Каждая программа просмотра или редактор дает своим документам собственные значки. Если у вас в компьютере нет такого редактора или просмотровщика, то нет и такого значка – будет стоять какой-то уныло-стандартный. И работать этими файлами вы, скорее всего, не сможете.

Файлы **txt**, **doc**, **docx**, **rtf** – это **текстовые докумен-ты**. Расширение doc дает своим файлам текстовый редактор Microsoft Word, а docx – новая версия этой программы – Word 2007.

В файлах с расширением txt находится текст без какого-либо оформления (text-only: текст, и ничего кроме текста), а в rtf-файлах – текст с оформлением (стандартный формат).

Расширение **xls** имеют файлы **электронных таблиц** – документы, созданные в табличном редакторе Microsoft Excel всех версий, кроме последней. В Excel 2007 применяются файлы с расширением **xlsx**. Впрочем, как принято у многих программ, новые версии Word и Excel прекрасно могут работать и с файлами старых форматов. А вот наоборот, увы, не выходит – старые редакторы с новыми форматами не дружат.

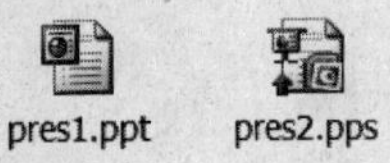

  Расширение **ppt** имеют файлы **электронных презентаций**, созданных в программе Power Point из пакета Microsoft Office. А расширение **pps** получают **демонстрации** – файлы, подготовленные к показу. Как и прочие документы Офиса, в версии 2007 получили новый формат и буковку «х» на конце: **ppsx** и **pptx**.

  Файлы с расширениями **bak** или **wbk** – это предпоследние версии файлов, резервные копии. Они создаются для подстраховки: вдруг вы что-то не то сделали с файлом, с которым работали в последний раз (хотели улучшить, конечно, а вышло

Рис. 2.44. Резервные копии

наоборот). Скажем, поработали с текстом, записали на диск исправленный вариант и закрыли программу-редактор. А потом обнаружили ошибку...

На такой именно случай и создается предпоследняя копия. Берете ее, переименовываете и работаете дальше. Расширение wbk дает резервным копиям текстовый редактор Microsoft Word, некоторые другие программы дают предыдущим версиям расширение bak (см. рис. 2.44).

  Для документов тоже можно создавать ярлыки (рис. 2.45, *слева*). Скажем, сам документ хранится в какой-то папке, но вы часто с ним работаете, хочется, чтобы он всегда был под рукой. Создаете ярлычок (на рабочем столе или на панели быстрого запуска). Вот и не придется каждый раз отыскивать

Рис. 2.45. Ярлыки документа и папки

нужный документик среди десятков однотипных файликов.

Разрешается создавать ярлыки и для папок (рис. 2.45, *справа*). Двойной щелчок по такому ярлыку показывает нам содержимое какой-нибудь глубоко закопанной папки (может быть, даже хранящейся на другом компьютере локальной сети).

Удалив ярлык папки или документа, саму папку или документ вы не затронете. Это правильно и хорошо, если сам документ вам все еще нужен. Это плохо и глубоко неверно, если именно сам документ вы и собирались стереть, чтобы даже налоговый полицейский... Чтобы даже коварный натовский шпион... Чтобы даже ревнивая подруга...

 Файлы электронных документов формата **PDF** используются для распространения полностью оформленных текстов – технических описаний, инструкций пользователя, электронных книг, пресс-релизов, приказов начальства и т. п. Они могут иметь иллюстрации, использовать любые иные элементы оформления и при этом будут одинаково выглядеть на любых компьютерах. Этот стандарт очень распространен в Европе и Америке, у нас используется не слишком часто.

Для просмотра таких электронных документов нужна специальная программа – Adobe Reader. Программа эта бесплатная. А вот для создания таких документов или их редактирования уже требуется платный редактор, например Adobe Acrobat.

 Расширения **htm**, **html** и **mht** показывают, что мы имеем дело с **веб-страницами**, которые переписаны из интернета к нам на жесткий диск. Обратите внимание, что здесь у нас впервые появляется четырехбуквенное расширение.

Htm и html – это обычный, стандартный формат веб-страниц (простой текстовый файл, в котором каким-то образом размечено оформление шрифтами, оформление абзацев и т. п., в том числе и места вставки картинок, но сами картинки представляют собой отдельные файлы), а mht – это веб-архив, в котором лежит и текст с полным его оформлением, и все картинки.

Файлы картинок **(графические файлы)** имеют расширения **gif**, **jpg**, **tif**, **bmp**, **cdr**, **psd**, **pic** и др. Как и положено документам, графические файлы снабжены значками тех редакторов, с которыми они ассоциированы. Например, на рисунке 2.46 мы видим файл Кружок.psd, приписанный к Фотошопу и имеющий фотошоповский значок с перышком.

  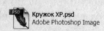

Рис. 2.46. Графические файлы разных форматов

Но большинство картинок по двойному щелчку попадают в стандартную виндоузовскую программу просмотра изображений и факсов, которая сама дает картинкам те или иные значки в зависимости от их формата.

Самым распространенным форматом графических файлов является формат **JPEG (jpg)** – большинство цифровых фотоаппаратов хранит свои снимки именно в таком формате. Несколько реже встречается формат **TIFF (tif)**.

Теперь о значках мультимедийных файлов – звуковых и видео. В стандартный комплект Windows входит программа-проигрыватель Windows Media, куда и попадают по двойному щелчку все **звуковые файлы**. Кроме всем известного формата **MP3** (расширение **mp3**), встречается музыка, записанная в файлах **wav**, **wma**, **mid**, **mp4** и т. п.

Видеофайлы чаще всего попадаются с расширениями **avi**, **mpg** или **wmv**. Обычно их вполне успешно воспроизводит тот же виндоузовский проигрыватель Windows Media. Но, скажем, файлы формата QuickTime, придуманного компанией Apple (расширение **mov**), виндоузовский проигрыватель проигрывать не умеет. Нужен либо QuickTime Player, либо QuickTime Alternative, либо иная специально обученная программа. Соответственно, у файлов будут значки именно такого плеера.

Впрочем, даже с avi- или mpg-файлами все обстоит не так уж хорошо. Они могут иметь множество разновидностей, и далеко не любую из них плеер Windows сумеет распознать и верно воспроизвести.

Файлы с расширением **vob**, **ifo** и **bup** вместе составляют **видеофильм формата DVD**. В vob-файлах находится видеоматериал, звуковое сопровождение и субтитры. В ifo-файлах содержится информация об устройстве диска, а bup-файлы – это резервные копии ifo-файлов.

Изначально система Windows не воспроизводит DVD-фильмов, а потому собственных значков эти файлы не имеют. Нужно либо установить себе специализированный программный плеер (вроде Power DVD или WinDVD), либо установить дополнительные **кодеки** – программки, обучающие систему работе с новыми форматами звука и видео. Тогда и стандартный виндоузовский плеер сможет показывать DVD. Об этих самых плеерах и кодеках будет у нас разговор в четвертом разделе книги.

Файлы с расширениями **zip**, **rar**, **ace**, **cab**, **7z** и некоторыми другими – это **архивы** – особым образом сжатые (архивированные) файлы. Так поступают с файлами, чтобы они были поменьше размером (например, для посылки по электронной почте, для того, чтобы файл поместился на дискетке или занимал поменьше места на флэшке). Расширение архивного файла зависит от того, какой программой-архиватором пользовались те, кто этот архив создавал: файлы с расширением rar создает архиватор WinRAR, файлы zip – архиваторы WinZip, 7-ZIP, тот же WinRAR, файлы ace – архиватор WinAce, файлы с двухбуквенным расширением 7z дает своим архивам бесплатный архиватор 7-ZIP и т. д. В архивах с расширением cab хранятся установочные файлы Windows, Microsoft Office и некоторых других программ.

Первый слева значок на рисунке 2.47 присваивает всем известным ему архивам архиватор 7-ZIP, второй – значок архиватора WinRAR, а третий дает своим архивам программа WinZip.

Но архивы формата zip умеет читать и создавать система Windows, поэтому zip-архивы вполне могут быть у вас в компьютере показаны с таким значком, как на нашем рисунке справа.

foto.7z MultiArc161.rar Tools.arj toc21.zip

Рис. 2.47. Архивы

Встроенный архиватор появился в составе Windows не так давно – только в Windows XP и Millennium. Кто до сих пор пользуется более старой системой (Windows 98 или 2000) и не удосужился обзавестись программой-архиватором, тот специального значка у архивов не увидит. Будет стандартный (см. строкой ниже), который дается всем неизвестным файлам.

~Mac&St.tmp
TMP File
1 KB

Глядя на этот значок, вы понимаете, что имеете дело с файлом неизвестного науке типа: не программой, не лягушкой, а неведомой зверушкой.

Например, на нашем рисунке показан файл с расширением **tmp** (от слова temporary – временный). «Тэ-эм-пэшки» – это служебные файлы, которые создаются программами в процессе работы, а по окончании должны бы, теоретически, стираться. К сожалению, это происходит не всегда, и tmp-файлы лишь попусту замусоривают диск.

Бывают у временных файлов и другие расширения. Но сущность их от этого не меняется – мусор, он мусор и есть.

Файлы с расширением **ttf**, **fon**, **ttc**, **pfb** – это **шрифты** разных форматов (см. рис. 2.48). Они используются для разнообразного оформления текстовых документов, для показа веб-

PTR55__C.... serifer.fon mvboli.ttf

Рис. 2.48. Шрифты

страниц и т. п. Ими пользуется и сама система Windows – для отображения надписей в меню и диалоговых окошках.

Это, конечно, не все типы файлов – только самые распространенные. Но с нас пока и этого хватит.

Меняя имя файла, будьте очень осторожны с изменением расширения! Без особой нужды трогать его не следует.

Но иногда это происходит неумышленно: задумав просто переименовать файл (клавиша F2 или два однократных щелчка по значку), люди дают ему новое имя, а про расширение забывают. В такой ситуации Windows выдаст предупреждение о том, что после смены расширения файл может оказаться недоступным. Но если вы на это не обратите внимания, система сделает то, что вы просили – переименует. И документ по двойному щелчку перестанет грузиться в свой редактор, а программа – запускаться!

Надо вернуть файлу его расширение. Но смотрите, не перепутайте! Если вместо doc вордовскому документу дать расширение txt, то вместо Ворда он будет теперь грузиться в виндоузовский текстовый редактор Блокнот – программу, совершенно для вордовских документов не подходящую. Такая загрузка может кончиться тем, что документ будет испорчен и перестанет грузиться даже в свой родной Word. А если вы дадите расширение программы (exe) файлу, который не является программой, то можете вызвать сбой!

А вот в Висте вероятность такой неприятности сведена к минимуму: два однократных щелчка по значку файла или щелчок и клавиша F2 выделяют только имя, но не расширение! Так что можно вводить новое название файла, ни о чем особенно не тревожась.

В то же время, если потребуется, всегда можно сменить и расширение.

Как я уже говорил, по умолчанию Windows не показывает расширения известных ему файлов. Такой режим не всегда удобен: только по виду значков ориентироваться трудно. Зато вы никогда не сможете сделать из doc-файла txt-файл. В «режиме чайника» Windows автоматически будет сохранять старое расширение.

Например, у вас есть файл Отчет.doc, который в окне показан просто как Отчет. Вы захотите переименовать его в Отчет.txt. И переименуете. Но файл все равно останется вордовским документом с расширением doc! Как же так? Хитрый дядька «Виндовз» даст файлу имя Письмо.txt.doc и только последние три символа будет считать расширением!

Прогулки с проводником

Ну вот, мы с вами прогулялись по столу, увидели много интересного. Давайте теперь погуляем по дискам компьютера: может, тоже чего полезного надыбаем. Для прогулок мы будем использовать стандартный виндоузовский инструмент – **проводник** (**Windows Explorer**).

В XP и Висте надо открыть главное меню, щелкнуть по строчке Мой компьютер (или просто Компьютер), и тогда появится самое первое окно этого проводника (см. рис. 2.49). В ранних версиях Windows, как мы уже говорили, значок Мой компьютер лежит на рабочем столе (обычно в левом верхнем углу).

Итак, что же нам тут показывают? Прежде всего, нас интересуют значки **жестких дисков** (винчестеров). Если жесткий диск у вас один и он не

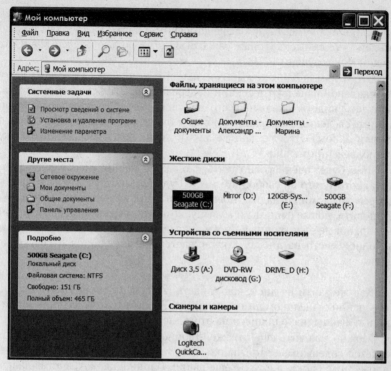

Рис. 2.49. Папка Мой компьютер в Windows XP

поделен на части, то вы и увидите тут всего один значок – с именем C:. У меня же, как видите, дисков целых три штуки (к тому же один поделен на две части, поэтому и кажется, что всего дисков четыре).

Пусть вас не смущает тот факт, что у вас, в вашем «компе» не будет надписи 120GB-DATA или 500GB Seagate. Это просто *метка диска*, у вас будет какая-то иная: она, собственно, ни на что не влияет – так, для удобства. Настоящее же **имя диска** с точки зрения системы – это буква и двоеточие: A:, C:, D:, E: и т. д.

Ниже на нашем рисунке показаны **устройства со съемными носителями** (Removable Storage): трехдюймовый дисковод, дисковод CD/DVD. Сюда же могут попасть значки флэш-карты памяти, КПК и других внешних устройств, которые были вами подключены к компьютеру и система их узнала. Так, на рисунке 2.49 буква H: присвоена цифровому фотоаппарату, который я проводком присоединил к разъему USB. Войдя на этот «съемный диск», я смогу просмотреть лежащие там фотографии и даже перенести их с флэш-карты на жесткий диск своего компьютера.

В XP (в отличие от всех остальных версий) здесь же окажутся главные папки с документами: Общие документы и папки каждого из пользователей – те самые, которые каждый из этих пользователей знает под именем Мои документы.

Стоит нам щелкнуть мышкой, например, по диску C:, как на левой вертикальной панельке, в секции Подробно (рис. 2.49, слева внизу) можно будет увидеть, сколько всего на диске места и сколько свободно (в Висте сведения о выбранном объекте будут появляться внизу, под основным окном). Эти же данные даст о диске подсказка, всплывающая при подведении мышки.

Нам будет очень важно знать, сколько на наших дисках свободного места, потому что на свободном месте будут размещаться новые файлы, которые мы сами создадим, новые программы, которые мы хотим себе установить, новые фильмы и музыку, которые мы скачаем к себе в компьютер, новые электронные письма, которые нам пришлют. Как только свободное место на дисках заканчивается, заканчивается и спокойная жизнь.

Как же зайти на диск, как увидеть его содержимое? Да очень просто – двойным щелчком по значку диска. Компьютер тут же покажет нам папки и файлы, находящиеся на этом диске.

Можно заходить еще глубже. Двойной щелчок по папке – и в окне окажется содержимое этой папки. Там тоже могут оказаться и файлы, и вложенные папки, а в тех – еще папки. Папки в папках, а в тех папках еще папки – это обычная ситуация для компьютера.

И вообще, все мы немножечко папки, вам не кажется?..

О том, как называется место, в которое мы забрались, сообщает нам строка заголовка. На рисунке 2.49 написано, что мы залезли внутрь папки Мой компьютер.

Более полную информацию о своем нынешнем местоположении вы можете прочесть в строке Адрес, которая находится сразу под кнопочной панелью. Скажем, надпись C:\ будет сообщать нам о том, что мы находимся на диске C: в его главной (корневой) папке (директории). От подобного корня растет все дерево папок на каждом из дисков и дискет.

Если мы, к примеру, влезли в папку Мультфильмы на диске D:, а в ней – во вложенную папку Чип и Дейл спешат на помощь, то в строке заголовка в этот момент будет написано просто Чип и Дейл спешат на помощь, а вот в адресной строке будет написано полностью D:\Мультфильмы\Чип и Дейл спешат на помощь. Имена папок отделяются друг от друга косой чертой (слэшем).

На диске или в папке, куда вы зашли, может оказаться так много значков, что все они не поместятся в окне. Тогда справа (а иногда и снизу) Windows создает полосочку с движком (как на рисунке 2.49), которая по науке называется **полосой прокрутки** (scrollbar), а по-простому – лифтом. Беретесь мышкой за движок («кабинку лифта») и тащите вниз или вверх – в такт вашему движению прокручивается и содержимое окна. Или щелкаете ниже или выше движка, и тогда содержимое папки прокручивается на один экран вниз или вверх. Или щелкаете по маленьким стрелочкам над полосой лифта или под ней, и тогда содержимое окна сдвигается по шажку, по шажочку.

Так же точно можно управляться и с горизонтальным лифтом, когда он появляется. (Хотя строго по науке лифт – это «вертикальный транспорт».)

Для прокрутки содержимого папок вверх и вниз очень удобно **пользоваться колесиком мышки**. Причем способ прокрутки настраивается: можно задать, чтобы одно движение колесика пролистывало несколько строк (по умолчанию обычно ставится 3), а можно попросить сразу перелистывать целую страницу. Всю эту настройку поможет проделать утилита Мышь из панели управления Windows.

Есть у нас способ немного ускорить переход к нужному значку, если их в окне слишком много: щелкнуть мышкой по любому значку в папке и **нажать на клавиатуре первую букву имени**. Windows тут же перенесет вас на ближайший объект, имя которого начинается на эту букву. Если это не то, чего вы так страстно желали, можно понажимать букву еще и еще.

Но тут приходится учитывать раскладку клавиатуры: если папка, которую мы ищем, называется Мои документы, то надо перейти в русскую раскладку (Alt-Shift) и нажать русскую м, а если My Documents – то в английскую и нажать английскую m, иначе перейдете не на тот файл. Или вообще не двинетесь с места.

Для быстрого поиска файлика можно ввести и вторую букву имени, а за ней третью. Но делать это надо, вот именно, быстро. Чуть задумался, вспоминая, как там нужный файл назывался (особенно, если имя его не особенно выразительное, вроде dscn0833.jpg или img_0217.jpg), и все – проводник полагает, что мы уже начали новый поиск и соскакивает на совсем другой файл! Надо приноровиться...

Стоит немного присмотреться к левой вертикальной панели проводника. Она имеется во всех версиях Windows, начиная с Windows 98, но наиболее богата всякими возможностями в XP.

В секции **Задачи для файлов и папок** система пишет, что можно сделать с объектом, который вы выделили мышкой. Секция **Другие места** показывает список папок, куда можно мгновенно перейти (одним щелчком мыши). А собственно информацию об объекте вы найдете в самом низу, в секции **Подробно**. Каждую из секций можно свернуть кнопочкой с галочками и развернуть обратно (ею же).

Список задач меняется в зависимости от того, в какой папке вы находитесь и во что вы ткнули мышкой (то есть в зависимости от контекста): выделена папка с файлами – одни возможности, выделен файл – другие, выделено несколько файлов – третьи, выделен диск, компакт-диск, папка **Мой компьютер** – какие-то свои. Если речь идет об изображениях, то кроме **Задач для файлов и папок** появится также секция **Задачи для изображений**, благодаря которой вы сможете немедленно сделать выбранный рисунок фоном рабочего стола, просмотреть все изображения из этой папки в виде этакого слайд-фильма (слайд-шоу) или скопировать на компакт-диск.

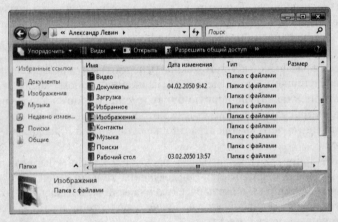

Рис. 2.50. Windows Vista: окно проводника сильно изменено по сравнению с предыдущими версиями Windows

В новой версии Windows (которая зовется Вистой) слева остались только строки для быстрого перехода в стандартные папки (рис. 2.50), а типичные задачи показываются иным образом – в виде панели с кнопками вверху. Состав этой панельки непостоянный, количество кнопок и их названия меняются в зависимости от того, на каком диске, в какой папке вы сейчас находитесь и в какой объект ткнули своей мышкой.

В Висте, к тому же, в строке заголовка не пишется название папки или диска. Оно тут пустое, а всю информацию предлагается брать из ад-

ресной строки. Так, на нашем рисунке видно, что я зашел в свою персональную папку, потому в адресной строке тут и написано мое имя. У вас
будет ваше.

Вообще, адресная строка тут очень непростая, способна не только
показывать адреса, но и помогать нам быстро переходить из одного места в другое. Но об этих вещах – в следующей главе.

Выход из папки, возврат, быстрый переход

Часто бывает, что, отыскивая свой файл, зайдешь куда-нибудь не
туда – прыгнешь не на тот диск, влезешь не в ту папку. А потом огля-
дишься вокруг, да и подумаешь: и чего меня сюда занесло? Надо бы поскорее отсюда выбираться. А как? – спросите вы.

Чтобы **выйти из вложенной папки** (поддиректории) – выбраться
наверх (в наддиректорию), можно щелкнуть по кнопке Вверх (Up)
на кнопочной панели проводника.

Выходить из папки можно и с помощью клавиатуры – по клавише
Backspace.

Точно так же действует и пара кнопок Назад (Back) и Вперед
(Forward) на панели инструментов проводника. Можно пощелкать по этим кнопкам несколько раз, как бы отматывая назад (вперед) список своих переходов. Точно так же, как эти кнопки, действует
и пара клавиатурных комбинаций Alt-← и Alt-→.

Обратите, кстати, внимание на треугольнич-
ки вершиной вниз (▼) справа от этих кнопок.
Они подсказывают нам, что каждая из кнопок содержит какой-то выпадающий список. Но чтобы
его увидеть, надо щелкнуть не по самой кнопке,
а именно по треугольничку – по узкой полоске
правее кнопки (см. рис. 2.51).

Такие **кнопки-списки, кнопки-меню** весьма
популярны у программистов, встречаются буквально на каждом шагу. И всегда мы будем узнавать о наличии под кнопкой некоего списка по
расположенному правее треугольничку вершиной
вниз (иногда вместо треугольничка используется
галочка носиком вниз).

Рис. 2.51. Кнопка-
меню Назад

В данном случае в списке показана история
наших перемещений по диску – несколько ходов
назад или вперед. Выбрав нужную строку, мы сразу оказываемся там, где
недавно побывали, минуя все промежуточные точки.

Рис. 2.52. Единый список переходов кнопок **Вперед** и **Назад**

В проводнике Висты у нас будет не два списка переходов, а всего один – общий для обеих кнопок (см. рис. 2.52). Тут галочкой обозначено наше текущее местоположение, а щелкнув по строке выше или ниже, мы попадем в одну из ранее посещенных папок.

Для быстрого перехода на другой диск или в какое-то иное место можно воспользоваться также строкой **Адрес**, которая на самом деле не просто какая-то строчка, а список, о чем напоминает нам галочка вершиной вниз справа от нее (рис. 2.53). Щелкнем по галочке мышью и посмотрим, что там в этом списке перечислено.

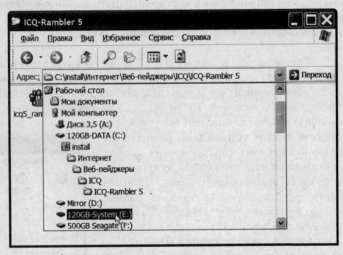

Рис. 2.53. Один щелчок, и из папки ICQ-Rambler, спрятанной глубоко на диске C:, я попаду на диск E:, минуя все промежуточные ходы

В нем показаны все диски нашего компьютера и некоторые важнейшие виндоузовские папки — **Рабочий стол, Мой компьютер, Мои документы**. Здесь же показана и текущая папка (в нашем случае – **ICQ-Rambler 5**), а также все папки, по которым мы прошли, добираясь до нее (диск C: ▶ папка **INSTALL** ▶ папка **Интернет** ▶ папка **Веб-пейджеры** ▶ папка **ICQ** ▶ папка **ICQ-Rambler 5**). Однократный щелчок по любой строке этого списка — и мы уже там.

Кнопка Назад (и комбинация Alt-←) после такого быстрого перехода также быстро вернет нас обратно.

В проводнике Висты адресная строка переработана наиболее радикальным образом (см. рис. 2.54). Теперь в ней сразу показывается наш путевой лист – полный список папок, пройденных нами на пути в данную, начиная от рабочего стола и папки **Компьютер**. На любую из этих промежуточных станций можно будет немедленно вернуться, просто щелкнув мышкой по ее имени.

Рис. 2.54. Адресная строка Windows Vista

А если щелкнуть не по имени, а по треугольничку вершиной вниз справа от имени папки, то проводник покажет список всех вложенных папок, куда и можно будет немедленно отправиться.

Так, на рисунке 2.54 показано, как выглядит в окне проводника моя персональная папка – **Александр Левин**. Присмотревшись к генетически модифицированной адресной строке, вы увидите, что расположена эта папка на диске C: и вложена в папку **Пользователи**.

Раскрывая соответствующие списки, я смогу перейти:

• на любой из дисков своего компьютера (если раскрою список на слове **Компьютер**),

• в любую из папок на диске C: (как на рисунке 2.54),

• в любую из персональных папок пользователей

• и в любую из своих вложенных папок.

Все это, в общем, довольно удобно и наглядно, избавляет нас от необходимости делать массу ненужных движений. И уж точно, нам не придется сожалеть о том, что в Висте нет кнопки для выхода из папки.

Зачем и как копировать файлы

Всякий человек, имеющий дело с компьютером, время от времени сталкивается с необходимостью переписать какие-то файлы с одного места на другое. Например, он подключает к компьютеру свой цифровой фотоаппарат и переносит на жесткий диск все накопившиеся там фотографии. Или вставляет в разъем USB флэшку и скидывает на нее с жесткого диска новый фильм или новую музыку, чтобы поделиться ими с другом.

Или берет дискетку, вставляет ее в дисковод A: и записывает на нее план маркетинговой кампании, статью в журнал, заметку в газетку, курсовую или реферат (найденный в интернете и бессовестно выданный за свой собственный путем простой замены титульного листа), – чтобы отнести на работу, в учебное заведение, в редакцию, на радио – и так далее и тому подобное: дискета, как и бумага, все стерпит.

Но чем бы вы ни занимались, копировать файлики вам стоит научиться. Как же быстро и без хлопот провести копирование?

Давайте для примера скопируем на трехдюймовую дискету файл, который называется Реферат.doc и лежит на жестком диске компьютера в папке Мои документы.

Примерный план кампании такой. Открываем два виндоузовских проводника. В окне одного должна быть показана дискетка, куда мы планируем кинуть копию файла, а в окне другого – папка, где лежит сам файл. Потом возьмем файл мышкой и просто перетащим на дискету.

А теперь подробно.

1. Вставляем дискету в дисковод. (Правильно вставляем! – запихивать ее вверх ногами или задом наперед большого смысла не имеет. Разве что вы специально мучаете свой компьютер.)

2. Дважды щелкаем по значку Мой компьютер на рабочем столе. Открывается такое окно, как было показано на рисунке 2.49. Значок трехдюймового дисковода у нас называется Диск 3,5 (A:), а в англоязычных виндах – Floppy 3.5 (A:).

3. Двойной щелчок по значку Диск 3,5 (A:) – **и мы уже на дискете** (см. рис. 2.55). То, что мы видим – не просто какие-то абстрактные значки. Мы действительно видим содержимое дискеты, представленное в удобном для нас виде! Например, из рисунка видно, что на моей дискетке и без реферата лежало три каких-то файла. После того как мы притащим туда реферат, их станет четыре.

О том, что мы не ошиблись и перешли именно на дискету, свидетельствует и заголовок окна, где белым по синему будет сказано: Диск 3,5 (A:) и строка адреса, где написано A:\. Кроме того, на дисководе зажжется лампочка, и компьютер пару секунд пошуршит дискетой, считывая ее содержимое.

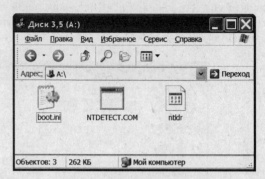

Рис. 2.55. На дискетке были некоторые файлы и до того, как мы на нее скопировали реферат

Итак, мы нашли, куда будем копировать файл (по-английски это называется target – цель). Теперь надо найти сам файл (источник, source).

4. Значок Мои документы, откуда мы собирались взять реферат, в XP и Висте лежит в главном меню, а в Windows 98, Me или 2000 – на рабочем столе. Но файл, который вам когда-нибудь захочется скопировать, вполне может оказаться в какой-нибудь другой папке, не имеющей столь выгодного географического положения. Так что давайте уж мы в учебных целях пойдем наиболее общим путем – снова запустим Мой компьютер. Откроется второе окно проводника поверх первого.

5. Теперь надо сообразить, на каком диске лежит файл с рефератом. Если жесткий диск у вас один и он не поделен на части, то, ни секунды не сомневаясь, можно сказать, что он будет носить буквенное имя C:, к которому будет приписана такая необязательная вещь, как метка диска. Двойной щелчок по значку – и мы перейдем на нужный диск.

6. Отыщем на диске папку, в которой должен находиться наш документ, и двойным щелчком войдем в нее. Если нам нужна одна из вложенных папок, дважды щелкнем и по ней, чтобы войти. И так далее.

Скажем, в XP или Windows 2000, чтобы попасть в папку Мои документы, приходится сперва войти в папку Documents and Settings (документы и настройки), потом в персональную папку – поддиректорию с именем пользователя, а уж там высматривать значок Мои документы. В Висте нам будет нужна папка Пользователи (Users), а уж непосредственно в ней отыщется папка ваших документов.

В итоге всех этих странствий, всей этой, так сказать, навигации по закоулочкам своего диска вы, надеюсь, найдете-таки нужный файл[1].

7. А теперь возьмите его мышкой и, не отпуская левой кнопки, потащите в окно, где его ждет не дождется дискетка (см. рис. 2.56). Только не промахнитесь, шнайперы!

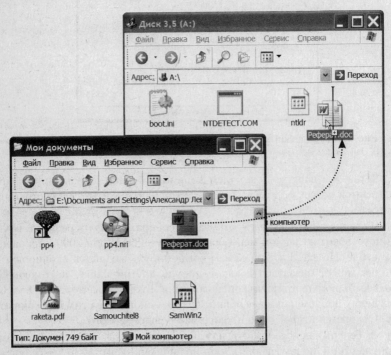

Рис. 2.56. Тащим файл из папки Мои документы на дискету A:. А могли бы и в обратном направлении!

Чтобы мы не промахнулись, оба окна должны быть открыты и видны (не загорожены никакими другими окнами). Ненужные окна можно совсем закрыть, щелкая по крестикам в их заголовках, или временно свернуть, щелкая по минусикам. А нужные – удобно расставить на экране: взять за заголовок и подвинуть, взять за краешек или за уголок и растянуть (сжать)...

[1] Если же вам это не удалось (ну, забыли, в какую папку засунули, бывает), воспользуйтесь командой поиска файлов (глава «Поиск файла: найти то, не знаю что»).

В итоге, оттащив файл на дискету, можете ее вынимать из дисковода и нести туда, куда собирались[1].

А там сможете поступить аналогичным образом: ведь если взять файл не с диска, а, наоборот, с дискеты и оттащить на винчестер, то Windows скопирует и туда. Ему все равно – что тех тащить, что этих оттаскивать.

Если в исходной папке выделить **несколько файлов** (мышкой или с помощью клавиатуры, например, с применением кнопочки Ctrl для выделения вразбивку), то можно будет оттащить их в другую папку. Они поочередно все туда скопируются.

Можно выделить вообще все файлы в папке, по клавиатурной комбинации Ctrl-A, и оттащить все файлы разом. Надо только иметь в виду, что комбинация эта выделяет *все объекты* в данной папке, включая и вложенные папки, которые также захотят скопироваться! Так что вы с этим повнимательнее.

Ну и значок папки тоже вполне можно взять и вместе со всеми ее файлами и вложенными папками оттащить в другое место – тоже скопируется. И несколько папок!..

Короче говоря, берем и тащим, что под руку попадется. В переносном смысле, конечно.

А если нам надо **взять фотографии из цифрового фотоаппарата**, будут ли какие-то отличия от копирования файликов с дискеты на винчестер?

Одно точно будет: в пункте первом не дискету придется вставлять, а фотоаппарат включать и подсоединять проводком к разъему USB. И буква у диска будет не A:, а какое-нибудь E: или F:. А так – все то же самое.

Признаком того, что система фотик увидела, в XP будет появление особого уведомления в отведенной для этого области (рис. 2.57). XP и Виста обычно без проблем опознают цифровые фотоаппараты. Может быть, правильнее сказать иначе: современные фотоаппараты обычно вполне исправно работают с USB, так что у системы с ними проблем не возникает[2].

---

[1] Только я бы на вашем месте записал этот файл еще на одну дискетку – вдруг он не прочитается из-за сбоя на дискете! А у нас тут как тут – вторая копия! А чтобы отказали обе дискеты разом, да еще в одном и том же месте – такого не бывает.

[2] А вот Windows 2000 или Me, вполне возможно, потребуют установки дополнительного драйвера.

Рис. 2.57. Система обнаружила фотоаппарат, можно приступать к копированию

Через некоторое время в папке Мой компьютер появляется значок нового сменного диска, и можно уже приступать....

Еще одна особенность: на флэш-карте фотоаппарата карточки лежат, как правило, не в корне (как чаще всего бывает на дискетах), а в некой поддиректории. А то и в под-поддиректории. Правда, найти их все равно довольно просто – папок там будет совсем мало. Буквально одна. И файлы снимков (обычно – с расширением jpg) будут именно в ней.

Короче говоря, как найдете все эти файлы, так сразу выделите и утащите на жесткий диск[1].

Бывают и иные варианты. К вам пришел в гости знакомый с фотоаппаратом, хочет показать снимки. Но USB-разъем на корпусе фотика не такой, как у вашего, а захватить свой кабель он не догадался. Тупик. Тогда можно попытаться взять данные непосредственно с флэш-карты этого фотоаппарата. Это может получиться, если у вас есть переходник (кард-ридер) с подходящим разъемом или же ваш ноутбук снабжен разъемом, подходящим для данной карты памяти. Просто вставите карту в разъем – она покажется как новый съемный диск, зайдете на нее и скопируете фотографии.

Ну, а если нет ни кардридера, ни ноутбука, то просмотр фотографий придется отложить на следующий раз.

Этих трудностей не будет, если гость принесет фотографии на флэшке- «свистке», которая подключаются прямо на разъем USB. Устройства эти недороги, удобны, компактны, достаточно надежны. Вставите «свисток», перейдете на него, найдете файлы и – извольте бриться!

Так же точно можно будет копировать файлы с CD или DVD на жесткий диск, с одного жесткого диска на другой или даже внутри одного диска – из одной папки в другую. Последнюю операцию приходится делать, когда захочется навести порядок в своих файлах, разложить их по тематическим папочкам и проч.

Копировать данные на CD и DVD напрямую в XP и более ранних версиях Windows невозможно. Тут требуется сначала собрать все файлы,

---

[1] Может быть, даже – с клавишей Shift, чтобы сразу освободить флэшку. Выйдет не копирование, а перемещение. Но об этом – в следующей главе.

предназначенные для копирования на оптический диск, а потом разом их записать (об этом мы поговорим позднее, в главе «Запись CD и DVD», раздел 4).

Однако не такова Vista! Эта система сумеет наконец-то преодолеть дискриминацию оптических дисков (вообще-то, уже преодоленную лет пять-семь тому назад программистами других фирм). Так что здесь мы сможем копировать данные на «оптику» так же просто, как и на магнитные диски или на флэш-память. Но к этому необычному делу диск надо подготовить: разметить специально для прямой записи на диск командой форматирования. Об этом также будет рассказано в четвертом разделе нашего свода компьютерных премудростей — в главе «Форматирование дисков».

Перемещение файлов

Обратите внимание на плюсик, появляющийся рядом с курсором при перетаскивании файла (на рис. 2.56). Он означает, что будет выполняться именно копирование («плюс один файл»). Если же мы станем тащить файл *с нажатой клавишей Shift*, то плюсика нам не покажут. Будет выполняться другая операция — **перемещение**. При этом файл запишется на новое место, а на старом будет стерт.

Перемещением часто пользуются, когда нужно снять файлы с дискеты или освободить флэш-карту цифровика: объемы этих носителей не так уж велики и замусорить их настолько, что там не останется свободного места, довольно легко. А так: записал — снял, и место снова свободно.

В принципе, это же можно сделать и в два приема: скопировать файлы, а потом взять исходные и оттащить в мусорную корзину (или нажать клавишу Del). Windows запросит у вас подтверждения на удаление и, ежели вы это подтверждение дадите, удалит.

Но, конечно, простое перемещение файлов удобнее, чем вся эта канитель.

Здесь есть еще одна особенность. Перетаскивая файлы из папки в папку в пределах одного диска, вы всегда их *перемещаете*. Сделано это для того, по-видимому, чтобы файлы ваши не размножались, как кролики теплым летом и при хорошей кормежке. Многочисленные копии одних и тех же документов (причем — частенько — в разных вариантах) — это просто бич начинающих, да и не только начинающих компьютерщиков. Не позволяйте своим файлам чрезмерно размножаться!

Если же захочется все-таки *создать копию файла на том же диске*, перетаскивать его надо *с нажатой клавишей Ctrl*.

☞ Чтобы не ошибиться, стоит всегда таскать файлы с «шифтум», если вам нужно перемещение, и с «ко̀нтролом», если нужно копирование[1]. Быстро привыкнете так поступать – и не будет никаких ошибок. Еще проще для беспамятных – таскать всегда правой кнопкой мыши и выбирать нужную команду из контекстного меню (см. рис. 2.5).

У тех, кто работает с Windows Vista, свободы при работе с файлами поменьше. И не любые действия с файлами и папками будут разрешены. Каждому пользователю разрешается делать все, что ему угодно, только в отведенной ему резервации – в персональной папке с его именем и во всех вложенных – в папках Документы, Изображения, Музыка и любых иных, какие он пожелает завести. Кроме того, всем пользователям разрешено работать с любыми сменными дисками и с папкой Общие документы, куда пользователи кладут файлы для совместной работы.

Во всех прочих местах некоторые операции (вроде удаления, перемещения или редактирования файла) будут запрещены.

Отмена команды

А что делать, если мы погорячились и что-то скопировали не туда, или вместо копирования сделали перемещение файла, или удалили не тот файл? Можно оттащить файл обратно, но проще нажать **Ctrl-Z**, вот что! По этой комбинации все сгоряча удаленное восстанавливается, все не по адресу скопированное возвращается на свое место, а все ошибочно переименованное обретает свое первоначальное имя.

Нажав комбинацию отмены несколько раз подряд, мы сможем отменить несколько последних операций копирования, перемещения или удаления в корзину. Вдобавок к этому в Windows Vista отмененную операцию можно выполнить повторно по горячей клавише Ctrl-Y.

☞ Удаление файлов и папок не удастся отменить, если вы после этого успели очистить Корзину.

Замена файлов при копировании и перемещении

Зададимся теперь таким вопросом: как будет вести себя проводник, когда вы копируете на диск файл, а там такой уже есть? Ведь, как мы уже говорили, в папке не может быть двух файлов с одинаковыми именами и расширениями. Затрет ли старые файлы новыми? Или не станет?

---

[1] Я запоминал по созвучию: контрол – копия, ш-шифт – перемещение.

Ни то ни другое! Проявив осторожность, проводник ничего самостоятельно решать не будет, а ответственность переложит на вас, выдав диалоговое окно под названием Подтверждение замены файла (см. рис. 2.58).

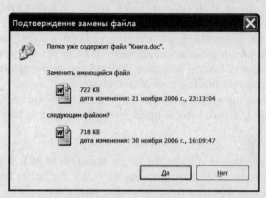

Рис. 2.58. Копируем группу файлов. Попались два одинаковых. Как поступить?

Сравните даты последнего изменения существующего (вверху) и копируемого файла – какая из версий более свежая. Обратите внимание также на размеры файлов, которые вам здесь напишут. Сомневаетесь – обязательно отмените копирование и просмотрите оба файла – и существующий на дискете, и новый. Просматривают файлы в их родном редакторе или с помощью какого-нибудь средства для просмотра файлов (программы-просмотровщика, или вьюера, как еще говорят в компьютерном мире) – двойным щелчком по файлу.

Когда вы щелкнете по кнопке Да (Yes), новый файл запишется поверх имеющегося, то есть *затрет* его. После этого Windows пойдет копировать дальше. Встретив совпадение еще каких-то имен, вновь предложит вам разобраться.

☞ **Будьте очень внимательны, когда принимаете решение о записи нового файла поверх старого: перезаписанная версия пропадет безвозвратно! Ее не будет даже в корзине[1].**

---

[1] Выпуски Висты для деловых применений (Business, Enterprise и Ultimate) позволяют восстанавливать даже безвозвратно удаленные файлы! Эти системы периодически сохраняют файлы и папки (это называется теневым копированием), так что всегда можно попросить систему вернуть одну из предыдущих версий файла. В более полной версии самоучителя, который называется «Windows XP и Vista», а также в десятом издании «Самоучителя работы на компьютере» рассказано, как эту службу включить и как ею пользоваться. В кратком самоучителе, увы, места нет.

Лучше не совершать непоправимого: дать файлам новые имена (например, с помощью цифр: вместо doklad.doc – doklad1.doc). Или создать новую папку и уже в нее скопировать файлы. Аврал кончится, поспите или просто выпьете чашечку чаю – вот тогда уж можно и разбираться, кого стирать, кого оставить.

Особенную бдительность следует проявлять в критические моменты, когда файлов много, а времени мало. Или когда времени много, но оно очень позднее. Самое большое количество непоправимых ошибок совершается именно ночью, часа в три-четыре!

Зато утром после такой ошибки у всякого торопыги оказывается масса времени для того, чтобы проредить волосенки на немудрой своей голове.

Если вы щелкнете по кнопке Да для всех (Yes to All), Windows заменит все одноименные файлы новыми, ни о чем вас более не спрашивая. При этом вовсе не факт, что они действительно новее. Но тут уж вы сами за все в ответе.

Если же вы скажете Нет (No) (может, копируемый файл оказался более старым или показался вам подозрительно маленьким[1]), то Windows этот файл пропустит, не станет копировать. И пойдет дальше.

Ну а если вы щелкнете по кнопке Отмена (Cancel), то операция немедленно прекратится.

Тут, конечно же, не хватает кнопочки Нет – для всех, чтобы ни один файл не стирался при таком групповом копировании. Однако возможность такая имеется! Надо щелкнуть по кнопке Нет, *предварительно нажав клавишу* Shift, тогда у вас, вполне возможно, как раз и получится Нет – для всех. Во всяком случае, в новых версиях Windows эта возможность реализована.

Однако, по моим наблюдениям, большинство людей, копирующих файлы с помощью проводника, об этой возможности даже не подозревает. Если им требуется добавить в папку только вновь созданные файлы, а старые варианты сохранить, сидят и терпеливо отвечают Нет на каждый выскакивающий запрос такого типа. Ручками, ручками.

Зачем было прятать такую хорошую возможность, я просто ума не приложу. В большинстве файловых менеджеров делают для нее отдельную кнопочку в диалоговом окне подтверждения замены, как, например,

---

[1] Скажем, старый файл с текстом имел размер несколько сот килобайт, а новый почему-то только десяток. «Что-то тут не так!» – думаете вы и запрещаете перезапись.

в программе FAR Manager. А в файловом менеджере Total Commander найдутся также кнопки совсем замечательного вида: Заменить более старые (все новое программа автоматически сбережет) или Переименовать (все «однофамильцы» будут при копировании переименованы – к имени добавится цифра). Этому файл-менеджеру посвящена отдельная глава в моем «Самоучителе полезных программ» (раздел «Программы для работы с файлами»)[1].

В новой версии Windows жалобы и недовольства пользователей учтены. При копировании или перемещении нескольких файлов обновленный проводник Висты сравнит списки имеющихся и копируемых файлов и выдаст окошко запроса, в котором будет одна очень ценная для нас строчка: Переместить, но сохранить оба файла. Она как раз и означает копирование с переименованием одноименных.

Еще одна полезная строчка: Сделать это для следующих … конфликтов (вместо многоточия будет стоять число совпадений). Поставив в этой строке галочку, вы тем самым просите программу копирования поступить с остальными конфликтами именно так, как вы сейчас выбрали.

Сортировка файлов в окне

Отдельный серьезный вопрос – выделение группы файлов для копирования. Казалось бы, чего сложного, выделил мышкой (с «контролем» или растягивая рамочку), да и всё. Но это только тогда, когда вам надо выделить пару штук, а в папке всего десяток файлов. А если их под тысячу? И выделить надо штук триста?

Конечно, вы можете все свои тексты и рисунки рассовывать по папкам так, чтобы в каждой было понемногу и чтобы все они были легко обозримы. Но, во-первых, не все и не всегда это делают, а копировать файлы им все же приходится. Во-вторых, слишком много папок – тоже неудобно: поиск нужного файла оказывается делом долгим и нудным. А в-третьих, иногда вы имеете дело не со своей директорией, подстриженной и ухоженной, а с какой-то чужой – лохматой и дикой. Или вообще с чужим компьютером, в котором все устроено неправильно. И мы бы всё им поправили (даже бесплатно!), да они почему-то не хотят...

Для того чтобы удобнее было выделять файлы по определенному признаку, надо их сначала *отсортировать*. Когда файлы одного типа (например, тексты или рисунки) или с похожими именами (отчет1.doc,

---

[1] Издательство «Питер», автор А. Левин. Ну, то есть я.

отчет2.doc, отчет-07.doc и т. д.) стоят в окошке рядом, выделить их мышкой очень легко. А когда раскиданы по разным углам, то и искать долго, и чего-нибудь обязательно прозеваешь.

Как же сортировать?

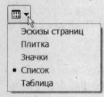

Рис. 2.59.
Кнопка-меню Вид

На панели инструментов проводника XP есть кнопка-меню Вид (View). Щелкнем по ней мышью и посмотрим, какие возможны **режимы показа файлов в окне** (см. рис. 2.59). Значки нам могут показать: в виде эскизов (уменьшенных копий изображений), в виде крупной Плитки (тогда они понятны и разборчивы), в виде более мелких Значков (тогда их много помещается в окне), в виде Списка с еще более мелкими значками (тогда они выстраиваются в несколько колонок), а также в виде Таблицы.

Так вот: сортировать строки нашей таблицы мы будем, *щелкая по заголовкам столбцов*.

• Щелчок по заголовку столбца Имя располагает файлы **по алфавиту**: сначала будут стоять расставленные по алфавиту папки, потом файлы. Причем в самом верху списка оказываются имена, которые начинаются с цифры или какого-нибудь служебного значка вроде тильды ~, потом с букв латинского алфавита, потом с русских, от А до Я.

Но интересно, что повторный щелчок по тому же самому заголовку столбца отсортирует файлы в обратном порядке: сначала русские (от Я до А), потом английские, потом цифры и служебные символы. Именно такая сортировка и показана на рисунке 2.60.

• **Сортировка по типу** (щелчок по заголовку Тип) ставит рядом файлы одного типа. Например, все рисунки стоят компактной группой, а в ней отдельно стоят файлы каждого из форматов (Рисунок JPEG, Рисунок TIF, Рисунок GIF и т. п.). А уже внутри каждой из подгрупп файлы будут отсортированы по именам.

Повторный щелчок расположит в обратном порядке и группы с подгруппами, и файлы в них.

Так вы можете, например, выделить все файлы рисунков и скопировать в папку, специально для рисунков предназначенную. Или собрать все резервные копии и временные файлы (bak, wbk или tmp) и разом удалить.

• **Сортировка по размеру** файла (столбец Размер) располагает вверху таблицы самые маленькие файлы, а внизу – самые большие. Понятно, что повторный щелчок показывает файлы по убыванию размера.

• **Сортировка по времени последнего изменения** (столбец Изменен) помещает в верхней части таблицы самые свежие, недавно измененные файлы, а в нижней – давно не менявшиеся. Повторный щелчок ставит вверху самые старые файлы и папки.

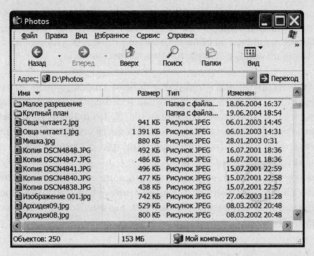

Рис. 2.60. Файлы в окне показаны в виде таблицы и отсортированы по имени (по убыванию)

• В папках с фотографиями и музыкой у вас будут иные колонки, благодаря чему вы сможете сортировать фотографии **по дате съемки**, а mp3 – **по исполнителям** или **названиям альбомов**.

На самом деле, дополнительных колонок в таблице может быть гораздо больше, а в проводнике Висты – ну просто гораздо, гораздо больше... Тут и модель фотоаппарата, и текстовый комментарий, и жанр, и год выпуска альбома, и автор (причем автор может быть указан не только для музыкального произведения, но и для фотографии, текстового документа, электронной таблицы, презентационного файла), и еще бог знает что...

Чтобы добавить к таблице дополнительные колонки (или убрать ненужные), надо щелкнуть правой кнопкой мышки по любому из заголовков таблицы. Вам покажут список возможных заголовков, пометьте галочками то, что хочется видеть, уберите у того, что видеть не хочется. Кроме имени файла убрать можно всё. Обратите внимание также на строку Дополнительно (в ХР) или Подробнее (в Висте): там будет еще масса строк!

☞ Если имена у файлов слишком длинные, не помещаются в колонке, вы сможете это дело исправить: возьметесь мышкой за линию, отделяющую название первого столбца от второго (курсор станет таким: ↔), и потащите вправо, чтобы увеличить его ширину. А может быть, вам не видны какие-то из столбцов – уехали вправо, за границу окна. Тогда вы потащите границу какого-то из столбцов влево, чтобы уменьшить ширину.

☞ Если вам хочется раздвинуть какой-то столбец таблицы так, чтобы все надписи сразу поместились в нем полностью, можете поступить еще проще: сделать двойной щелчок по правой границе столбца (когда курсор станет таким: ↔). Столбец сразу расширится так, как вы просили.

Можно отсортировать значки в окне и не располагая их для этого в виде таблицы – прямо в виде крупных или мелких значков. В меню **Вид** проводника есть для этого специальное подменю, которое называется **Упорядочить значки**, позволяющее расположить значки в окне по имени, типу, размеру и дате. Поэкспериментируйте с этим сами – довольно удобно, и многие этим пользуются.

Вызвать такое меню можно и иначе – щелчком мышкиной правой кнопки по свободному месту в папке (рис. 2.61). Но чуть промахнувшись и угодив по какому-нибудь значку, вы вместо этого меню увидите совсем другое – контекстное меню значка!..

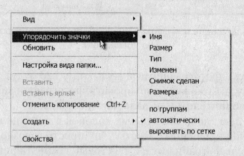

Рис. 2.61. Меню сортировки (упорядочивания) значков

Поставив галочку в строке **Автоматически**, вы даете проводнику указание расставлять значки самостоятельно. В результате все у вас всегда будет ровненько и стройненько.

В отличие от полной автоматики, команда **Выровнять по сетке** не переставляет все значки совсем уж радикальным образом, а только подравнивает их, ставит с некоторым небольшим шагом – как бы подтягивая к узлам невидимой координатной сетки. Этот режим чаще всего выбирают для рабочего стола, потому что он позволит нам расставить по столу значки так, как нам удобнее, но все же ровненько.

Команда **По группам** поможет при просмотре многонаселенных папок вроде **Моих документов**, куда попадает едва ли не все, что мы хотим сохранить на диске. Команда располагает файлы и папки по разделам, как это делается в словаре или в книге. Если задана сортировка по имени, то файлы располагаются по алфавиту: сперва – крупно – буква, затем – все файлы и папки на эту букву. Если же задана сортировка по типам, то названиями разделов будут типы файлов (на рисунке 2.49 был показан именно такой тип сортировки).

В режиме таблицы у проводника Висты есть выпадающие меню – свое для каждого из заголовков колонки (рис. 2.62). Пометив соответствующие строки, мы просто прячем, убираем из виду все остальные файлы. Это называется **фильтрация**. Например, в нашем примере в папочке останутся видны только вордовские документы и их резервные копии.

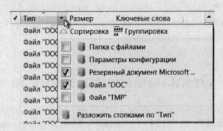

Рис. 2.62. Фильтрация файлов по типам

Фильтрация по колонке Имя (Name) позволит нам оставить в поле зрения только значки, у которых первые буквы имен находятся в одном из диапазонов: А-К, Л-П, Р-Я, 0-9, A-H, I-P, Q-Z.

Фильтрация по Дате изменения позволит оставить только файлы, созданные в определенный день. Можно также оставить только файлы, созданные Сегодня, На прошлой неделе, Ранее в этом году или даже Давно.

К примеру, хочется удалить из папки файлы, сто лет как никому не нужные. Выбираем это самое Давно, выделяем все файлы и удаляем. Или переносим в папку, специально предназначенную для сохранения всякого Давна.

До тех пор пока галочки в строках каких-то из фильтров не сняты, содержимое папки так и будет показываться в таком вот прореженном и процеженном виде. Впрочем, придя в эту папку в следующий раз, вы увидите, что фильтрация сама собой отключилась. Так что опасность принять папку, полную файлов, за пустую (и ненароком удалить ее!) сведена к минимуму.

Но на 100 % не исключена! Переводить в спящий режим свои собственные мозги все же не стоит.

В меню Правка есть команда Обратить выделение (Invert Selection), тоже предназначенная для работы с группами файлов. Это такой как бы негатив (по науке – инверсия): все невыделенное выделяется, а выделенное, наоборот, «развыделяется».

Например, вы хотите убрать из директории все файлы (которых там очень много) кроме таблиц Microsoft Excel (которых там штук пять). Выделили все файлы с расширением xls, обратили (инвертировали) выделение и утащили все в другую папку. Или даже нажали Del. Ура.

Подводя итог, можно сказать, что предложенные в Windows способы пометки и сортировки файлов вполне удобны. Но только для простых операций. В хорошем файловом менеджере выделять файлы по нужным нам признакам гораздо легче. Да и возможностей что-то созидательное с ними сделать побольше.

Эскизы вместо значков

Кроме четырех режимов просмотра, которые позволяет нам выбрать кнопочка-меню Вид (рис. 2.59), есть там еще одна строка – Эскизы страниц или, как это называется в англоязычной версии, Thumbnails (в буквальном переводе «ногти больших пальцев»). Вместо обычных значков Windows показывает нам уменьшенные копии самих рисунков или фотографий (размером с ноготок), что необыкновенно удобно при просмотре папок с изображениями. Согласитесь, довольно сложно отыскать нужный файл в папке, где все изображения называются dscn0556.jpg, dscn0557.jpg, dscn0558.jpg или img_0210.jpg, img_0211.jpg и так далее – десятками и сотнями. А ведь именно такие имена может давать вашим снимкам цифровой фотоаппарат. А тут – выбрали режим эскиза да в две минуты и нашли то, что хотели.

Правда, касается это не любых графических файлов, а только тех, для которых система сумеет создать эскизик. Это рисунки форматов JPG, TIF, GIF, BMP, а также Web-страницы (расширения htm и html). Все прочие файлы будут показаны как раньше – в виде значков.

Как замечательно все это выглядит, можете посмотреть на рисунке 2.63. Правда, появятся рисунки не сразу: для того чтобы создать эскиз каждого файла, системе потребуется некоторое время. Постепенно, один за другим значки будут заменяться эскизами.

Из недостатков этого замечательного метода просмотра могу отметить два. Во-первых, ноготки показываются с гораздо меньшим количеством цветов, чем в оригинале, из-за чего две картинки, которые отличаются только нюансами цветов, в виде значков могут оказаться вообще неотличимыми. И во-вторых, многих популярных форматов система не понимает и не показывает. Этих недостатков лишены универсальные программы просмотра вроде Thumbs Plus, IrfanView или ACDSee. Они позволяют просмотреть графику практически любого формата – как в виде ноготков, так и в полный рост.

Рис. 2.63. Режим просмотра эскизов в Windows XP

Кроме того, некоторые из таких программ не создают эскизы заново всякий раз, когда вы заходите в папку, а хранят информацию о них в своей базе данных. Благодаря этому показ изображений в папке многократно ускоряется. А заодно появляются возможности быстрого поиска изображения в этой базе.

☞ В Windows 98 строки для просмотра эскизов по умолчанию нет. Но в наших силах ее туда добавить. В окне свойств папки в самом низу есть строка Использовать просмотр эскизов. Если поставить сюда галочку, то в данной папке показ ноготков будет разрешен. Способ явно неудобный и непрактичный, потому и отменен.

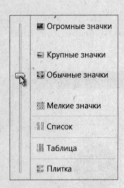

Рис. 2.64. Vista: меняем размеры значков в окне

У Висты кнопка Виды (Views) выкидывает несколько иное меню – с движком (см. рис. 2.64). Тут, кроме знакомых нам Таблиц (Table), Плиток (Tiles), Списка (List), имеются еще и значки разных размеров – от маленьких до ну очень больших! Ну таких больших!.. Прямо-таки в пол-экрана размером!

Но наличие не просто списка, а движка, за который можно взяться мышкой и потащить вверх или вниз, заставляет нас предположить, что тут есть не только фиксированные размеры значков и эскизов, но возможность менять их плавно, устанавливая что-то такое на свой личный вкус. И предположения наши верны: в интервале от мелких значков до огромных движок может ползать плавно, так же плавно меняя и размеры картинок[1].

К тому же, в Висте, рассчитанной на достаточно мощные компьютеры, эскизы наконец-то показываются с полными цветами.

Изображения вместо эскизов

Раз уж мы заговорили о картинках, грех не сказать пару слов о том, как вместо значка или эскизика увидеть картинку во всей красе. Собственно, вы уже знаете, как: достаточно двойного щелчка. Запустится стандартное виндоузовское средство просмотра картинок, длинно и торжественно именуемое Программой просмотра изображений и факсов. В нее картинка и попадет (см. рис. 2.65).

Программой просматриваются, конечно же, не все типы графических файлов – если показан эскиз, будет показана и полноразмерная картинка. А нет эскиза – нет и картинки.

Многие люди, снимающие цифровым фотоаппаратом, раскладывают снимки по тематическим папкам: «Новый год – 2006», «Новый год – 2007», «Отпуск в Анталии – 2007», «Свадьба Маши и Миши», «Тусовка у Даши», «День рождения Саши» – и т. д., и т. п. «Смотрелка» позволит вам просмотреть все файлы из папки, и при этом вам не придется каждый раз закрывать окно и дважды щелкать по другому файлику.

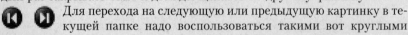 Для перехода на следующую или предыдущую картинку в текущей папке надо воспользоваться такими вот круглыми

---

[1] Очень удобно менять размеры значков в Висте с помощью колесика мыши: крутить его, держа нажатой клавишу Ctrl.

кнопками. А кому удобнее пользоваться клавиатурой, те будут для перелистывания вперед нажимать стрелку вправо и стрелку влево – для листания назад.

Рис. 2.65. Программа просмотра изображений и факсов в Windows XP

☞ Пролистывая картинки, вы сможете просмотреть последовательно все файлы из данной папки. Если же вам нужны как раз не все – хочется посмотреть какие-то определенные, вы должны будете выделить их в проводнике, а потом, щелкнув правой кнопкой мышки, выбрать в контекстном меню команду Просмотр. Тогда в просмотровщик попадут лишь выделенные фотографии.

Как вы помните, окна у программ можно разворачивать на весь экран или делать размером в часть экрана, менять размеры окна, растягивая его мышкой. Из этой пары кнопок, распложенных на панели программы просмотра, левая задает, что масштаб фотографии будет автоматически изменяться в соответствии с размерами окна. А правая кнопка задает масштаб 100 %. То есть поместится ли фотография в окне целиком или нет, наперед неизвестно, но точно можно сказать, что картинку вы увидите в ее истинном масштабе.

Масштабом изображения ведают и две кнопки с лупой: та, что с плюсиком, делает картинку покрупнее (если надо разглядеть мелкие детали), а та, что с минусом – помельче. Соответственно, и с клавиатуры мы сможем управлять увеличением и уменьшением клавишами + и –.

Эта пара кнопочек будет нам полезна в очень распространенной ситуации: когда снимок был сделан фотоаппаратом, повернутым на 90°. Чтобы нормально просмотреть такую лежащую на боку фотографию, мы сможем повернуть ее этими кнопками по часовой стрелке (левая) и против (правая).

Когда вы в следующий раз будете просматривать те же фотографии, вы увидите, что поворачивать заново уже однажды повернутые фотки не приходится! А значит, смотрелка наша на самом деле умеет не только просматривать, но еще и немного обрабатывать фотографии – повернуть и в таком виде записать на диск.

Если, просматривая свои фотографии, вы наткнетесь на совсем уж ни на что не годный экземпляр – смазанный или просто неудачный снимок, вам поможет кнопка-крестик или клавиша **Del**. Они удаляют неудачный файл.

Кнопка со значком принтерчика отправляет файл на печать. Если, конечно, принтер в наличии имеется и включен.

А вот еще одна полезная кнопка, хоть и загадочная весьма: что тут нарисовано и почему именно *оно* тут нарисовано, я вам объяснить не берусь. Но зачем эта фиговина, расскажу. Она (а также клавиша **F11**) переводит нашу смотрелку в режим так называемого **слайд-шоу**. Что это такое?

Программа убирает нижнюю кнопочную панельку, раскрывается на весь экран компьютера (фотография окажется максимального возможного размера) и начинает через каждые пять секунд переходить на следующую картинку из данной папки (или следующую картинку из выделенной группы). Таким способом очень удобно показывать фотографии гостям и приятелям, рассказывать о путешествии или семейном празднике. Если ваш комментарий не умещается в отведенные для одного кадра пять секунд, можете отключить автоматическое перелистывание.

Но как и, главное, чем это отключается, если в режиме показа слайдов программа прячет все органы управления, а заодно и стрелочку-курсор?!

Не волнуйтесь, обо всем подумано! Стоит вам чуть двинуть мышкой, как курсор появится, а вместе с ним в правом верхнем углу экрана появится маленькая панелька, управляющая этим режимом просмотра (см. справа).

Нажмите кнопку паузы (вторую слева) и тогда сможете перелистывать страницы вручную – знакомыми круглыми кнопками или клавишами ← или →.

Для прекращения шоу и возврата в основное окошко программы можно нажать самую последнюю кнопку – с крестиком. Или клавишу Esc.

А на рисунке 2.66 вы видите программу просмотра графики из комплекта Windows Vista. Теперь она носит название покороче – **Фотоальбом Windows** (Windows Photo Gallery). Кнопочная панель внизу внешне изменилась довольно сильно – стала похожа на панель управления каким-нибудь симпатичным переносным плеером. Однако смысл у кнопок остался тем же самым, да и рисуночки на кнопках достаточно выразительные. Во всяком случае, подведя мышку к кнопке и дождавшись всплывающей подсказки, вы без труда поймете, чем тут меняют масштаб изображения (значком-лупой, чем же еще!), чем поворачивают картинку на 90°, чем пролистывают фотографии и т. п.

Рис. 2.66. Фотоальбом Windows Vista: просмотр изображений

Большинство горячих клавиш вообще не изменились: для листания – клавиши-стрелки (→ и ←), для удаления неудачной фотографии – Del, для перехода в режим слайд-шоу – F11 и Esc для возвращения в обычное окно.

Правда, в стандартном режиме движение мышкой при показе слайдов у меня почему-то никак не срабатывало – панелька управления не появлялась, сколько я мышкой ни ерзал. В продвинутом режиме Аего все было нормально, а в стандартном режиме – ну никак!

Ну и что делать? Не унывать! Если этот глюк есть не только у моего компьютера, но и у вашего, щелкните правой кнопкой мышки по изображению и сможете управлять просмотром через контекстное меню: остановить автоматическое перелистывание (Пауза), изменить скорость перелистывания и т. п.

При показе слайд-шоу (только в аэрорежиме) на панельке управления окажется также кнопка-меню Темы, которой в обычном режиме нет (рис. 2.67). С ее помощью вы сможете изменить вид фотографий и способ их появления: смена кадров с наплывом, с вращением и переворотом, с плавным изменением масштаба (фотография как бы медленно от вас отъезжает, а следующая подъезжает – очень эффектно), показ в режиме черно-белой фотографии или тонированной черно-белой (сепия) и т. п.

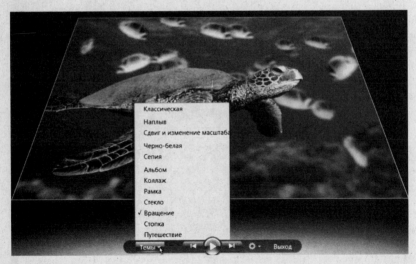

Рис. 2.67. Управление видом изображения и переходами от одного изображения к другому

Все эти трехмерные повороты, наплывы, наезды и откаты предъявляют видеокарте вашего компьютера довольно серьезные требования (соответствие стандарту DirectX 9, не менее 128 МБ видеопамяти). Иначе эта красота останется для вас недостижимой мечтой.

Как видите, в этой части программы перемены в основном косметические – новый дизайн, новые глюки... Но макияжем дело не ограничивается – программа не зря сменила свое название. Теперь это не просто окошко, в котором показываются картинки, но действительно фотоальбом. Да еще и дополненный возможностями редактирования фотографий.

В четвертом разделе самоучителя мы с вами вернемся к разговору об этой программе.

Измерение файлов, папок и дисков

Иногда при копировании файлов на дискету или флэшку Windows останавливается и сообщает, что диск заполнен, а потому копировать нету больше никакой возможности. Что же предпринять? Можно, как и просят, вставить другую и продолжить копирование. Но можно поступить иначе: открыть диск в проводнике и почистить его – стереть те файлы и папки, которые больше не нужны (выделить и оттащить в корзину, если она вам видна при данном расположении окон, или нажать клавишу **Del**).

☞ Надо только помнить, что файлы, удаленные с дискет и флэш-карт (даже если вы своими руками оттащили их в корзину), ни в какую корзину не попадают. Так что восстановить их не удастся[1].

Но нельзя ли заранее узнать, хватит ли на дискете или флэшке свободного места для файлов, которые мы вознамерились туда скопировать? Может, там уже полным-полна коробочка и лучше сразу взять другую?

Задача распадается на две части: во-первых, измерить общий объем выбранных файлов, а во-вторых, измерить свободное место на дискете.

1. Выделив файлы для копирования, общий их «вес» мы сможем узнать, посмотрев на левую панель – в секцию **Подробно**. Но не всегда это так просто!

Если кроме файлов выделены и папки, то настоящего объема данных вы все же не знаете: в информационной панели содержимое папок

---

[1] Существуют специальные утилиты, которые сумеют восстановить файлы, по неосторожности удаленные с дискеток, жестких дисков и флэш-карт, – вроде программ Data Finder или Digital Object Rescue. Всю необходимую информацию об этом вы найдете в книге «Самоучитель полезных программ» (в разделах «Программы для работы с файлами» и «Программы для обслуживания жесткого диска»).

никак не учитывается. А представьте себе, что у вас выбраны одни только папки! Вам не покажут вообще никакого размера! Как быть?

Чтобы узнать, на какую «сумму» мы на самом деле навыбирали файлов и папок, надо щелкнуть по любому из выделенных объектов правой кнопкой мыши (появится контекстное меню) и выбрать там команду Свойства. Можно поступить иначе: ввести клавиатурную комбинацию Alt-Enter.

И то и другое наше действие приведет к одному и тому же результату: нам покажут окошко свойств (см. рис. 2.68), в котором и сообщат, сколько всего кило- или мегабайтов в выделенных файлах и папках, включая все вложенные.

(Не смущайтесь, если в заголовке окна свойств окажется имя только одного из файлов или одной из папок. Данные тем не менее даются по всем выделенным сразу.)

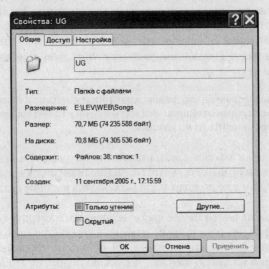

Рис. 2.68. В папке 38 файлов (в том числе в одной вложенной папке) общим объемом 70 МБ или 74 тыс. байт

2. Ну вот, файлы мы измерили, теперь займемся измерением диска назначения. Делается все, в общем, точно так же: встаем на значок диска в папке Мой компьютер и нажимаем Alt-Enter или выбираем команду Свойства в контекстном меню.

Нам покажут трех- или четырехстраничное окно свойств этого диска. На странице Общие сразу же и читаем, сколько там занятого и свободного места.

Можно и проще поступить: подвести мышку к значку диска и дождаться появления всплывающей подсказки, которая и проинформирует нас о размере свободного места.

Большой карман на все случаи жизни

В Windows есть одно замечательное изобретение, которое поможет нам и при копировании файлов, и во многих, многих других случаях. Называется оно **буфером обмена** (Clipboard).

Многие объекты (в том числе и файлы) можно положить в некий временный карман, а потом из этого кармана выложить в другом месте. Скопировали файл в буфер, перешли на дискету и там его выложили.

Что интересно: скопировать можно один раз, а вставлять можно хоть сто один, в самых разных местах!

Вот как это делается.

• Выделяете файл мышкой и **копируете его** в карман с помощью клавиатурной комбинации **Ctrl-C**.

• А потом отправляетесь на новое место (в другую папку, на другой диск) и **вставляете файл** комбинацией **Ctrl-V**.

Есть и другая пара комбинаций для тех же дел: **Ctrl-Ins** для копирования и **Shift-Ins** для вставки из кармана. Зачем? Думаю, дело в том, что люди, которые ловко управляются с клавишами, преспокойно нажимают Ctrl-C и Ctrl-V одной левой рукой: Ctrl держат мизинцем, C или V нажимают средним или указательным пальцем. Те же, кто игре на пианинах не обучался и вообще немного побаивается компьютера, обычно вводят клавиатурные комбинации двумя руками: левой рукой прижимают Ctrl или Shift, а правой мучительно стараются попасть в клавишу Ins, расположенную как раз справа.

Вот такая глубокая забота о человеке и учет тонких психологических нюансов.

Помимо копирования есть в нашем распоряжении также **команда вырезания Ctrl-X**, которая не просто помещает нечто в буфер, но еще и удаляет оттуда, где это *нечто* лежало. Вырезав и вставив файл на новом месте, вы получите, собственно говоря, перемещение объекта на новое место.

Для команды вырезания тоже есть «двуручный» вариант – **Ctrl-Del**.

Усиленно советую вам запомнить эти простые комбинации. Они понадобятся вам в несчетном количестве программ. Потому что копировать в буфер можно не только файлы, но и слова, строки, абзацы – в текстовом редакторе, отдельные рисунки или их части – в графическом, строки или столбцы таблиц – в редакторе электронных таблиц, фрагменты кода – в редакторах веб-страниц. Есть множество других объектов, которые программы-редакторы могут класть в обширный карман Windows.

Да и вставлять вырезанное или скопированное разрешается не только в папки, но и прямо в документы. Благодаря этому становится возможен **прямой обмен данными между разными программами**. Например, нарисовав рисунок в графическом редакторе, вы можете скопировать его, а потом перейти в текстовый редактор и вставить в текст. Или скопировать фрагмент текста и вставить в таблицу.

Это совершенно замечательная возможность, которой мы с вами сможем пользоваться в сотне самых разнообразных ситуаций.

☞ Учтите, что карман хоть и обширный, но не резиновый. В него входит ровно один вырезанный или скопированный объект, вне зависимости от размера. Скопировав что-то еще, хоть одну буковку в текстовом редакторе, предыдущее содержимое кармана (хоть пятьдесят мегабайт) вы теряете! Нажимать Ctrl-Z для отмены команд в этом случае бесполезно: **на буфер отмена команд не распространяется**.

Есть и другие способы погрузить что-либо в наш буферный карман и потом оттуда выгрузить. Например, в контекстном меню значка или выделенной группы значков есть, среди прочего, команды Копировать (Copy) и Вырезать (Cut). А если в карманном буфере уже есть нечто такое, что можно вставить, то в контекстном меню папки найдется и команда Вставить (Paste).

Такие же команды будут и в меню проводника, которое называется Правка (Edit)[1]. Это все для тех, кто не любит напрягать память и запоминать сочетания клавиш.

Ну, и во многих программах будут отдельные кнопочки для копирования, вырезания и вставки данных. По ходу дела мы некоторые такие кнопочки увидим.

Создание папок

В контекстном меню пустого места в папке или на рабочем столе есть подменю Создать (New) (см. рис. 2.69). Кроме тех строк, которые созданы здесь системой Windows, сюда будут попадать и строки, созданные при

---

[1] А в Висте также – в меню кнопки Упорядочить (Organize).

установке прикладных программ, вроде архиваторов (например, Архив WinRAR, Архив ZIP - WinRAR), табличных (Лист Microsoft Excel), текстовых (Документ Microsoft Word) и всяких прочих.

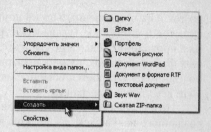

Нас сейчас интересует строка Папку[1]. Щелкнув по ней, мы сразу получаем новую папку по имени Новая папка. А если такая уже есть, то будет у нас Новая папка (2), Новая папка (3) и т. д. Впрочем, имя тут же предложат поменять.

Рис. 2.69. Вот сколько всего можно создать в Windows!

Поменяете, нажмёте Enter (или щелкнете мышкой) и получите, что просили – новую папочку, совершенно пустую. Теперь можно войти в нее и начать чего-нибудь туда копировать или перемещать.

В ней точно так же можно создать вложенную папку или несколько.

Понятно, что создается папка всегда именно там, где вы стояли. Был в проводнике показан диск C:, корневая директория, – получите папку на диске C: в корневой директории. Щелкали по рабочему столу – появится на рабочем столе. Щелкали в Моих документах, Моих рисунках или Моей музыке – и там будут у вас новые, чистые, отличного микрософтовского качества папки.

А вот в Мой компьютере создать папку нельзя. Как и в некоторых других спецпапках, вроде Панели управления.

Удалить папку можно также просто, как файл: клавишей Del, командой Удалить в ее контекстном меню или перетащив в корзину. В корзину попадает все содержимое папки, включая и вложенные папки.

Давайте, кстати, займемся теперь корзиной.

Корзина

Корзина (Recycle Bin) – это, как вы знаете, объект рабочего стола, куда выкидывают мусор (верхний значок взят со стола Windows XP, а нижний – со стола Висты).

Корзина устроена так. На каждом из жестких дисков создаются специальные папки Recycler, где удаленные файлы и лежат себе до тех пор, пока вы их оттуда не достанете или не сотрете. Эти папки помечены как скрытые и системные, так что в проводнике вы их не увидите –

---

[1] Название такое у строки – Папку. Чаушеску, Стамеску, Папку.

до тех пор, пока специально не попросите Windows показывать вам все скрытое и системное (глава «Настройки проводника»). Однако видеть их в проводнике вовсе и не требуется: чтобы просмотреть список удаленных файлов и папок, нужно дважды щелкнуть по значку корзины на рабочем столе. Откроется обычное окно проводника, в котором вы и увидите все удаленные файлы.

Интересная особенность корзины: содержимое всех папок Recycler, созданных на каждом из дисков вашего компьютера, будет показано в одном окне, так, будто у нас и вправду есть одна общая папка с именем Корзина.

Но это еще не все. Наша мусорная корзинка – не простая, а высокоинтеллектуальная. До такой степени, что даже помнит, откуда какая бумажка выкинута, и при случае может ее разгладить и вернуть на место. Так что если вы по ошибке что-то не то стерли, выделите в корзине нужные значки и задайте команду Восстановить в их контекстном меню. Найдете именно то, что стерли, и именно там, где стерли.

Чтобы быстрее отыскать в корзине нужные файлы, вы сможете отсортировать значки в ней не только по типу, размеру и дате последнего изменения, как это делается в обычных папках, но также по дате удаления и по исходному размещению файла (месту, откуда он был удален).

Еще одна особенность корзины: двойной щелчок по файлу в ней уже не загружает его в редактор, а двойной щелчок по папке не раскрывает ее содержимое. Вместо этого показывается сводная табличка – тип, размер (если перед нами папка, то общий размер всех файлов в ней), откуда удалено, когда удалено, когда создано. Там же будет и кнопочка Восстановить.

Мусора в корзине постепенно скапливается довольно много. Так что надо ее время от времени чистить. В принципе, этим занимается специальная утилита Очистка диска, которая запустится сама, когда на диске останется мало места. Но доводить до этого вовсе не обязательно.

Иногда хочется опустошить корзину не потому, что на диске остается маловато места, а из соображений безопасности: как известно, содержимое мусорной корзины – находка для шпиона.

Как же ее опустошить, эту корзину? Быстрее всего так: щелкнуть правой кнопкой мышки по ее значку на рабочем столе и выбрать строку Очистить корзину. Windows попросит подтверждения на стирание и, получив его, всё уничтожит. А значок корзины станет несколько иным.

Если же корзина открыта, вы осмотрели все, что там лежит, и убедились, что не удалили ничего полезного, можете вызвать команду Очистить корзину из меню Файл. В Висте даже есть специальная кнопка Очистить корзину на панели инструментов.

Ну, и кроме этого, файлы можно удалять из корзины по одному или группами (предварительно выделив) путем нажатия могущественной и страшной клавиши Del (особенно страшной и особенно могущественной, если ее применять в корзине: файлы, удаленные из корзины, восстановить удается далеко не всегда, даже если применять для этого специальные программы).

☞ А файлы, удаленные с дискет, флэш-карт и других сменных носителей, в корзину просто не попадают.

☞ Кроме того, в корзину не попадают файлы и папки, удаленные с жесткого диска по клавиатурной комбинации **Shift-Del**. Это такая специальная, самая ужасная комбинация для удаления файлов по принципу: «Совершенно секретно. Перед прочтением сжечь».

Работа с zip-архивами

Я уже упоминал о том обстоятельстве, что Windows (начиная с Windows Millennium) умеет работать с zip-архивами. Что это вообще за архивы и какая в них надобность?

Во многих файлах бывают какие-то повторяющиеся фрагменты, и не обязательно держать их все на диске целиком. Программы, которые называются архиваторами, могут отыскать эти повторяющиеся фрагменты и записать вместо них какую-то другую информацию, по которой можно было бы потом вспомнить, кто за кем стоял.

Эффективность архиватора будет разной для разных файлов. Текстовые документы без картинок сжимаются в среднем в три-пять раз. Файлы черно-белых картинок без полутонов (например, формата BMP) могут сжиматься и в два, и в четыре, и даже в десять раз – в зависимости от насыщенности деталями. Также очень неплохо сжимаются цветные фотографии некомпрессированных форматов (BMP, TIF). А вот графика в файлах JPG и TIF (компрессированной разновидности) практически не сжимается. Все что можно уже из него отжато в графическом редакторе.

Можно сказать, что в среднем архиваторы дают выигрыш в 1,5–3 раза. Таким образом, при посылке картинки или текста электронным письмом вы сможете сэкономить и деньги (если платите за каждый пересланный кило- и мегабайт), и нервы себе и своему адресату, особенно если кто-то (или даже оба) работает не с быстрой выделенной линией или «Стримом», а через модем.

Не влезают на дискету документы, не помещаются на CD программы – сархивируйте файлы, и вполне возможно, что после этого все поместится.

Существует немало хороших архиваторов и, соответственно, немало типов архивных файлов. Самый распространенный в мире тип – это архивы формата ZIP. С ними-то как раз и умеет работать Windows. А вот с RAR-архивами, или ACE-архивами, или CAB-архивами не работает. Тут вам понадобится отдельная программа-архиватор, например WinRAR.

Если в вашей системе нет никакого иного архиватора, кроме встроенного, то zip-файл будет показан в проводнике вот с таким значком – как папка, утянутая, ужатая молнией. Сходство с папкой не случайно: в архивы можно заходить по двойному щелчку, как внутрь обычных папок, только имя этой папки будет кончаться на .zip. Можно будет запросто копировать и перемещать файлы и целые папки из архива и в архив, удалять из него все, что угодно, работать с документами прямо из архива. Короче, полная свобода при большой экономии места.

Правда, операции по копированию большого объема данных в папку-архив (упаковка) и из папки-архива (распаковка файлов) происходят не так быстро, как из простых папок. Все же, архивирование – это сложная математическая задача, на ее решение нужно время.

Так мы работаем с архивом, который создал кто-то другой. А как нам самим создать архив?

Способов, как всегда, много, но самый простой и быстрый вот какой. Выделяем файлы и папки, подлежащие сжатию, щелкаем правой кнопкой мышки и в появившемся контекстном меню (рис. 2.70) выбираем строку **Отправить** (Send To), а там – команду Сжатая папка (Compressed Folder). Пара секунд – и получаем архив.

Вообще, советую обратить внимание на меню Отправить: тут вы найдете команды для быстрого копирования файлов на дискету или компакт-диск, отправки по электронной почте. Если вставите в разъем флэшку, увидите в этом списке и ее, а значит, сможете отправить туда файлы одним движением мышки.

Другой способ упаковки файлов в архив: **создать пустой архив**, а потом просто накидать в него файлов, как в обычную папку. Создается архив через контекстное меню пустого места в папке или на рабочем столе, командой Создать ▸ Сжатая ZIP-папка (вспоминаем рисунок 2.69).

Эффективность сжатия данных у системного архиватора вполне приличная, практически такая же, как у тех, кому «профессия – архиватор» велит сжимать данные как следует, а иначе останешься без работы. Скажем, папку с некоторыми моими музыкальными MIDI-файлами, имевшую размер 2,9 МБ (на дискету никак не лезла), система упаковала в архив размером 948 КБ, ар-

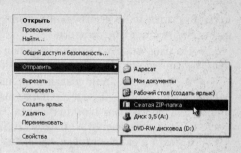

Рис. 2.70. Куда можно отправить выделенные файлы

хиватор WinZIP – 940 КБ и WinRAR – 845. Как видите, разница не принципиальная. Главное, помещается на дискету – и спасибо большое всем, кто помогал.

Создание ярлыка

Как вы уже знаете, ярлык – это маленький (менее 1 КБ) файл с расширением lnk (от слова link – связь), предназначенный для вызова программы или документа из любого места, где вам это удобнее. Значок ярлыка всегда снабжен в правом нижнем углу стрелочкой в квадратике.

Создать ярлык можно несколькими способами.

• Вы, вероятно, еще не забыли, что, перетаскивая папку, файл или их группу правой кнопкой мыши, можно в выпавшем контекстном меню выбрать строку Создать ярлык(и) (см. рис. 2.5). Куда перетащили, там и будут созданы ярлыки для этих файлов и папок.

Правда, не в любой папке разрешено создавать ярлыки. Скажем, в «мой-компьютере» или в панели управления – запрещено. А на рабочем столе можно.

Второй способ – тащить с клавишей Alt. Тогда ярлык создается автоматически, без всяких лишних вопросов. Чтобы мы об этом помнили, курсор мышки станет вот таким: ▞.

• Можно скопировать файлы или папки в карман. Копировали файлы, а вставим ярлыки! Эту операцию выполнит команда Вставить ярлык (Paste Shortcut) в контекстном меню *пустого места* в папке или на рабочем столе.

(Стоит вам на секунду задуматься, и вас ничуть не удивит тот факт, что не скопировав, а вырезав (то есть удалив в карман) файлы, вы не найдете в меню команды для вставки ярлыка. Ну, конечно, ведь ярлык –

просто ссылка на существующий файл, а если файл будет удален, то и ссылаться станет не на что.)

• На рабочий стол можно отправить любой файл в виде ярлыка – посмотрите еще разок на рисунок 2.70 и вы увидите нужную команду.

• А кроме того, для создания ярлыков в Windows предусмотрена специальная программа-мастер. Она позволяет создать в данной папке ярлык для программы или документа, где бы на диске они ни находились. Вызывается мастер командой Создать ▸ Ярлык в контекстном меню пустого места в окне – вторая строка на рисунке 2.69.

(Мастерами называются программы особого типа, призванные облегчить нам некоторую сложную операцию – пройти ее вместе с нами, на каждом шаге подсказывая возможные варианты. Отличительная особенность мастеров: на каждом шаге работы у вас будут кнопочки Далее > (Next >) и < Назад (< Back) для перехода на следующий или возврата на предыдущий шаг работы. Всегда можно вернуться назад (хоть к самому началу), чтобы исправить неверные настройки. И только нажав кнопку Готово, вы завершите работу мастера.)

Впрочем, при наличии первых четырех способов пятый уже вроде бы ни к чему. Да и четвертый... И третий...

Обращаю ваше внимание на то, что можно создавать **ярлыки** не только для файлов, но и **для папок**. Когда я, работая со звуковыми файлами (они здоровые, размером в десятки мегабайт), создаю для быстрого доступа к ним папочку-ярлычок на рабочем столе, она занимает у меня триста байтов. А если бы я создал копию этой папки, она заняла бы несколько гигабайт.

Еще одно назначение ярлыков для папок – ускорить переход из стандартных виндоузовских папок вроде Моих документов, куда попасть очень легко, в папки, расположенные в других местах, а может быть, и на других дисках. Скажем, мой основной рабочий инструмент – редактор MS Word – по команде открытия или сохранения файла всегда показывает сначала папку Мои документы. А по команде вставки рисунка в текст – папку Мои рисунки. Но я не храню свои книги и иллюстрации к ним в персональной папке на системном диске – они лежат у меня совсем в другом месте: на системном диске места маловато, да и случись какая авария, переустановка виндов и прочий форс-мажор, моих книжек и прочих текстов это все никак не затронет. Но зато, пожелав вставить в текст рисунок или открыть один из файлов, я каждый раз должен долго выбираться из Моих документов, переходить на другой диск, отыскивать папку той из книжек, которая мне сейчас нужна, и заходить в нее в поисках нужного файла. Долго, нудно...

Правда, Word запомнит этот мой выбор и в следующий раз откроет ту же папку, откуда я только что брал или куда сохранял свой файл. Но на следующий день все начнется сначала. Поэтому я создаю в Моих документах и Моих картинках ярлычки папок с книгами и при необходимости в каждую из них попадаю одним щелчком.

Такие вещи будут вам встречаться далеко не только в Ворде. Так что если вы заметите, что уже в который раз, как попка, делаете одни и те же длинные переходы по дискам, вспомните о возможности притащить в стандартные папки ярлыки для своих рабочих папок.

☞ Создав ярлык, постарайтесь не переименовывать и не перемещать файл или папку, на которую он указывает. Иначе ярлычок окажется «битый» – запустить вверенный ему объект не сможет.

Свойства ярлыка

Вы уже знаете, что в контекстном меню практически любого виндоузовского объекта самая последняя команда называется Свойства (Properties). Запустив ее, вы увидите окно свойств этого объекта, позволяющее многое о нем узнать и даже кое-что изменить, если это, конечно, разрешено. Иногда в этом окне будет одна страница (вкладка), чаще – две, но порой и четыре, и даже шесть – в зависимости от того, с чем мы имеем дело. Переходы с одной страницы на другую – щелчком мышки по вкладочкам вверху или сочетанием клавиш Ctrl-Tab.

Давайте посмотрим свойства, которые имеют созданные нами ярлыки, разберемся с тем, как эти свойства приспособить подо что-то полезное. Свойства ярлыка, запускающего программу, показаны на рисунке 2.71. Первая страница (Общие) для нас малоинтересна – там только название ярлыка, дата создания и т. п., а вот вторая – Ярлык – полезная и содержательная. Во всяком случае, пользоваться ею иной раз весьма удобно, так что я рекомендую вам в этом разобраться.

• Прежде всего, обращаю ваше внимание на список Окно. Вы можете попросить ярлычок, чтобы

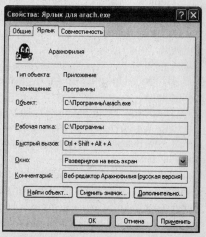

Рис. 2.71. Свойства ярлыка программы

он запускал свою программу всегда развернутой на весь экран, свернутой в значок на панели и в окне обычного размера. Скажем, я прошу программу электронной почты, любимый файловый менеджер и редактор веб-страниц всегда разворачиваться полностью.

• Но самой полезной для нас может стать строка Быстрый вызов. Она позволяет *задать горячую клавишу для запуска программы или документа, открывания папки*.

Просто встаете в эту строку и вводите подходящую комбинацию. Разрешается использовать комбинации Ctrl-Alt-клавиша, Ctrl-Shift-клавиша, Alt-Shift-клавиша и Alt-Ctrl-Shift-клавиша, а также функциональные клавиши (F1–F12) в сочетании с управляющими клавишами Alt, Ctrl и Shift. Запрещено использовать в комбинациях пробел, Esc, Enter, Tab, Print Screen и Backspace, все остальные – сколько влезет.

Я, например, создал у себя горячие клавиши для вызова Ворда (Ctrl-Alt-Shift-W), графического редактора Photoshop (Ctrl-Alt-Shift-P), файлового менеджера Total Commander (Ctrl-Alt-Shift-T), для любимого редактора веб-страниц (Ctrl-Alt-Shift-A), для просмотра интернета и электронной почты, для запуска электронного словаря и еще некоторых наиболее часто мною используемых программ. Эти комбинации действуют у меня не только в любом окне проводника или на рабочем столе, но и вообще в любой программе.

Надо учитывать три важных обстоятельства.

Первое. Ярлык должен находиться на рабочем столе, в главном меню или в любой из папок меню Программы, иначе клавиатурная комбинация не подействует. У ярлыков, расположенных на панели быстрого запуска, горячие клавиши не работают. Отчего такая дискриминация, не знаю, но факт остается фактом.

Второе. Не должно быть двух ярлыков с одной и той же горячей клавишей.

И третье. Если вы зададите горячую клавишу, которая уже используется в какой-то вашей программе, то либо она перестанет действовать в той программе, либо не перестанет, но тогда Windows не станет запускать ярлык.

Такая ситуация называется конфликтом. Естественно, возникает конфликт такого рода только тогда, когда эта программа запущена и активна (вы находитесь в ее окне). Неактивная или выключенная программа ни с кем конфликтовать не может. Мертвый пимнгвин не потеет, как сказал один, ныне уже мертвый поэт.

Стоит вам теперь нажать кнопку OK или Применить (Apply), как все сделанные вами настройки ярлыка вступят в законную силу, как какой-нибудь законодательный акт после его утверждения президентом. Но если вы заходили в это окошко просто из любопытства или хотели только проверить настройки, нажмите кнопку Отмена (Cancel) или клавишу Esc. Тогда все, что вы тут наворотили, будет отменено, как отменяется неудачный закон наложением президентского вето.

В чем разница между кнопками OK и Применить? Зачем их две? OK означает, что изменения будут приняты, а окно настройки закроется. А кнопка Применить окно не закрывает, и вы сможете продолжать работу с ним – поменять что-нибудь еще. Это же касается и любых других диалоговых окон, где присутствуют кнопки OK и Применить.

Кнопка Сменить значок позволит подобрать ярлыку одну из пиктограмм, приготовленных для нас фирмой-производителем программы, – ткнуть мышкой в тот, который вам больше нравится, и щелкнуть по кнопке OK (см. рис. 2.72). А если авторы данной, во всех остальных отношениях замечательной программы, тут сплоховали – не приложили к ней запасных значков или же все они вас категорически не устраивают (хороший программист не обязан быть заодно еще и хорошим дизайнером), нажмёте кнопку Обзор и отыщете на диске другой файл со значками.

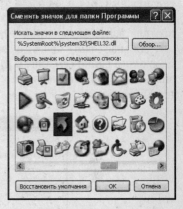

Рис. 2.72. Берем новый значок из файла shell32.dll

Главный «значковый» файл Windows лежит в папке Windows\System32 и называется shell32.dll. В нем вы найдете несколько десятков разнообразных значков. Можете посмотреть также содержимое файла pifmgr.dll в этой же папке, а в папке Windows – файл explorer.exe. Довольно много значков в файле iexplore.exe (Program Files\Internet Explorer). Значки есть и в любых файлах виндоузовских программ, и в любых файлах с расширением ico[1]. А уж какие огромные (и бесплатные!) коллекции значков можно найти в интернете!..[2] И все можно использовать. Ну, типа, для красоты.

---

[1] От слова icon – значок.

[2] См. таблицу 2 в приложении.

Свойства папок

Заглянем теперь в свойства папок. Там тоже есть кое-что важное, особенно это касается новых систем – ХР и Висты.

На вкладке Общие (вспоминаем рисунок 2.68) нам сообщат, где лежит папка, сколько в ней файлов и вложенных папок, сколько все они занимают места на диске и т. д. Поменять здесь можно немногое, разве что снять или, наоборот, поставить галочку в строках Только чтение или Скрытый[1].

Вторая страница свойств папки, которая называется Доступ, понадобится тем, кто работает в локальной сети. Тут можно запретить или разрешить доступ к папке с других сетевых компьютеров, а также защитить ее паролями – отдельно для чтения информации из папки и для записи в нее. Все это материи довольно сложные, и уж во всяком случае, не для краткой редакции самоучителя.

Для нас с вами представляет интерес страница Настройка, управляющая видом папки (см. рис. 2.73) – тем, как будут выглядеть в этой папке значки и вложенные папки и как будет выглядеть она сама в виде значка и в виде эскиза.

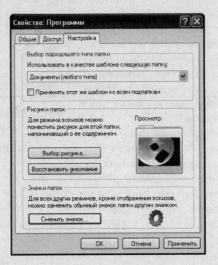

Рис. 2.73. Меняю оформление папки Программы: выбираю значок, картинку и шаблон

---

[1] Скрытый – кто?.. Папка, кто же еще! «Скрытый папка» – хорошее название для семейной кинокомедии.

Фотографии

Скажем, папка, в которой лежат фотографии и рисунки, по умолчанию показывается в режиме эскиза примерно так, как на картинке слева. Причем в качестве изображений используются графические файлы, взятые из нее самой. Но, нажав кнопку Выбор рисунка, мы сможем выбрать одну-единственную картинку, которая и будет крупно показываться на значке этой папки, причем рисунок этот может находиться где угодно, не обязательно в данной папке.

А при помощи кнопки Сменить значок сможете заменить стандартную «папочную» пиктограмму на что-то более подходящее – так же, как мы в прошлой главе поступали с ярлыками.

Возможность заменить стандартный значок папки на какой-то другой – очень правильная вещь. Во всяком случае, чуть не первое, что я сделал в свое время, поставив себе XP, – это назначил фотоаппаратик для папки со своими цифровыми фотографиями, видеокамеру для папки с фильмами, значок в виде компакт-диска – для папки с музыкальными файлами и с ноткой – для папки со своими песнями, красный значок для папки со своей веб-страницей (с копией, расположенной на домашнем компьютере), подобрал значки для папок с играми, архивными копиями, с установочными файлами программ и утилит, для папки с этим самоучителем и для папок с другими своими книгами, которые приходится время от времени обновлять, готовя к новому изданию... Благодаря этому ориентироваться в списке папок и файлов стало намного проще, нужная папка находится практически сразу.

И потом, это просто симпатично выглядит.

Но вообще-то, я не намерен в этой книжке уделять большого внимания всяким оформительским прибамбасам. Без них легко прожить, а между тем есть множество вещей, без которых в компьютере вот именно не прожить. Или жить можно, но очень уж неудобно. Ну, а те, кто захочет прибамбасов, легко с ними разберутся сами – потом, в спокойной обстановке, и уже зная о компьютере все жизненно важное.

Верхний список позволит подобрать для папки некий образец оформления (шаблон) – в зависимости от ее содержимого – и применить его ко всем вложенным папкам, поставив галочку в соответствующей строке. Например, для папок с графическими файлами можно выбрать шаблоны Фотоальбом и Изображения. При этом слева на панели типичных задач появляется новая секция Задачи для изображений.

Другая особенность папок с изображениями: в меню Вид и на кнопке-меню Вид появляется новый режим показа значков в папке – Диафильм (Filmstrip) (см. рис. 2.74).

Пролистывание рисунков происходит стрелками курсора или этими кнопочками. Тут же можно поворачивать картинки на 90° по часовой и против.

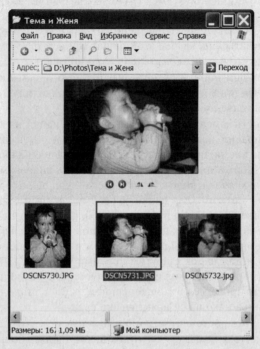

Рис. 2.74. Файлы изображений в папке показаны в режиме Диафильм

В Висте этот режим не используется. Зато Виста в зависимости от типа папки меняет даже состав колонок в таблице и способы сортировки файлов. Скажем, в папке с музыкой будут колонки Имя, Исполнители, Альбом, № (порядковый номер композиции в альбоме), Жанр и Оценка, соответственно и сортировка будет доступна именно по этим параметрам. А в папке с картинками и видео окажутся колонки Имя (имя файла), Дата съемки, Ключевые слова, Размер и Оценка.

Правда, тут Виста иногда ошибается: найдя в папке некоторое количество картинок, полагает эту папку именно «картиночной», так что тут не оказывается даже возможности отсортировать файлы по типу. Но теперь вы знаете, как эту ошибку исправить: выйти из папки, вызвать окно ее свойств и назначить для нее другой шаблон, например Документы или Все элементы.

Как установить новую программу или игру

Счастливые обладатели Microsoft Windows тут же норовят стать по совместительству счастливыми обладателями каких-либо полезных и умелых программ, работающих в этой системе. Выбор тут необыкновенно широк, возможностей масса. Так что установка новой программы – это ТО, ЧТО ДОЛЖЕН ЗНАТЬ КАЖДЫЙ.

Да и дело-то, в общем, нехитрое. Многие программы и игры вообще сами устанавливаются: не успеешь вставить компакт-диск, как запускается программа установки и начинает руководить процессом. Только успевай отвечать Да и Нет (Yes и No).

Если же программа, которую вы хотите установить, более скромная, сама без мыла во все дыры не лезет, придется установить ее своими руками.

Стандартное средство, которое предлагает Windows для установки и удаления программ, обретается в панели управления Windows и называется очень оригинально – Установка и удаление программ. Но пользоваться стандартным средством совсем не обязательно, можно запустить установку и самостоятельно – все равно компьютер будет делать то же самое.

Что же он будет делать?

Установкой каждой программы или игры занимается ее собственная утилита-установщик (инсталлятор). Если приобретенная вами программа была на компакт-диске, то файл ее установщика, скорее всего, будет носить стандартное имя – **setup.exe** или **install.exe**[1]. Вот его-то и следует на этом диске найти и запустить.

А всякие интересные программки, которые вы, возможно, со временем будете скачивать из интернета, могут приезжать к вам в компьютер в виде одного-единственного ехе-файла, названного уже не стандартным образом, а по имени программы или по имени и номеру ее версии. Тем не менее чаще всего это будет не сама программа, а именно установщик, *инсталлятор*, который надо будет просто запустить.

Надо только хорошенько подумать: а стоит ли это делать? Вдруг там совсем не то, на что вы рассчитывали? Во всяком случае, Windows последних версий обязательно переспрашивает: правда ли вы, уважаемый, хотите запустить эту программу? А вот я, премудрый Виндовз, не смог проверить издателя этой вашей программы! Он правда надежный? Вы уверены?..

На самом деле, довольно часто вполне приличные, проверенные и из надежных источников полученные программы не записаны в базы

---

[1] Оба слова в русском переводе означают примерно одно и то же – установка, сборка, монтаж.

данных по издателям, к которым обращается Windows. Система подстраховывается и даже перестраховывается, но и пользователь не должен быть совсем уж растяпой и запускать установку неизвестно каких программ, не подключив к этому делу антивирус.

Кроме ехе-файлов, из интернета могут приезжать и архивные файлы формата ZIP (реже – RAR). Прежде чем устанавливать такую программу, надо ее распаковать программой-архиватором, а уж потом браться за установку.

Из интернета могут приходить также файлы с **самораскрывающимися архивами**. Выглядит такой архив как обычная программа (расширение ехе). Когда вы его запустите, такой архив сначала сам себя распакует, а потом еще и сам себя установит. Если бы он еще и сам себя антивирусом проверил – на вшивость!..

Но как бы вы ни запустили программу установки, она в итоге возьмется за дело. В папке Program Files (в переводе – программные файлы) вашего жесткого диска она создаст для себя вложенную папку (подпапку[1], поддиректорию), примется извлекать из своих архивов файлы и копировать туда.

Впрочем, некоторые особо самодовольные программы размещают свою папку в корневой директории – гнушаются, понимаете ли, вместе со всеми остальными лезть в Program Files. Но даже они чаще всего задают вопрос, согласны ли вы с таким особенным их местоположением. Если не согласны, нажмете там кнопочку возле строки с адресом, которая может называться Обзор, Browse или оказаться вообще неподписанной – с каким-нибудь троеточием или галочкой вместо букв. Нажав ее, вы сможете показать программе папку, в которую она и должна будет заселиться.

Вообще, советую подумать, на каком из дисков своего компьютера держать программы. Ведь когда сама система (папка Windows) и все игры с программами (папка Program Files) лежат на диске C:, да там же хранятся еще и фотографии, тексты, видео, – вполне может оказаться, что свободное место на диске быстро подойдет к концу.

Конечно, если диск у вас всего один, а программ, видео и прочего тяжелого багажа вы еще не накопили, то об этом думать не пора еще. Но ведь в мире столько интересного! Не успеешь оглянуться, как зима катит в глаза: выскакивает виндоузовская спецпрограмма, призванная очи-

---

[1] Это изящное слово – подпапка – я не сам придумал. В справке нашел. Красивое, да?

щать диск в случае его переполнения[1] и гробовым голосом сообщает: «Ты все пела? Это дело! А на диске места мало!»

Установщики могут и другие вопросы задавать (увы, иной раз, на английском языке!), на которые надо отвечать, немного подумавши. К примеру, хотите ли вы создать ярлык программы на панели быстрого запуска? А на рабочем столе? (А если их там уже триста штук?) Нужно ли создавать отдельную папку в меню программ? Некоторые даже просят разрешения включаться автоматически при старте Windows.

В быстрый запуск кого попало не пускайте – панелька разрастется, пользоваться ею станет неудобно. Впрочем, вытащить ярлычок оттуда или с рабочего стола и кинуть в корзину много времени не займет. А вот разрешать ли программе автоматическое включение, это надо обдумать. Если вы имеете дело с антивирусом, который должен нести непрерывное дежурство по охране вашего компьютера, электронный словарь, который вам нужен постоянно, или иную программу, смысл существования которой в том и состоит, чтобы быть всегда наготове, – разрешайте. Если же вы хотите программку применять лишь изредка, по мере надобности – запретите.

Иные программы поинтересуются даже вашим именем и названием фирмы, где вы работаете. Тут можно врать что угодно, как в беседе с девушкой на курорте: что вас зовут Арнольдом Шварценеггером, что вы работаете телепродюсером, вором «в законе» или губернатором штата Калифорния (а то и все это вместе), – никто и не усомнится, Арнольд так Арнольд...

А вот где не обманешь, так это с серийным номером. Платные программы просят ввести длиннющую комбинацию из букв и цифр. Если она вам известна, введите, а если нет, можете смело выходить из программы: угадать или подобрать этот код вам вряд ли удастся.

Впрочем, сегодня не редкость программы, которые без ввода ключа (он же серийный номер) в пробном режиме работают две-четыре недели. Это называется **shareware** (условно-бесплатная программа), **trial-версия** (пробная версия) или **try-and-by** (попробуй и купи). Некоторые программы в период этого «попробывания» вводят серьезные ограничения на свое использование (не дозволяют некоторые операции, не дают сохранить на диск созданный файл), другие выкидывают перед началом или по ходу работы какие-нибудь дурацкие окошки с напоминанием о необходимости заплатить за них денежку, а третьи дозволяют в пробный период полноценную работу и без помех – как с оплаченной версией.

---

[1] См. главу «Очистка диска» в четвертом разделе.

Вот еще житейская ситуация. Вы решились обновить программу, которой давно пользуетесь, – запустили установку более свежей версии. Тогда инсталлятор может вас попросить сначала отключить старую (если она, конечно, в тот момент была запущена), а то и вовсе удалить ее из системы во избежание ошибок (см. главу «Как удалить программу»).

Самые же воспитанные из программ могут задать и такой вопрос: поставить ли новую версию поверх старой (то есть вместо нее) или как отдельную программу (наряду со старой). Если вы не вполне уверены в новой версии (она не окончательная – **бета-версия** какая-нибудь[1], так что вполне может работать с ошибками и сбоями), ставьте ее как отдельную программу. Тогда у нее будет своя папка в Program Files, свой раздел в меню Все программы, и вы сможете запускать ее отдельным ярлычком. А если, поработав недельку, обнаружите, что все в порядке, сможете старую версию удалить.

Большие сложно устроенные программы (программные пакеты), вроде Microsoft Office, при установке спрашивают, будете ли вы делать типовую установку (это может называться Express Setup или Typical), минимальную – для экономии места на диске (Minimum Setup), полную (Full Setup) или выборочную, пользовательскую (Custom Setup). В последнем случае придется собственноручно выбрать, какие элементы программы вам понадобятся, а без каких вы обойдетесь. Сможете?

Обязательно смотрите, какие именно компоненты программа желает к вам установить. Не редкость бесплатные с виду программы, которые на самом деле устанавливают шпионские модули, подглядывающие за нами, передающие своим хозяевам информацию о наших перемещениях по интернету и других привычках и пристрастиях. Что еще хуже, они начинают тоннами выкачивать из интернета рекламу и показывать ее нам против нашей воли.

Самые приличные из таких программ честно об этом предупреждают и даже спрашивают разрешение на установку рекламного или шпионского блока (обычно, по-английски). Надо им отказать, убрав галочки в соответствующих строках. Но большая часть таких программ ни о чем нас не спрашивает и ставит все подряд.

Для борьбы с этой напастью придуманы разные программки, вроде утилиты Ad-aware, о которой рассказано в разделе «Программы для защиты компьютера» «Самоучителя полезных программ». В Висту встроена

---

[1] Бета-версиями называются пробные, предварительные версии программ, которые программисты выставляют в интернет для тестирования.

собственная антишпионская программа Защитник Windows (Windows Defender), которая будет вас предупреждать о попытке устанавливаемой программы сделать что-то нехорошее.

В конце своей установки программы обычно создают для себя отдельную строку в меню программ (Пуск ▶ Все программы), а чаще даже новое подменю в ней: в комплекте программы, кроме ее самой, могут оказаться и какие-то дополнительные примочки и прибамбасы (вспомогательные утилиты), которые вы и найдете в папке программы. Там же найдется значок для вызова справочной системы (хелпа), а может, некий файл с именем read.me, read_me.txt или read_me.doc («прочти меня»), который вообще-то полагается читать (но мало кто это делает...).

В Windows 9x установка чаще всего оканчивается предложением перезагрузиться, иначе программа нормально работать не сможет. В XP и Висте перезагрузка после установки программы обычно не требуется: большинство программ вполне без этого обходится. Но есть такие серьезные софтины[1], которым она все же необходима.

Что ж, рестартуйте и будьте счастливы.

Реформы в меню программ

Чем больше новых программ и игрушек вы устанавливаете, тем сильнее разрастается меню программ. Когда в нем оказывается полсотни строк, пользоваться всем этим богатством становится уже крайне неудобно. Что делать?

Решение предлагается такое: создать тематические подменю и по ним уже разложить программы. Например, создать меню Графика (для рисовалок и графических просмотровщиков), Текст (для текстовых редакторов, переводчиков, электронных словарей), Утилиты (для вспомогательных программ), Игры, Интернет, Музыка, Видео – что хотите создавайте, лишь бы вы сами без напряжения и в любой момент могли вспомнить, в какой из них находится нужная программа.

А значит, надо решить два вопроса: как создать новое подменю в меню Все программы и как переложить в него ярлыки для вызова программ.

Упрощает дело то, что наше меню программ, — это на самом деле некоторое количество папок, которые нам только показывают в виде меню. А значит, их можно открыть в проводнике.

---

[1] От слова soft, которым программисты обозначают программы.

• Чтобы попасть в меню программ как в папку, достаточно щелкнуть «правой крысой» по кнопке Пуск и выбрать в контекстном меню команду Открыть. Вам покажут обычное окно проводника, в котором вы и найдете папку Программы. Заходите в нее, щелкаете по пустому месту в ней, а далее: Создать ▸ Папку. Останется дать папке имя и нажать клавишу Enter, чтобы подтвердить ввод имени. Можете теперь нажать кнопку Пуск, чтобы убедиться: в меню программ появилось новое вложенное меню.

• Как теперь переложить программу в новую папку? Способы есть разные. Можно, например, открыть (через контекстное меню кнопки Пуск) второе окно проводника, взять там мышкой ярлык программы или всю ее папочку и перетащить на новое место.

Можно проще поступить: второго окна не открывать – просто брать ярлычки и папки программ и *тащить на значок* вновь созданной папки. Как подведете мышку и увидите, что значок папки потемнел, так и понимаете: можно мышку отпускать.

Но можно вообще не пользоваться проводником – перекладывать значки и целые подменю из одного места в другое *прямо в меню программ!* Зайдите в меню программ, щелкните левой кнопкой мыши по той строке, которую хотите перетащить в другую папку, *и подержите на ней курсор, не отпуская кнопки.* Через секунду-другую Windows поймет, что у вас серьезные намерения и вы собрались не просто без толку водить курсором по меню, но планируете тащить этот объект.

Скажем, в XP, когда вы щелкаете по строке, буквы сначала белые, а через секунду, когда до системы «дойдет», станут черными. А в Висте сигналом наступившего взаимопонимания будет появление возле курсора мышки крупного полупрозрачного значка этой программы или папки.

После этого, все еще не отпуская кнопку, тащите мышку в строку назначения – в свое новое меню. Сигналом того, что «Виндовс» вас понял, что папка «зацепилась» и едет туда, куда вы хотите, будет черная горизонтальная линия, которая перемещается вместе с курсором по пунктам меню.

Подво́дите курсор к новому месту жительства этой программы и тоже чуть-чуть ждете. Через секунду в выбранной вами строке откроется выпадающее меню, и вы сможете перетащить туда свою строку. Если там есть вложенные папки, можно и туда ее задвинуть – таким же точно способом.

Короче говоря, где отпустите левую кнопку мыши, туда и попадет ваша программа. А если передумали и хотите операцию перетаскивания прервать, нажмите клавишу Esc.

Однако запрятывать свои программы слишком глубоко в меню, подменю и подподпод... тоже не резон. Правило простое: то, что используете часто, должно быть всегда под рукой – на рабочем столе, в панельке быстрого запуска, непосредственно в меню программ. Все редко используемое – запихиваете поглубже: когда понадобится, всегда можно будет достать.

Таким же простым перетаскиванием можно поменять порядок строк в меню, вытащить программу на рабочий стол или на панель быстрого запуска. А щелкнув по строке правой кнопкой мыши, можно даже получить контекстное меню папки или ярлыка – прямо в меню программ!

Там будут строки Открыть, Удалить, Копировать, Вставить, Вырезать, Создать ярлык, Свойства. Короче, полный набор виндоузовских удовольствий: любые операции с подменю возможны прямо в меню программ, без открывания дополнительных окон.

Даже в само великое меню Пуск тоже можно посадить значок для вызова программы! На рисунке 2.14 в начале этого раздела вы видели, что в его верхней части, кроме пары стандартных строк для запуска электронной почты и браузера, есть пара строк, которые я поставил своими руками – для быстрого запуска архиватора WinRAR и программы для записи компакт-дисков Nero. Как пишут на рекламных щитах, ЗДЕСЬ МОГЛА БЫ БЫТЬ ВАША ПРОГРАММА!

Возьмите значок в любом окне или на рабочем столе и киньте на кнопку Пуск (Start). Вот он и попадет в это самое место.

Или возьмите любую строку в меню программ или во вложенной папке и оттащите в главное меню (лучше с клавишей Ctrl, чтобы произошло не перемещение, а копирование). Эффект будет тот же.

Хочу, чтобы вы поняли одну простую, но весьма важную для всей системы Windows вещь. В меню Программы нет никаких программ! **Там лежат только ярлыки**, указывающие настоящее местоположение программы в папке Program Files. Поэтому удалив ярлык или папку из меню программ, саму программу вы никак не затронете.

Но как же тогда удалить саму программу?

Давайте это обсудим.

Как удалить программу

Вопрос на самом деле не такой простой, как кажется. Можно, конечно, отправиться в Program Files, найти там папку с программой и удалить. Но это тот самый случай, когда простота хуже воровства. Ведь программы при своей установке не ограничиваются тем, что копируют файлы в свою подпапку в Program Files. Они помещают и разные важные для их работы файлы в директорию windows\system32 (windows\system) и в некоторые другие места. А какие именно файлы – кто их знает! Кроме того, они заносят какие-то сведения о себе, своих утилитах и справочной системе в самую наиглавнейшую виндоузовскую базу данных – системный реестр (Registry).

Просто кинув в корзину папку с программой, вы оставите в Windows кучу бесхозного мусора, с которым неизвестно что делать. Останутся непонятные записи в реестре, отчего система может начать нервничать и дергаться, и уж во всяком случае, работа ее не улучшится.

Лучше всего удалить программу может она сама. Точнее, ее собственный съемщик (как иногда говорят, деинсталлятор). В подменю Пуск ▸ Все программы ▸ Имя данной программы может лежать ярлычок под названием Удаление программы, Деинсталляция, Uninstall или Unwise, как раз и предназначенный для самоубийства софтины. Но это, увы, бывает не всегда. Некоторые программы настолько дороги своим разработчикам, что деинсталлятора в меню программ не оказывается. Ну, как же! Мы столько трудились, такую классную программину написали! Вам, дорогие пользователи, несомненно, даже в голову не придет ее стирать! Будете по гроб жизни пользоваться и спасибо говорить по два раза на дню.

Если съемщика в главном меню не видать, стоит зайти в панель управления Windows[1] и запустить стандартное средство для удаления программ – утилиту **Установка и удаление программ** (Add Remove Program). Значок у нее такой, как тут показано: с компакт-диском и коробкой.

Четырехстраничное диалоговое окно этой утилиты, каким оно бывает в Windows XP, показано на рисунке 2.75. В отличие от тех многостраничных диалоговых окон, которые мы видели на рисунках 2.73, 2.68 или 2.71, здесь перелистывание страниц происходит не щелчком по вкладкам, расположенным сверху, а щелчком по большим кнопкам, расположенным слева. Тоже, кстати, довольно распространенный способ организации диалогов.

Итак, для удаления программ нам нужна самая первая страница (верхняя кнопка на нашем рисунке как бы нажата). Выбираем мышкой приговоренную программу и нажимаем кнопку Заменить/Удалить. Запустится программа удаления. Она захочет получить подтверждение на полное удаление программы (иной раз и по-английски), а потом все удалит.

---

[1] В главном меню Windows 98, 2000 и Ме есть пункт Настройка, а там – строка Панель управления. В XP и Висте строка такая лежит прямо в главном меню.

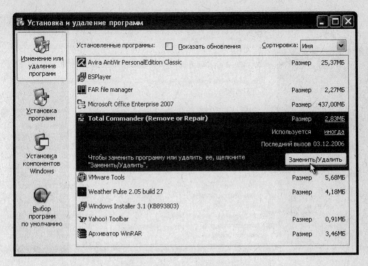

Рис. 2.75. Список установленных программ, готовых к удалению

Некоторые съемщики предлагают, кроме удаления, еще некоторые варианты работы. Например, предложат восстановить испорченные по какой-то причине файлы программы. Очень часто после такого восстановления приболевшая, было, программка снова начинает работать без ошибок.

Большие программные пакеты, вроде Microsoft Office (в состав которого входят знаменитые программы Word и Excel), могут также предложить вам добавить или удалить отдельные компоненты пакета. Например, часть установленных программ из этого пакета можно будет удалить, не трогая оставшихся. Или, наоборот, можно будет добавить то, что ранее не было установлено, не начиная с начала всю процедуру установки.

В Windows Vista нужный нам значок на панели управления называется **Программы и компоненты**. Тут список установленных программ, готовых к удалению или восстановлению, выглядит примерно так, как на рисунке 2.76. Кнопочка для удаления или изменения теперь находится не в строке выделенной программы, а вверху. Отличие не слишком-то серьезное, верно?

Выберите мышкой приговоренную программу и нажмите кнопку **Добавить/Удалить**. Запустится программа удаления. Она захочет получить подтверждение на полное удаление программы (иной раз и по-английски), а потом и удалит.

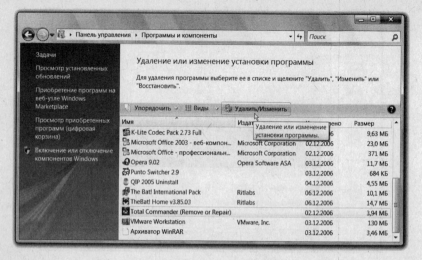

Рис. 2.76. Удаление программы в Windows Vista

Деинсталлятор удаляет следующие вещи:

• все файлы, относящиеся к этой программе (из ее папки в Program Files);

• все опустевшие папки;

• все служебные и системные файлы программы в папках Windows, Windows\System32 и некоторых других, а также ярлыки;

• из системного реестра будут удалены записи относительно программы и ее компонентов (к сожалению, не все).

Деинсталлятор не удаляет файлы и папки с данными – текстами, рисунками, таблицами, которые вы в этой программе понаделали, даже если они валялись вперемешку с остальными файлами программы. Не будут стерты также ее служебные и системные файлы, если ими, помимо удаляемой программы, пользуются и какие-то другие (вопрос на эту тему будет вам задан[1]).

Но если вы ненароком стерли программу «руками», то автоматическое удаление уже не пойдет. Windows скажет что-то вроде «Ошибка при попытке удаления», на этом все и кончится. А программа в списке останется. И глюки в системе из-за нее вполне могут появиться. Тогда,

---

[1] Такой вопрос задают только старые версии Windows. В новых каждая программа пользуется только своими файлами.

может быть, проще всего заново целиком установить ее, а уж потом законным образом удалить – навсегда и без сожалений.

Существуют специальные программы – **деинсталляторы**, предназначенные для удаления программ «третьих фирм»[1], а также всяких ненужных файлов и лишних записей из реестра. В частности, этим занимаются утилиты Your Uninstaller, RemoveIt, Ashampoo Uninstaller и др.

Многие из таких программ помогут даже в ситуации, когда сама программа удалить себя не может (не хватает каких-то необходимых для этого файлов) или даже не хочет – встречаются такие наглые программы, у которых вход копейка, а выход рубль...

Если будет интересно, почитаете о деинсталляторах в «Самоучителе полезных программ» (раздел «Чистильщики»). Но только когда станете более или менее уверенно ориентироваться в компьютере. Начинающему с этим спешить не стоит.

Боковая панель Windows Vista

Боковая панель Висты (Sidebar) предназначена для размещения информационных и развлекательных программок (мини-приложений, гаджетов) – для показа слайдов, погоды, текущего времени и дня недели, для просмотра заголовков новостей, для индикации загрузки процессора и памяти, для просмотра электронных адресов, для маленьких и простеньких игрушек и т. п. В комплекте с Вистой приходит десяток программок, из интернета их можно качать сотнями...

Как же управляться с этой панелькой?

Как мы уже знаем, панель видна, когда закрыты или свернуты все остальные окна. Помимо этого ее можно вызвать, щелкнув мышкой по этому значку в лотке или нажав сочетание клавиш Windows-пробел.

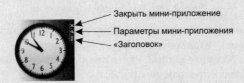

Рис. 2.77. Элементы управления мини-приложением

По панели можно передвигать окошки гаджетов, взявшись мышкой за верхнюю кромку окошка или за строку двоеточий – заголовок окна (рис. 2.77). За заголовок же можно вытащить любой гаджет на рабочий стол. Держать его непременно на панели совершенно необязательно. Но виден он будет только тогда, когда видна панель.

---

[1] А где «вторые»?

Кроме того, у каждого гаджета есть мелкая кнопочка с крестиком для закрытия программки и удаления ее с панели. И столь же мелкая кнопочка с гаечным ключом – для настройки программки, если, конечно, у нее есть что настраивать (если нечего, то кнопочки такой просто не будет).

Все эти кнопочки не видны до тех пор, пока мы не подведем мышку к окну гаджета.

Настройки конкретных программок вы уж смотрите без меня, а я расскажу, как их добавлять на панель. Во-первых, в заголовке панели есть кнопочка с плюсом (отсылаю вас снова к рисунку 2.2 в начале этого раздела, там на нее направлена стрелка-курсор) – надо щелкнуть по этому плюсу, чтобы оказаться в окне мини-приложений. Второй способ: щелкнуть правой кнопкой мышки по боковой панели и в контекстном меню выбрать команду Добавить мини-приложения. Такая же команда есть и в контекстном меню значка боковой панели в области уведомлений. Но в любом случае вам покажут окно, где собраны все имеющиеся гаджеты (рис. 2.78).

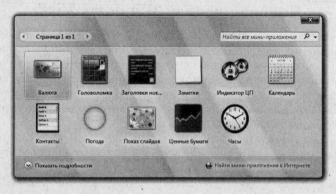

Рис. 2.78. Окно мини-приложений

Взяли понравившуюся программку мышкой и тащите на боковую панель. Вот и вся установка.

А если вы нажмете кнопку Найти мини-приложения в интернете, то запустится браузер (программа просмотра интернета), в нем откроется страница сайта Microsoft (если, конечно, установлена связь с интернетом) и вы сможете посмотреть все имеющиеся там гаджеты, выбрать то, что вас интересует, и щелкнуть по кнопке Загрузить. На первой странице будет только список самых популярных мини-приложений, но если щелкнуть там по кнопке Просмотр всех мини-приложений, то вам и покажут все. Сможете найти и программу-калькулятор, и индикатор заряда батарей ноутбука, и кучу мелких игрушек и головоломок. Скачав, например, игру, ее вполне можно стащить на рабочий стол (не исключено, что она станет и размером побольше).

Потом вас пару раз переспросят: правда ли вы хотите установить программу? А может, только скачать ее в свой компьютер? А потом она, наконец, появится на панели.

Поиск файла: найти то, не знаю что

Файлы, бывает, теряются на диске. Потом-то они найдутся как миленькие – может, завтра, может, через год. А вот сейчас, как раз когда они нужны, их почему-то нигде нет. Так что вдоволь наползаешься по закоулкам и «подзакоулкам» своего диска в поисках нужного документика и проклянешь компьютер и себя за то, что с ним связался.

А то еще, бывает, не удается вспомнить, как назывался этот самый файл, который неизвестно куда засунут. То есть просто русская народная сказка: пойди туда, не знаю куда, найди то, не знаю что.

От этой беды должно быть средство. Причем я имею в виду не таблетки от склероза, как кто-то, возможно, решил. Я имею в виду средство для поиска файлов. Какой прок был бы от компьютера (в котором, кроме файлов, и нет ничего!), если бы с его помощью нельзя было быстро найти нужный файл?!

И такое средство, конечно, есть. Это утилита поиска файлов по их именам и содержимому – поисковик, искалка, как часто говорят.

Если вы знаете, в какой папке или хотя бы на каком из ваших дисков находится разыскиваемый файл, тогда смело щелкайте правой кнопкой по значку этой папки или этого диска и выбирайте команду Найти. Сейчас же левая панель проводника изменится и станет такой, как на рисунке 2.79, а значки справа пропадут: там должен будет появиться список найденных файлов.

На поисковой панели имеются две строки ввода. В верхнюю можно будет вписать имя потерявшегося файла. Нажмете кнопку Найти и через некоторое время получите все файлы с таким именем, которые есть на этом диске или в папке.

Но полное имя файла вспомнишь далеко не всегда. На этот случай разрешается вводить только часть имени. Тогда получите список всех файлов, у которых в имени есть такое сочетание символов.

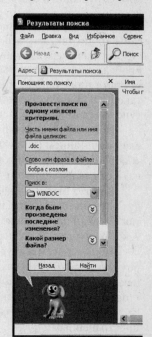

Рис. 2.79. Поисковая панель Windows XP

Во второй строке можно будет написать слово или словосочетание, которое непременно должно быть в этом файле. Скажем, я затеял искать потерявшийся файл, про который помню, что в нем было что-то про извечную борьбу бобра с козлом. А вот имя и точное местоположение файла забыл. Зато помню, что набирал его в текстовом редакторе Word, а потому с уверенностью могу сказать, что у файла моего (как и у любых документов MS Word) расширение будет doc. Именно .doc я и написал в первой строке.

Но если бы я сразу после этого запустил поиск, нажав кнопку Найти, то искалка вывалила бы мне все вордовские документы, какие найдутся у меня в этой папке и во всех вложенных. А у меня их там мно-о-о-го! Так можно искать, только когда совсем уж ничего про файл не помнишь – полный и необратимый провал памяти. Я же ввел свой поисковый запрос (слова про бобра с козлом) и только потом нажал кнопку Найти. Получил справа список вордовских файлов, в тексте которых (а не в названии!) есть такое выражение. Просмотрел их, двойным щелчком загружая в Word, и быстро нашел, что искал.

Следует учесть, что слова в поисковом запросе должны быть написаны **точно так, как это было в отыскиваемом файле**. Вводя длинную строку, вы наверняка забудете какие-то мелочи: запятую пропустите, два пробела поставите вместо одного (или наоборот!), слова переставите местами или с ошибкой напишете, используете латинскую букву вместо такой же по виду русской. Ничего не найдено, скажет машина, которая тупо ищет именно то, о чем мы ее тупо попросили.

Поэтому лучше ограничиться каким-то характерным словом или словосочетанием (типа «бобра» или «бобра с козлом»). Учтите и то, что «бобра», «бобры» и «бобром» для искалки Windows совсем разные слова! Если задан первый вариант, то второго и третьего она не найдет!

Как тут быть? Да очень просто: задайте поиск по слову «бобр». Будут найдены все файлы, где есть **бобры**, **бобр**ам и **бобр**ами. Точно так же, если ищете слово «козлом» и подозреваете, что в разыскиваемых текстах возможны разные его формы, задайте для поиска слово «козл».

Но не стоит и в другую крайность впадать – оставлять слишком короткую и часто встречающуюся комбинацию букв. Если вы затеете поиск по слову «он», то получите в качестве результата, возможно, все текстовые документы до единого, а если сочиняете статьи по макроэкономике, то слово «доллар» тоже, скорее всего, окажется слишком широко распространенным...

Закончив поиск, искалка сменит вид поисковой панели. Можно будет сказать ей, что все нормально, файлы найдены, поиск успешно завершен, но можно будет попытаться изменить условия поиска: вернуться в такое же окно, как на рисунке 2.79 (кнопкой Назад), изменить имя файла, изменить слова для поиска и место поиска.

Место поиска можно изменить и с помощью строки-списка Поиск в – на нашем рисунке это третья строка. Раскрыв этот список, вы увидите дерево папок и дисков. Какое место выберете, в том и пойдет поиск.

Некоторые дополнительные возможности поиска открываются (и закрываются) такими вот круглыми кнопками с двойными галочками, которые находятся в нижней части поисковой панели (см., например, рисунок 2.79). Они позволят ввести дополнительные условия поиска:

• искать только файлы, которые последний раз были изменены на прошлой неделе, в прошлом месяце, в прошлом году или даже в конкретном интервале дат (числа можно будет задать). В последнем случае вместо поиска по дате последнего изменения можно будет выбрать также дату создания файла и дату последнего просмотра (то есть когда он последний раз был открыт в своей программе – даже если вы его не меняли, система себе пометила, что файл кто-то просматривал);

• искать только файлы определенного размера: маленький (менее 100 КБ), средний (до 1 МБ), большой (свыше 1 МБ) или задать конкретно: не менее стольких-то КБ или не более стольких-то;

• в секции дополнительных параметров можно попросить искать с учетом регистра букв, разрешить поиск в системных папках и т. п.

Короче, возможностей тут немало, если что-то капитально потерялось, есть шанс найти.

Мы с вами посмотрели, как организован поиск в конкретной папке или на конкретном диске. Но если запустить команду Поиск, которая находится в меню Пуск, то нам покажут совсем иную поисковую панель (рис. 2.80). Сначала нас спрашивают о типе искомых файлов: ищем ли мы нетекстовые файлы (картинки, музыку, видео), текстовые документы (включая электронные таблицы) или просто файлы и папки, любые. В последнем случае вид панели поиска будет в точности таким, как на рисунке 2.79 – со всеми доступными настройками. В остальных режимах каких-то строчек не окажется.

Со списком найденных файлов можно работать совершенно так же, как с файлами, лежащими в одной папке, нимало не заботясь о том, что они-то на самом деле могут лежать в совершенно разных местах, даже на разных дисках. Их можно удалить (по одному или все скопом), скопировать (например, на флэшку), перенести в одну папку, просто просмотреть или создать из них слайд-шоу, что-то в них поправить, поочередно загружая в редактор, отправить разом в zip-архив или по электронной почте, записать на компакт-диск и т. п.

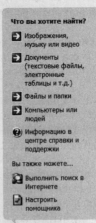

Рис. 2.80.
Исходный вид
панели поиска

То есть целью наших поисковых работ не обязательно должен быть один потерявшийся файл. Вполне можно использовать поисковик для реорганизации своего файлового хозяйства (найти все mp3 и сложить в одну папку, найти все видеофайлы и сложить в другую, найти все тексты и сложить в третью...), для работы с группой файлов (быстро найти самую новую музыку, самые свежие фотоснимки, последние по времени создания текстовые или табличные документы). И еще множество применений можно придумать этому поиску всего, чего пожелаете.

В Windows 98 поисковик внешне организован совсем иначе: там применяется простое трехстраничное окошко (с тремя вкладками). На первой странице задаются имя файла, ключевые слова и место поиска, на второй – даты, на третьей – размеры. Как говорят в народе: те же яйца, вид сбоку.

Правда, поиск на русском языке по тексту в старых версиях виндов работал не очень хорошо. А вот в новых все более или менее наладилось.

Давайте теперь обсудим, как устроен...

Поиск в Windows Vista

Как мы с вами уже говорили, когда знакомились с главным меню, в Висте поисковая строка поселилась прямо там, в меню Пуск. Но такая же строка есть и в проводнике – правее адресной строки.

Если мы воспользуемся поисковой строкой в главном меню, то и результаты поиска нам покажут там же – список самых часто запускавшихся программ пропадет, а на его месте появится список найденных файлов. Вводя слова для поиска в проводнике, получим результаты в том же окне проводника – список файлов и папок пропадет и заменится списком найденных файлов.

Конечно, у нас тут не два разных механизма поиска, а один общий: если в главном меню не удалось найти то, что мы просили, поисковик напишет ученую фразу: **Нет элементов, удовлетворяющих условиям поиска**, а над поисковой строкой изобразит нам пару команд: **Поиск везде** и **Поиск в Интернете**. По интернету нам с вами ползать еще рановато, а вот поползать «везде» уже вполне можно.

Вот какое окно показывает искалка при поиске моих «бобра с козлом» везде, то есть по всем дискам компьютера (рис. 2.81). Справа один за другим появляются найденные файлы, а по адресной строке бежит зеленая мерцающая полоска, показывающая, какую часть всего дискового пространства удалось уже перешерстить[1]. Как дойдет полоска эта до конца адресной строки, так операция закончится.

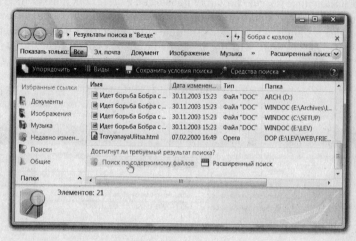

Рис. 2.81. Поиск бобра и козла «в "Везде"»

После этого и появляются две команды, которые на нашем рисунке можно прочитать ниже списка найденных (на одну из них указывает пальчиком курсор). Это команды Поиск по содержимому (то есть по ключевым словам) и Расширенный поиск – если захочется проредить слишком большой список найденных за счет ограничений по дате, размерам, местоположению файла, по автору документа и метаданным (устроено все с виду совершенно не так, как в XP, но делается то же самое – думаю, вы легко разберетесь, что тут к чему).

Запускаем Поиск по содержимому и терпеливо ждем-с. Просмотр всех файлов на всех дисках – дело небыстрое, может занять и 15 минут, и полчаса, так что запаситесь терпением, если уж вам так нужно найти пропавший файл или составить список всех подходящих документов, mp3 или картинок.

Вводя ключевые слова в адресной строке проводника, в котором открыта какая-то папка, мы запускаем поиск только по этой папке и всем вложенным, что происходит несравненно быстрее.

---

[1] Не устаю удивляться искусству переводчиков и богатству русского языка. Была у нас фильтрация по «давну», а теперь вот еще и «Результаты поиска "в везде"»! Молодцы, так держать!

Ну, а чтобы поиск происходил еще быстрее, нам предложат проиндексировать содержимое данной папки (см. рис. 2.82). Стоит щелкнуть мышкой по строке с этим заманчивым предложением и выбрать в выскочившем маленьком меню команду Добавить в индекс, как пойдет индексирование. Это тоже процесс не быстрый: поочередно просматриваются все файлы в папке, и вся информация о них вносится в некую невидимую нам базу данных. Но после этого поиск по содержимому файлов в этой папке будет летать, как феррари по трассе «Формулы-1».

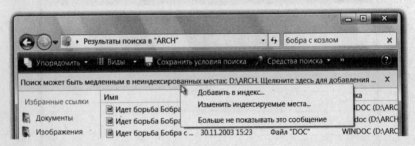

Рис. 2.82. Давайте проиндексируем вашу папку? Это бесплатно! Ну, давайте! Вам же лучше будет!

Так что основные свои хранилища текстов, музыки и прочего интеллектуального богатства стоит внести в индекс.

Даже при поиске «в везде» вам сначала быстренько покажут подходящие файлы из проиндексированных папок, а уж потом, не спеша – из всех остальных.

Слова, введенные в строке запроса, действуют как фильтр: пока там что-то написано, в папке видны только файлы, удовлетворяющие условиям, заданным этим фильтром (то есть те, в имени или содержимом которых есть эти слова). Если файлов таких нет, папка кажется пустой.

На самом деле, если мы догадаемся посмотреть на адресную строку, то поймем, что находимся в этот момент уж в некоем другом месте – в виртуальной папке результатов поиска! Как говорили в XIX веке, нечувствительно перенеслись в воздушные эмпиреи...

Чтобы вернуться в первоначальное свое местоположение, можно воспользоваться комбинацией Alt-← или круглой кнопкой Назад. Но можно просто очистить поисковую строку: щелкнуть по строке запроса и нажать Esc – результат будет тем же.

Обращаю ваше внимание вот на какое обстоятельство: введенные в поисковой строке слова поисковик Висты ищет сразу же и в именах файлов, и в их содержимом (в том числе и в метаданных[1]). Например, задав для поиска выражение:

пейзаж Крым

я отыскиваю файлы, имена которых содержат слова «Крым» и «пейзаж», а заодно и файлы, в содержимом которых есть эти же слова.

Настройки проводника

По странному недоразумению в русской версии Windows настройки проводника называются *свойствами папки*. Хочется сразу отделить мух от котлет, во избежание путаницы и неприятного шевеления во рту. Свойства папки – это то, что мы получаем через контекстное меню папки по команде Свойства (Properties) – ее имя, местонахождение на диске, размер, атрибуты всякие, значок и эскиз – короче, то, что было показано на рисунке 2.73 в главе «Свойства папок».

А тут речь пойдет о тех настройках, которые в XP вызываются через меню Сервис командой Свойства папки (Folder Options), а в Висте – еще и командой Свойства папок и поиска в меню кнопки Упорядочить. Конечно, и слово Properties (свойства) и слово Options (параметры) как-то традиционно у нас путают – и то и другое переводят, как «свойства». Но одно дело, когда в программе есть что-то одно, и тогда все равно, как оно называется – «опциями» или «пропертями». И совсем другое, когда в программе встречаются оба слова. Две разных вещи не должны называться одним именем! Ведь кроме слова «свойства» есть и другие вполне подходящие русские слова – «режимы», «настройки», на худой конец, «параметры». Так нет!..

В старых версиях Windows этой путаницы не было: в Windows 98 команда, о которой мы будем говорить, называлась Настроить вид папки (меню Вид), а в Windows 95 – Параметры.

Я, конечно, далек от мысли, что господа и дамы из Microsoft такие заядлые русофобы, что нарочно все это запутали. Просто они хотели как лучше, а получилось, как у В. С. Черномырдина.

---

[1] Метаданные – это данные, записанные в файл, например, цифровым фотоаппаратом при съемке: дата съемки, модель камеры, выдержка, диафрагма, размер снимка по вертикали и горизонтали, разрешение и т. п. Или данные о музыкальном файле (название песни, автор, исполнитель). Если вы зайдете в окно свойств цифровой фотографии или mp3 (контекстное меню файла, строка Свойства), перейдете на вкладку Сводка нажмете кнопку Подробно, то вам покажут все эти данные. Кое-что можно будет даже поменять! Например, ввести названия песен и порядковый номер на диске.

На странице Вид (View) (рис. 2.83) вы можете задать одинаковый режим работы для всех папок. Скажем, настроите одну папку тем или иным образом и нажмете кнопку Применить ко всем папкам. Или дадите всем папкам стандартный вид, нажав кнопку Сброс для всех папок.

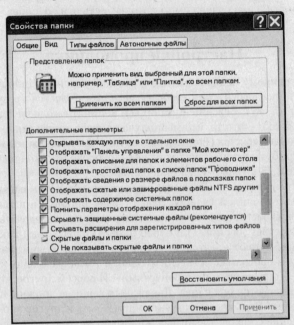

Рис. 2.83. Способы показа файлов и папок в проводнике

Вообще, если вы хотите, чтобы все ваши папки работали в едином режиме показа значков, уберите птицу из строки Помнить параметры отображения каждой папки (Remember each folder view settings). А если у некоторых папок (например, с фотографиями, с видео или с музыкой) должны быть свои собственные настройки, оставьте птицу – пусть летит.

В списке дополнительных параметров хочу обратить ваше внимание на несколько самых полезных настроек.

• Обязательно надо снять галочку в квадратике Скрывать расширения для зарегистрированных типов файлов (Hide file extensions for known file types). Пока она стоит, имена документов, программ и других известных системе файлов будут показываться без своих расширений. Как вы будете отличать друг от друга файлы рисунков разных типов, как станете различать документы с одинаковыми именами, но разными расширениями – это ваше дело: зубрите виды значков. Но гарантирую трудности в общении с партнерами:

– У вас в каком формате изображения?

– Ну, в таком... с рамочкой!..

– Расширение какое?!

– А... мы пока не расширяли...

Как ни странно, именно этот режим принят по умолчанию во всех версиях Windows, так что я лично, начиная настройку очередных виндов, первым делом убираю отсюда галочку. И конечно, нажимаю кнопку **Применить**.

• Галочка в строке **Восстанавливать прежние окна папок при входе в систему** означает, что система запоминает, какие папки были у вас открыты перед завершением работы. При следующем включении она их же и откроет.

Если вы постоянно держите открытыми одни и те же папки, потому что все время приходится туда лезть за файлами, вам, вероятно, понравится эта возможность.

• Пометив строки **Выводить полный путь в панели адреса** и **Выводить полный путь в строке заголовка**, мы всегда будем знать, где на самом деле находится папка, в которую мы зашли. Если и в строке адреса, и в заголовке написано только ее имя, недолго и заблудиться.

Кроме того, с адресом в строке можно много чего делать: копировать, редактировать, вставлять из кармана и т. п., так что полный адрес тут будет весьма полезен опытным пользователям. А неопытным – без разницы.

• Переключатель **Скрытые файлы и папки** по умолчанию стоит в положении **Не показывать**. Кроме скрытых, есть еще и системные файлы, еще более защищенные от безрассудного пользователя. Их показом управляет строка **Скрывать защищенные системные файлы**, в которой изначально, конечно же, стоит галочка. Для начинающего все это нормально: меньше видишь ненужного, меньше портишь нужного. Но более или менее опытному пользователю часто бывает нужно отыскать и поправить какие-то настроечные файлы программ, лежащие в скрытых папках, – вроде Documents and Settings\ваше имя\Application Data или Documents and Settings\LocalService\Application Data. Если ваши компьютерные познания шагнут так далеко, вы вспомните, где искать те самые галочки, которые надо будет снять, дабы в эти места попасть.

Прочие настройки и дополнительные параметры советую вам внимательно посмотреть самим.

Панель управления Windows

Панель управления (Control Panel) – это основной настроечный центр Windows. Зайти в эту папку можно через главное меню (Пуск ▶ Панель управления или Пуск ▶ Настройка ▶ Панель управления) и по клавиатурной комбинации Windows-C. В XP в папке Мой компьютер есть такая команда на панели типичных задач, а в Висте – кнопка на кнопочной панели вверху.

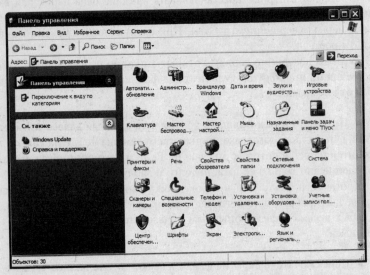

Рис. 2.84. Панель управления Windows – это набор служебных программ
для настройки системы

Когда вы открываете панель управления впервые после установки Windows, вам показывают ее сокращенный вариант – значки неких базовых категорий, каждая из которых открывает список конкретных задач по настройке компьютера. А если щелкнуть мышкой слева – по строчке Переключение к классическому виду, то панель покажет нам сразу весь набор своих утилит – как на рисунке 2.84.

Кое о чем мы уже ранее говорили (например, об утилите Установка и удаление программ), кое о чем поговорим позднее. А сейчас давайте пробежимся по самым интересным из оставшихся.

Не пугайтесь, если каких-то значков в вашем компьютере не окажется или они будут называться немного иначе. Нет – значит, не было, как говорил сын турецко-подданого Остап-Сулейман-Берта-Мария-Бендер-бей[1].

Как обычно, за основу берем XP.

Автоматическое обновление (Windows Update) – это настройка программы обновления системы через интернет. Тут мы можем выбрать режим ручного обновления Windows или автоматизировать процесс.

Изначально в системе выбран автоматический вариант, при котором система сама лезет на сервер обновлений Microsoft, когда мы заходим в интернет, и проверяет, есть ли там для нас что-то важное. Если есть, скачивает. В области уведомлений в это время сидит соответствующий значок (в XP в виде желтого щита, в Висте – не берусь даже описать в виде чего). Щелкнув по нему, вы сможете запустить установку обновлений.

Обновлять систему, конечно, необходимо, но полный доступ к обновлениям системы имеют только лицензионные версии Windows. Пиратские же получают лишь самые необходимые (критические, как они тут называются) обновления, непосредственно влияющие на безопасность работы. Все остальные заплатки, связанные с устранением ошибок или улучшением алгоритмов работы, халявщикам не выдаются[2].

Значок Брандмауэр Windows (Windows Firewall) позволит включить, выключить или настроить так называемый межсетевой экран, он же брандмауэр, он же файервол. Это встроенная в систему защита от очень широко распространенной заразы – сетевых червей и троянских вирусов, программ, проникающих в наши компьютеры из интернета или локальной сети и дающих своим злонамеренным хозяевам широкие возможности рыться в наших документах, читать наши письма, запускать наши программы, удалять наши файлы, а главное – рассылать во все стороны рекламу (спам) от нашего имени и за наш счет.

Брандмауэр просто блокирует доступ в сеть любым программам, кроме тех, которым вы сами, своею собственной рукой это разрешите.

Изначально брандмауэр разрешает работу браузеров (программ просмотра интернета), почтовых программ и системы автоматического обновления

---

[1] См.: И. Ильф и Е. Петров, «Двенадцать стульев» и «Золотой теленок». Страницу не помню.

[2] В интернете можно отыскать программки, которые эту трудность обходят: позволяют скачивать обновления невзирая ни на что. Но только тс-с-с!.. Я вам про них ничего не говорил!.. Это же НАРУШЕНИЕ КОПИРАЙТА! Пожизненное заключение в тюрьме Синг-Синг!

Windows. Все остальные программы, желающие вылезать в сеть, должны получить на это разрешение. Когда программа впервые попытается передать данные в сеть или получить данные из сети, брандмауэр выдает примерно такой запрос, как на рисунке 2.85. Если это программа обмена мгновенными сообщениями (вроде знаменитой «аськи» – ICQ), программа для быстрой перекачки файлов («качалка») или файловый менеджер, с помощью которого вы работаете со своей веб-страницей на интернетовском сервере, то вы ответите Разблокировать. А если некое неизвестное невесть что, – Блокировать, а потом примените по назначению антивирус.

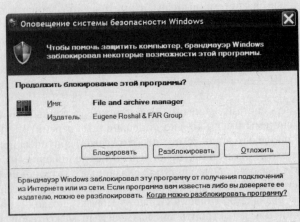

Рис. 2.85. Программа FAR Manager собирается лезть в интернет. Разрешить?

Есть еще одна утилита, имеющая отношение к защите компьютера – Центр обеспечения безопасности (Security Center). Этот центр следит за тем, подключен ли брандмауэр, производятся ли периодические обновления системы через интернет, установлен ли антивирус, а если установлен, то обновляется ли. Именно Центр обеспечения безопасности выдает нам сообщения о том, что у нас нет антивируса, или о том, что антивирус давно не обновлял свои антивирусные базы.

Программа Дата и время (Date/Time) показывает виндоузовские часы-календарь. Ими можно пользоваться для того, чтобы изменить время или дату в компьютере. Например, компьютер не учел переход на летнее время или, наоборот, учел, а переход был отменен мудрым решением очередного мудрого правительства.

Или вы пытаетесь обмануть условно-бесплатную программу – продлить ее время жизни, переведя календарь на неделю назад. Иногда это удается, но чаще программы на такие примитивные фокусы не ловятся.

Программой Звуки и аудиоустройства (Sounds and Multimedia, в Висте – просто Звук) могут воспользоваться обладатели компьютеров со звуковыми картами.

На вкладке Звуки можно будет назначить, каким событиям (вроде входа в Windows, ошибки, всплывания меню и т. д.) будет соответствовать тот или иной звук, а какие пройдут молча. В стандартной поставке Windows множество звуковых файлов (папка Media в директории Windows), есть и готовые схемы для озвучивания системы: Джунгли, Музыка, Утопия, Роботы. Моя любимая схема называется Нет звуков.

На других страницах этого окна будут показаны настройки ваших мультимедийных устройств: аудио, видео, устройства MIDI (синтезатора вашей звуковой карты) и CD с DVD. Для каждого из них вы сможете поменять какие-то параметры.

Значок Игровые устройства (Game Controllers) пригодится только тем, у кого есть сам этот джойстик, руль для автогонок или какой-то иной, более навороченный игровой пульт. И пригодится он только тогда, когда что-то с этим пультом не в порядке.

Вообще, в нормально работающей системе обращаться к панели управления приходится не слишком часто. Но все же приходится, потому что система, увы, почти никогда не работает абсолютно так, как нам хочется. Время от времени непременно хочется что-нибудь улучшить.

В диалоговом окне Клавиатура (Keyboard) можно изменить скорость реакции компьютера на нажатие клавиш. Пригодится людям с проблемами в координации движений, с нарушениями двигательных функций.

Утилита Мышь (Mouse) позволяет изменить скорость двойного щелчка и перемещения мышиного курсора, задать для курсора размер и вид (бывают очень забавные, хотя и не всегда удобные наборы курсоров). Можно попросить систему показывать шлейф курсора и задать длину этого шлейфа – для людей со слабым зрением.

Скорость двойного щелчка начинающему стоит, иной раз, сделать поменьше (страница настроек Кнопки мыши). Таскаете движочек скорости влево (медленнее) или вправо (быстрее), а для проверки щелкаете тут же на значке в виде папки. Если система вас поняла, папочка открывается и закрывается, а если вы слишком медленно нажимаете кнопку, то никак не отреагирует.

Еще более рекомендую настроить скорость движения мышиного курсора. Выбирают ее обычно так, чтобы легко было попадать в любую точку экрана (например, чтобы можно было одним движением мышки по коврику попасть из нижнего левого угла в правый верхний), но при этом так, чтобы не было проблем с достаточно тонкими движениями мышкой, например, при рисовании или выделении фрагментов изображений при обработке фотографии.

Для мышей с колесиком есть страница, угадайте какая? – ну да, Колесико. Там меняется только один параметр: количество строк текста, которые прокручивает вверх или вниз один щелчок колеса. По умолчанию мышка листает по три строки текста, можно выбрать одну, пять или даже целую страницу.

Назначенные задания (Scheduled Tasks) – это папка, в которой лежат ярлычки программ, предназначенных к запуску в определенный день и час – однократно или периодически (ежедневно, раз в неделю, раз в месяц).

Просто притащив сюда значок программы, мы тем самым уже приготовим ее к запуску по расписанию. Останется в свойствах этого ярлычка настроить расписание (поглядите сами, ежели понадобится, – там все очень просто)[1].

Значок **Панель задач и меню "Пуск"** поможет настроить и само меню Пуск, и область уведомлений, и панель задач. Сможете, к примеру, отказаться от двухколонного главного меню и выбрать простое – так называемое классическое, как в старых версиях Windows (страница Пуск). Там же можно изменить вид и состав главного меню (кнопка Настроить на странице Пуск) – сделать значки покрупнее или помельче, добавить новые строки в правую колонку меню или убрать существующие, если они вам не нужны.

Там же находятся и настройки области уведомлений. Кнопка Настроить в соответствующей секции покажет вам список значков, сидящих в этой области, и поможет выбрать для любого из них один из трех вариантов поведения (см. рис. 2.86): всегда быть видимым, только тогда, когда соответствующая программа активна, или всегда прятаться, попусту не занимая места на панельке.

Принтеры и факсы (может называться просто Принтеры, Printers) – это даже не программа, а папка[2], в которой лежат драйверы установленных принтеров. Дважды щелкая по значку принтерного драйвера, мы сможем следить за состоянием заданий, ждущих очереди к принтеру, приостанавливать или снимать зависшие задания, менять их приоритет.

---

[1] У Висты значка назначенных заданий на панели управления нет. Зато в меню Все программы ▸ Стандартные ▸ Служебные есть программа Планировщик заданий. Ну, и посложнее она устроена, позапутанней...

[2] Да и не папка, а так – видимость одна. Виртуальный объект.

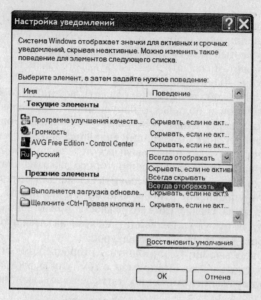

Рис. 2.86. Значок будет виден всегда

В папке Принтеры лежит также значок программы-мастера Установка принтера (Add Printers). Купив новый принтер, воспользуйтесь ею. Но только в том случае, когда ваш принтер не имеет собственной программы установки. А если имеет, лучше запустить именно ее.

Очень важный для продвинутого пользователя значок панели управления – Система (System) – выдает на экран многостраничное окно свойств системы. С помощью этой утилиты можно проверить, правильно ли установились драйверы устройств, нет ли конфликтов. Можно также удалить «криво» установившийся драйвер и заново запустить установку неработающего устройства.

Обо всем этом я довольно подробно рассказал в полном «Самоучителе» или самоучителе «Windows XP и Vista» – для тех, кто сочтет, что уже созрел для столь серьезной информации и хочет называться продвинутым пользователем.

В папке Сканеры и камеры (Scanners and Cameras) будут находиться значок сканера или подключенной к компьютеру веб-камеры, а может быть и какой-нибудь нестандартной цифровой видеокамеры, ежели она нуждается в особом управлении. А пока их там нет, будет там только мастер добавления новых устройств (Add Device).

Группа настроек Специальные возможности (Accessibility Options) предназначена для инвалидов. Люди с пониженным зрением могут выбрать экранный режим повышенной контрастности с крупными значками и шрифтами, задать выдачу звукового сигнала для любых событий на экране. Люди с пониженным слухом, наоборот, могут попросить каждый звуковой сигнал сопровождать экранным сообщением.

Для инвалидов и больных с нарушением двигательных функций предназначены клавиатурные установки – возможность одним пальцем нажимать клавиатурные комбинации (клавиша Shift, Alt или Ctrl как бы залипает, и система ждет, пока вы нажмете какую-либо другую), возможность игнорировать случайное повторное нажатие клавиш.

Установки мыши позволят включить шлейф для мышиного курсора или разрешить управление курсором мыши с клавиатуры.

Там же, в папке Специальные возможности, может найтись программа Экранная лупа для тех, кто плохо видит, и Экранная клавиатура для тех, кто не может работать с обычной клавиатурой.

Все это необычайно благородно со стороны компании Microsoft, есть о чем подумать и нам. (Например, о том, чтобы, растрогавшись, выбросить свой пиратский компакт и купить легальную копию Windows.)

Значок Телефон и модем (Phone and Modem) запускает программу Мастер установки оборудования, которая поищет в вашем компьютере что-то напоминающее модем, попытается его опознать и установить соответствующий драйвер.

Ну, а если модем уже установлен, вместо мастера запустится диалоговое окно настроек модема. Тут вы сможете посмотреть, как Windows его называет и к какому порту подключает, а на страничке Диагностика (кнопкой Сведения на ней) сможете проверить работоспособность модема и получить много иной информации – очень полезной, хотя и совершенно непонятной.

Утилита Учетные записи пользователей (User Accounts) (может называться также Пользователи и пароли) позволит нескольким людям работать на одном компьютере так, как им удобнее – со своими индивидуальными настройками, со своими программами, со своей электронной почтой, фоном рабочего стола, стилем оформления и т. п. Для этого надо будет просто создать еще одного пользователя – дать ему входное имя (логин) и пароль.

Эта же утилита позволит вам сменить картинку пользователя в главном меню, создать входной пароль, изменить его или вовсе удалить, чтобы входить в систему без ввода пароля.

В Windows 9x для тех же целей будет у вас пара значков: Пользователи (Users) и Пароли (Passwords), но делать они в сумме будут то же, что один эн-тишный.

Двойной щелчок по значку Шрифты (Fonts) открывает специальную папку Fonts, в которой обнаружатся значки всех установленных в вашей системе шрифтов. Причем на каждый тип шрифта (гарнитуру) может оказаться до четырех файлов – для нормального, **полужирного** и *курсивного* начертания, а также для ***полужирного курсива***.

Двойной щелчок по любому значку в этой папке позволяет увидеть уже сам шрифт, оценить, как в нем выглядят буквы, для каких целей можно его использовать – для основного текста, для заголовков, или же он годен только для разного рода декоративных надписей. Вы сможете также определить, есть ли в шрифте русские буквы (то есть *русифицирован* ли он). Если наши с детства родные буквы в шрифте не просматриваются, то оформить русский текст в Ворде этой симпатичной гарнитуркой вам не удастся.

Новые шрифты, которые вам, возможно, когда-нибудь захочется установить в свой компьютер, надо будет скопировать именно сюда, в папку Шрифты.

Утилита Электропитание (Power Management, может называться также Параметры электропитания или Управление питанием) понадобится тем, у кого компьютер имеет программное управление питанием (таковы все новые компьютеры и значительная часть не очень новых). Эта утилита определяет, через сколько минут простоя система должна перевести компьютер в ждущий или спящий режим, через сколько – выключить экран или диски. Особенно важны настройки энергосбережения на ноутбуках, когда они отключены от сети и работают на аккумуляторах.

А на странице Спящий режим (в Windows XP и 2000), поставив всего одну галочку всего в одной строке (она там всего одна), вы сможете включить в своем компьютере Спящий режим.

Значок Язык и стандарты (Regional Settings) позволит поменять основной язык: вместо русского выбрать английский, армянский, украинский – хоть турецкий. Кроме того, здесь вы сможете добавить новые языки в систему (например, русский, которого у вас почему-то нет), сменить сочетание клавиш, с помощью которых происходит переключение языка ввода.

Настройка экрана

Утилита Экран (Display) открывает многостраничное диалоговое окно Свойства: Экран, где вы найдете основные настройки рабочего стола. На мой взгляд, удобнее вызывать это окно из контекстного меню свободного места на рабочем столе – командой Свойства.

Здесь можно поменять многие вещи, касающиеся оформления рабочего стола, – фон его (ту картинку, которую вы на нем видите), заставку (через пять-десять минут бездействия экран закрывается летающими флажками или бегающими буквами), цвета окон, типы и размер шрифта в надписях, расстояние между значками на рабочем столе. Все это довольно подробно разобрано в большом «Самоучителе работы на компьютере» или большом самоучителе по Висте и XP, но в кратком варианте всем этим приятным, но вовсе не жизненно необходимым вещам места не нашлось.

Но даже в кратком (да хоть и кратчайшем!) самоучителе не могу не рассказать о последней странице этого диалогового окна, которая называется Параметры (Settings) (см. рис. 2.87).

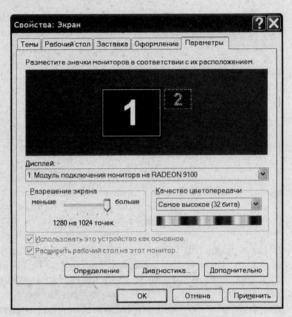

Рис. 2.87. Настройка видеосистемы

Если монитор и видеокарта у вас хорошие, выберете в списке Качество цветопередачи 32-битный цвет (4 млрд цветов, True Color). У мониторов послабее все может ограничиться 16-битным цветом (65 тысяч цветов), а то и каким-то еще меньшим числом.

Очень важный параметр – разрешение экрана. От него зависит, сколько значков поместится на экране, какого размера рисунки и тексты вы сможете просматривать, не перелистывая страницы, насколько качественно будут показываться видеофайлы. Для экрана размером 14" обычно выбирают разрешение 800×600 точек, а если он в этом режиме не тянет – 640×480. Для 15" – 1024×768. Для 17" – 1024×768 или 1280×1024, для 19" –1280×1024, а для 20" – 1600×1200.

☞ На ЖК-мониторах рабочее разрешение всего одно. Надо его сразу же выставить и этим ограничиться. Во всех остальных разрешениях изображение обычно оказывается некачественным – мутным.

Чтобы увеличить разрешение, потащите движок Разрешение экрана направо, а чтобы уменьшить – налево. Надпись под движком изменится и покажет, какое именно разрешение вы выбрали.

Короче говоря, выбрав подходящий экранный режим, жмете OK и смотрите, что получится. Система меняет разрешение экрана и количество цветов и в течение 15 секунд ждет вашего мнения на счет благотворности происшедших перемен (см. рис. 2.88). Скажете Да, и изменения будут приняты. Если же

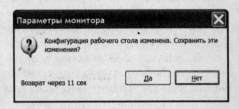

Рис. 2.88. Переходим в другой экранный режим. Или не переходим?

сказать Нет или вообще ничего не говорить в течение 15 секунд (например, вы в новом режиме вообще перестали что-либо видеть на экране), то Windows все «вернет взад».

Обратите внимание на верхнюю часть рисунка 2.87. Там просматривается крупная цифра 1 и помельче – цифра 2. Что это? Это возможность **подключить второй монитор** – например, телевизор, подсоединенный ко второму выходу вашей крутой двухканальной карты.

Щелкаете мышкой по изображению монитора 2, вводите разрешение экрана, с которым он может работать, и ставите галочку в строке Расширить рабочий стол на этот монитор. Надо, конечно, почитать инструкцию по своему телеку: какое разрешение ему требуется и как его перевести из режима телеящика в режим компьютерного монитора.

Когда вы нажмете OK или Применить, второй монитор подключится, станет как бы продолжением вправо вашего рабочего стола. Туда можно будет мышкой таскать значки, но что еще важнее, туда можно будет таскать окна программ, взявшись мышкой за заголовок. Например, утащили туда окошко проигрывателя Windows Media и запустили на нем кино. По телевизору идет фильм, а на основном мониторе кипит работа или идет активная беседа с приятелями.

(А откуда идет звуковое сопровождение к фильму – из телевизора или из компьютера? Если чуть подумать, ответ на этот вопрос очевиден: оттуда же, где стоит программа-проигрыватель. То есть из колонок, подключенных к компьютеру. Телевизор в этот момент выступает только как экран.)

Если же взять значок второго монитора мышкой и перетащить левее первого, то рабочий стол будет расширен влево. Ну, и если пометить галочкой строку Использовать это устройство как основное, то на второй экран переедет даже кнопка Пуск вместе с панелью задач.

В старых версиях Windows на странице Параметры были еще некоторые настройки. Потом разработчики виндов отнесли эти настройки к числу «дополнительных» и спрятали их поглубже. Но нас такими фокусами с толку не сбить! Мы смело жмем кнопку Дополнительно (Advanced) и лезем смотреть остальные настройки видеосистемы.

На рисунке 2.89 показана вкладка Монитор многостраничного окна дополнительных настроек, где находятся настройки экрана. А настройки видеокарты вы найдете на вкладке Адаптер.

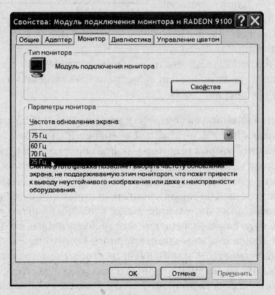

Рис. 2.89. Сейчас поднимем частоту обновления экрана с 60 Гц до 75

Всем, кому приходится просиживать штаны за электронно-лучевым монитором, советую обратить особое внимание на список Частота обновления экрана. Посмотрите в центр экрана своего компьютера. Если краем глаза вы видите, как мерцает изображение в углах, значит, у вашего монитора с частотой обновления не все в порядке. Одна из основных причин головной боли, быстро наступающей усталости глаз и ухудшения зрения – вот это самое мерцание. Поэтому *выбрать надо максимально возможную частоту обновления*. В списке частот, который вы увидите в своем компьютере, могут обнаружиться строки Оптимальная или Определяется адаптером. Но я бы на вашем месте не очень им доверял. Знаем мы, что железяки без нас сами могут определить. Глупость какую-нибудь, не иначе!

Кроме того, список Частота обновления может оказаться у вас не на странице Монитор, а на странице Адаптер. Не слишком этому удивляйтесь, но частоту, все-таки, выберите побольше.

☞ Пока не установлен «родной» драйвер видеокарты и монитора, выставить максимально возможную частоту обновления вы не сможете.

С помощью кнопки Свойства, которую вы найдете и на странице Адаптер, и на странице Монитор, можно **поменять драйверы** этих устройств, взяв «родные» вместо тех, которые были предложены «виндами». Только когда подключенные драйверы видеокарты и монитора точно соответствует их моделям, мы можем быть уверены, что качество изображения наилучшее из возможных. Покупая компьютер целиком, покупая новую видеокарту или отдельно монитор, требуйте, чтобы продавцы дали вам дискеты или компакт-диски с драйверами для них.

Если на диске с драйверами есть собственная программа их установки, нужно запускать именно ее, а уж если такой нет – нажимаем кнопку Свойства. Появляется окно сведений об устройстве и драйвере. Переходим там на страничку Драйверы и просим Обновить. Останется только показать системе диск и папку, в которой лежит правильный драйвер.

Случается, конечно, что с монитором или «видюхой» приходит устаревший (или, реже, «глючный», недоработанный) драйвер. Тогда делать нечего: лезем в интернет, находим сайт производителя (или какой-нибудь другой сайт с драйверами), отыскиваем там драйвер для нужной модели, скачиваем себе и устанавливаем.

На странице Общие есть еще одна полезная вещь: возможность **изменить размер экранного шрифта (масштаб)**. Если вы выбрали разрешение повыше, отчего экран стал вместительнее, но надписи оказались слишком мелкими, советую вместо установленного по умолчанию мелкого шрифта задать крупный.

У Висты система настройки экрана внешне изменилась довольно сильно. Там, щелкая по рабочему столу правой кнопкой мышки, вы должны выбрать команду Персонализация (Personalization). И окно этой пресонализации (что бы ни означало это загадочное отсутствующее в словарях слово) будет совсем иным. Но будет там команда Параметры дисплея, которая откроет почти такое же окно настроек, как на рисунке 2.87, так что частоту обновления вы поменять сумеете. А команда Изменить размер шрифта позволит и буквы сделать покрупнее.

Установка нового оборудования

Способность догадаться, что именно вы купили в компьютерном магазине и подключили к своему компьютеру, заложена в Windows изначально. Называется эта способность **Plug and Play** (подключи и работай). Но чтобы способность перешла в реальность, приходится бедному юзеру, вот именно, поработать. Иной раз, крепко поработать.

А иной раз и пальцем шевельнуть не успеет, как все уж готово, накрыто и кушать просят: из области уведомления всплывет сообщение о том, что обнаружено новое устройство, а потом и о том, что оно успешно подключено. Можно работать.

Вот так без особых проблем включаются в работу некоторые USB-устройства (цифровые фотоаппараты или флэш-карты), некоторые стандартные мониторы, модемы и т. п. Но не вполне стандартные модемы и мониторы без своих «родных» драйверов будут работать вполовину своих возможностей. Жесткие диски, CD- и DVD-приводы не требуют установки «дров», а скоростной жесткий диск стандарта SATA не заработает, если нет драйвера – только не для него самого, а для соответствующего устройства управления (контроллера). Устройство такое может быть частью материнской платы (встроенный контроллер), а может устанавливаться отдельно.

Короче говоря, если устройство не установилось автоматически, надо взять компакт-диск или дискетку, которые пришли в комплекте с этим устройством, и **запустить оттуда установку драйвера**[1]. Проработает программа установки, система, возможно, захочет перезагрузиться, а потом вы получите новое работоспособное устройство.

Если же устройство досталось вам без драйверов или же его драйверы устарели и не подходят к вашей версии операционной системы, при-

---

[1] Иногда с устройствами, кроме драйвера, приходят какие-то программы. Их ставить необязательно. Важно не спутать одно с другим.

дется вам съездить «за дровами» самостоятельно. У каждого серьезного производителя «железа» есть свой сайт. Чаще всего он имеет интернетовский адрес www.фирма.com (например, www.creative.com или www.intel.com). Но иногда по такому адресу оказывается сайт совсем другой фирмы с таким же названием. Например, у фирмы Genius, выпускающей беспроводные мышки и клавки, сайт имеет адрес www.geniusnet.com, а по адресу www.genius.com находится совсем другая компания (но тоже гениальная). В таком случае искать сайт приходится при помощи интернетовских систем поиска (см. главу «Найти и не сдаваться!» в разделе 7).

Нужный нам раздел сайта обычно называется Поддержка (Support), Поддержка и драйверы (Support and Drivers) или как-то вроде этого. Иногда приходится заходить еще и в подраздел Загрузка файлов (Download) или Драйверы (Drivers). Все зависит от того, как именно выпендрились разработчики сайта, насколько запутанную или, наоборот, простую структуру сайта они придумали[1].

Останется отыскать свою модель (посмотрите в паспорте ее точное наименование или почитайте маркировку непосредственно на самом устройстве), выбрать версию драйвера для той операционной системы, в которой вы работаете (драйвер для Windows XP может не подойти к Windows Vista и наверняка не подойдет для Windows 98), и скачать «дрова», щелкнув по ссылке. Вас попросят указать, куда положить файл, и скачивание начнется.

Если драйвер приехал в zip-архиве, надо будет его оттуда достать. И запустить установку.

Но из интернета иной раз можно притащить именно одни только дрова, без «автопогрузчика» (инсталлятора). Да и на фирменной дискетке могут оказаться одни только драйверы. Как их поставить?

Отправимся в панель управления Windows и применим по назначению программу-мастер Установка оборудования (Add New Hardware). Диалоговые окна, которые выдает этот мастер, их количество и особенно порядок довольно сильно менялись от одной версии Windows к другой. Как обычно, мы будем разбираться с работой программы на основе варианта Windows XP.

Сперва мастер представится, скажет: «Я мастер! Дайте я вам все сделаю лучше всех!» И предложит нажать кнопку Далее >.

Потом посмотрит, какие имеются подключенные, но не настроенные устройства, и если найдет что-то такое, попытается установить

---

[1] Если производитель тайваньский или китайский, вполне можно угодить на сайт с иероглифами вместо букв. Ищите на этом сайте список других языков или переключатель English.

драйвер. Скорее всего, в системе походящего драйвера нет, иначе все подключилось бы само, и никакой мастер не понадобился бы. Убедившись в этом, мастер попросит вставить диск с «родным» драйвером или найти этот драйвер на винчестере. Укажете ему соответствующее место, и он вам все установит.

Но если «случилось страшное» – устройство подключить не удалось, запускайте справочную систему Windows, а в ней раздел Устранение неполадок (Troubleshooting). И прочтите, наконец, эту проклятую инструкцию![1]

Сбои и зависания

Досадная вещь зависание! Иногда во время работы вдруг виснет какая-то программа, а то зависание происходит в момент запуска программы или при выходе из нее. И висит, действительно, как «груша – нельзя скушать».

Компьютер практически перестает реагировать на нажатие клавиш. Работали, работали, и вдруг – оп! Приехали. Начинаете часто и беспорядочно жать на клавиши в тщетной попытке докричаться, но не докричитесь. Машина ваша может лишь вяло попискивать, как лабораторная мышь в последней стадии эксперимента. Мышь компьютерная превращается из стрелочки в песочные часы (⧗) или в крутящуюся баранку (◯)[2]. При этом она может продолжать ползать по экрану (как контрольный экземпляр), но выйти из зависания никак не помогает. Порой дохнет и она: часики торчат посреди экрана – и ни с места.

С этими вещами придется смириться. Windows 9x просто не может не зависать хотя бы иногда. Так уж эта система устроена. Иной раз даже XP или Висту удается загнать в такое безответное состояние.

Windows сбивается, когда не хватает памяти на все запущенные программы и загруженные в них файлы, на все открытые окошки, значочки и картиночки. Или когда программа конфликтует с каким-нибудь драйвером (или – лично с вами!). Или когда программа была некорректно удалена. Или криво установилась. Или она – бета-версия (тестовая

---

[1] На сетевом наречии это называется RTFM – «Read this fukin' manual!»

[2] Вообще такой вид курсора означает только то, что система занята каким-то неотложным делом. Плохо только, что занятость ее никак не кончается. У песочных часов есть еще одна разновидность – со стрелочкой (⧗). Этот вид курсора тоже означает, что система занята, но не на 100 %. Можно продолжать работу. Разрешается даже запускать программы.

версия, неготовая), или, хуже того, альфа (совсем сырая, сугубо предварительная). Или из-за «кривых» драйверов какого-то устройства (дефектных, поврежденных, не подходящих к данной версии системы или к установленным обновлениям Windows). Короче, черт их разберет. И предугадать сложно.

И потом «юзер» – человек, а машина – дура железная, мы с вами всегда сумеем поставить ее в тупик так, что она рот откроет от изумления.

Можно попытаться вспомнить, что и в каком порядке вы запускали, и если подобный порядок запуска программ ведет к сбоям, попытаться такую ситуацию впредь исключить. Но гарантий все равно нет.

Как поступать в этой ситуации? Точнее, «в этих ситуациях», потому что сбой сбою рознь: бывают тяжелые случаи, когда только нажатие кнопки Reset на корпусе компьютера способно радикально решить проблему, а бывают случаи полегче, когда работоспособность системы удается сохранить и после сбоя.

Давайте же обсудим, что и как делать, начиная с относительно легких случаев и кончая безнадежными и ресетом.

Работающая программа вдруг, ни с того ни с сего, вызывает ошибку в системе (о чем последняя немедленно и сообщает) и вываливается, даже не сохранив на диск файлы, с которыми вы работаете уже часок-другой[1]. Причины сего установить бывает сложно. Сообщения Windows на этот счет, может, и понятны каким-нибудь ученым людям, но рядовому и даже продвинутому пользователю абсолютно ни о чем не говорят.

Многие предпочитают после такого сбоя перезагрузиться или хотя бы запустить новый сеанс работы с Windows. Возможно, они правы. Впрочем, иногда работа после такого сбоя продолжается нормально (в NT почти всегда), просто нужно быть особенно бдительным при повторном запуске такой нашкодившей программки.

Бывает и другая ситуация: программа вроде бы и не вылетела, но нельзя сказать, что работает. «– Том! – Нет ответа!»[2]. Минуту нет ответа, две, три. При этом другие программы могут прекрасненько работать, а в эту не удастся даже перейти – ни щелчком по кнопке в панели задач, ни по Alt-Tab. Просто не открывается окно – и все. Зависла программа.

---

[1] А вы почаще их сохраняйте! Ctrl-S – и свободен!..

[2] Марк Твен, «Приключения Тома Сойера», самая первая страница.

Ну, висела бы себе программа, и ладно. Так нет: в иных случаях она начинает мешать и остальным программам, а главное – системе.

Что же делать?

Попытаться снять такой, как выражаются следователи, «висяк».

В этом деле нам поможет программа под названием **Диспетчер задач**. Нажмем комбинацию из трех клавиш **Ctrl-Shift-Esc** – появится такое окно, как на рисунке 2.90[1]. Здесь перечислены все запущенные к данному моменту программы (они же **приложения**). Если в какой-то строке написано, кроме названия программы, еще и Не отвечает, причем написано достаточно давно – значит, вот эта самая программа и висит.

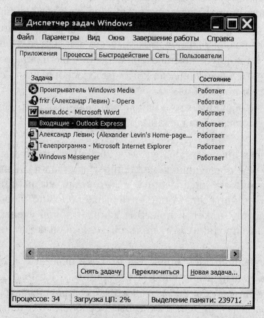

Рис. 2.90. Диспетчер задач, страница Приложения

Встаньте мышью в эту строку и нажмите кнопку Завершить задачу (End Task). Или просто дважды щелкните по строке программы. Если система сумеет, она ее снимет.

У вас запросят подтверждение на снятие, а потом программы не станет – шлеп и нету. Но появляется окошко запроса не сразу, а с некото-

---

[1] В Windows 9x окно называется иначе – Завершение работы программы. И для попадания в него используется другая комбинация – Ctrl-Alt-Del. В XP, кстати, ею тоже можно пользоваться.

рой задержкой, иногда довольно большой. В заголовке будет стоять имя программы, которую система пытается снять.

В системах 9x имеет смысл после этого закончить все текущие операции, сохранить все файлы, которые были загружены в редакторы, и перезагрузиться. Или хотя бы начать новый сеанс Windows. В XP и Висте это не требуется.

В 9x случается и такая ситуация: программа слетела — самопроизвольно завершилась, — а из списка не исчезает. Иногда из-за этого не удается запустить ее вновь (такие программы не позволяют запускать две свои копии, ругаются). Двойной щелчок по ее строке — и путь открыт.

Но, увы, метод этот действует далеко не всегда. Крепко подвисшие программы на него просто не реагируют — закрываешь ее, закрываешь, а она все не закрывается! Нужны средства помощнее, поэкстремальнее. В системах 9x средство это нам известно, хоть и не слишком приятно: перезагрузка. В XP и Висте есть кое-что получше.

Перейдем в диспетчере задач на вкладку Процессы (рис. 2.91). Как видите, **процессов** запущено гораздо больше, чем приложений. Во-первых, одна программа иной раз запускает несколько процессов. В-вторых, тут есть не только процессы запущенных нами программ, но и процессы программ, которые запускаются автоматически при старте компьютера (например, антивирус). А в-третьих, тут мы видим работу различных системных программ. А их, как выясняется, тоже немало.

В качестве имени процесса пишется уже не название программы, а имя exe-файла, которым этот процесс был запущен. Можно отсортировать процессы по их хозяину (щелкнув мышкой по заголовку столбца Имя пользователя), и тогда мы увидим, что к «нашим» процессам может относиться WINWORD.EXE (текстовый редактор Microsoft Word), msimn. exe (почтовая программа Outlook Express), IEXPLORE.EXE (браузер Internet Explorer) и даже explorer.exe — проводник Windows Explorer, которого мы сами, вообще-то, не запускали, и тем не менее он считается нашим, пользовательским процессом, так что вполне будет нас слушаться.

Если же в качестве хозяина фигурирует SYSTEM (система), LOCAL SERVICE (сервисы локального компьютер) или NETWORK SERVICE (сетевые и интернетовские сервисы), то речь идет о процессах, которыми управляет операционная система и которые нам с вами непосредственно не подчиняются.

Свой процесс (приложение) можно снять, когда нам этого захочется, а вот системные поддаются редко. Некоторыми система распоряжается вообще единолично — снимать их не дает. А некоторые дает снять,

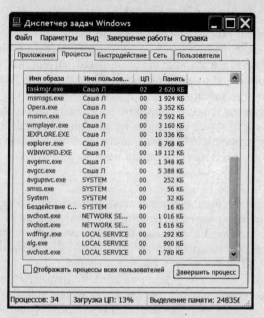

Рис. 2.91. Диспетчер задач, страница Процессы

но результаты будут самые непредсказуемые и почти всегда неприятные. Так что новичку делать это не рекомендуется. Новичок пользуется страницей Приложения, чтобы снимать зависшие программы. И только если программа сниматься не желает, переходит на страницу Процессы и отыскивает там ее процесс. Надо знать имя запускающего файла.

...А можно и не знать! Если на странице Приложения щелкнуть правой кнопкой мышки по строке зависшей программы, то мы получим контекстное меню, в самом низу которого окажется команда **Перейти к процессам**. Она, во-первых, перекинет нас на страницу Процессы, а во-вторых, сразу же и поставит на нужный процесс! Вот ей спасибо большое!

Останется только щелкнуть по кнопке Завершить процесс, а потом еще подтвердить свое намерение снять зависшую программу, невзирая на строгое предупреждение системы (рис. 2.92). При снятии зависших программ в системах NT несохраненные данные и впрямь будут потеряны (а что поделаешь?), но нестабильной работы системы не бывает.

Вот если бы мы попытались системный процесс снять!.. Но мы же не самоубийцы?

Windows Explorer, управляющий панелью задач и меню Пуск, рабочим столом, окнами папок и дисков, тоже может зависнуть в результате какого-то сбоя. И частенько так именно и поступает (слабенький он в этом отношении). Проявляться это может в том, что отказывается работать панель задач, тогда как по Alt-Tab переход в другие программы происходит нормально.

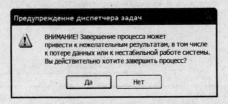

Рис. 2.92. Снимаем процесс. Система считает своим долгом предупредить нас о последствиях

Поскольку проводник относится к пользовательским процессам, мы можем просто снять его, коли уж он завис. Щелкнем по строке explorer. exe, а потом – по кнопке Завершить процесс. Панель задач вообще пропадет, закроются все окна папок и дисков, перестанет вызываться меню Пуск. Но работоспособность системы не нарушится. Вполне можно продолжать просматривать сайты, редактировать текст или обрабатывать фотографии!

Конечно, проводник слишком важная шишка, чтобы долго без него обходиться. Надо его как-то снова запустить. Как?

Тот же диспетчер задач нам и поможет (я тебя убил, я тебя и порожу... или породю?). В меню Файл у него есть команда Новая задача (Выполнить). Она выводит на экран окошко с одной строкой ввода (командную строку). Останется написать в ней explorer и нажать на ввод (Enter). Новенькая-свеженькая копия проводника запустится и о неприятностях можно будет позабыть. На какое-то время.

В системах 9х, где нет возможности снять процесс, приходится поступать иначе. Нажмете Ctrl-Alt-Del и дважды щелкнете по строке Explorer. Появится окно завершения работы Windows (не проводника, а именно системы!). Но не выбирайте в нем ни строку Выключить компьютер, ни строку Перезагрузить компьютер. Нажмите клавишу Esc или кнопку Отмена, чтобы все это отменить. Тем не менее через некоторое время Windows выдаст запрос на снятие Explorer'а, как на рисунке 2.93. Подтвердите, и программа будет снята, но тут же вновь и запущена.

Отдельный случай – «синие окна смерти». При определенных сбоях, обычно вызванных конфликтом драйвера с системой или с нестабильностью самой системы в результате сбоя, сообщение об ошибке выдается на синем экране белыми буквами.

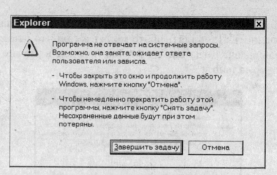

Рис. 2.93. Завис Explorer. Снять?

В XP и других системах из семейства NT иного выхода из этой ситуации нет, кроме перезагрузки. Иногда система сама перезагружается, иногда придется вам нажать кнопочку Reset на корпусе компьютера.

В 9x выход их синего окна имеется. Предлагается на выбор клавиша Enter или клавиша Esc. Enter что-то там подтверждает, а Esc от чего-то там отказывается. Не удастся подтвердить – откажитесь. Иногда выбор такой: Ctrl-Alt-Del или любая иная клавиша (и ждать неизвестно чего, может, оно у ней рассосется...). Результат, впрочем, чаще всего бывает один – перезагрузка.

Режимы запуска Windows

Кроме обычного запуска, у системы есть ряд специальных режимов включения, которые могут пригодиться в случае тех или иных неприятностей. Чтобы получить к ним доступ, надо перехватить момент старта операционной системы, не дать ей запуститься, попросить вместо запуска показать меню режимов. Как только машина при включении или перезагрузке пискнет, по черному экрану пойдут белые буквы и цифры с названиями моделей жестких дисков и прочего обнаруженного в компьютере железа, в этот самый момент и надо будет нажать спецклавишу **F8**.

Чтобы не пропустить то неуловимое мгновение, когда стартует Windows, многие начинают тыкать в клавишу F8 заранее. Обычно это помогает.

Так или иначе, вы увидите перед собой **меню режимов запуска**. Выбирать одну из строк здесь можно только с клавиатуры – в этот начальный период работы системы мышка еще, как говорится, «нихт функционирен». Переход между строками – клавишами ↑ и ↓, запуск Windows в выбранном варианте – клавишей Enter (ввод).

Что же тут для нас полезного?

• **Обычная загрузка Windows (Start Windows normally)** – это стандартный вариант загрузки. Именно он и выбирается, когда неисправностей нет.

• **Безопасный режим (Safe mode)** используется, когда что-то где-то испорчено, так что вам понадобится разбираться и принимать меры.

Система и сама может предложить нам загрузиться в безопасном режиме. Если в прошлый раз загрузка Windows не прошла до конца – система стартовала, а потом в какой-то стадии этого процесса зависла или ушла в перезагрузку, то в следующий раз она выдаст нам меню режимов и предложит загрузку в «сэйф-моде».

В безопасном режиме система обходит запуск всех драйверов, кроме стандартных и стократно проверенных. Не запускает программы из меню Автозагрузка. Все настройки и режимы работы выбираются такими, какими они должны быть по умолчанию, даже экран перескакивает в облегченный режим с разрешением 800×600 точек и упрощенным оформлением меню и окон. Все это позволит исключить влияние всяких «левых» программ и драйверов, а также ошибок шибко умного пользователя.

Например, после установки нового драйвера или новой программы система стала вываливаться на синий экран или вообще не может довести начальную загрузку до конца. Загрузитесь в «сэйф-моде» и верните нормальные настройки, удалите программу, которая мешает жить системе, поменяйте драйвер – уберите кривой да убогий, верните предыдущий.

Но если и после этого система виснет в нормальном режиме, а причину найти вы никак не можете (не помогает даже справка Windows, раздел Устранение неполадок), проще всего будет переустановить Windows (см. главу «Установка и переустановка Windows» в полной версии «Самоучителя»).

Когда же не доходит до конца загрузка и в безопасном режиме, это означает, что система сломана (переустановите!) или отказал компьютер (что менее вероятно, но и более неприятно). На всякий случай выключите компьютер, а потом сделайте еще пару попыток загрузиться в безопасном режиме. А потом вставьте компакт-диск с Windows и займитесь переустановкой.

• Строка **Загрузка последней удачной конфигурации (с работоспособными параметрами) (Last Known Good Configuration)** делает откат настроек системы на одну загрузку компьютера назад[1]. После

---

[1] В системах Windows 9x этой полезной строки не будет.

установки какого-то драйвера или программы, настолько кривобоких, что от них напрочь перестает грузиться система, воспользуйтесь этой строкой. Весьма вероятно, что после этого все проблемы как рукой снимет.

● Те, кто работает в локальной сети, могут использовать строку **Безопасный режим с загрузкой сетевых драйверов (Safe Mode with Networking)**, по которой компьютер загрузится в безопасном режиме, но с подключением к локальной сети. И тогда кто-то мудрый, сидящий на главном компьютере вашей сети, какой-то таинственный «системный администратор» починит вам все, что вы с таким трудом ломали целый месяц...

Справочная система Windows

Во многих (если не во всех) программах есть своя справочная система, и вызывается она клавишей **F1**. Windows не исключение.

Справка по системе вызывается клавишей F1 с рабочего стола и из проводника. Но если вы находитесь в другой программе (текстовом, графическом редакторе, браузере и т. п.), то вызовется *ее справка*.

На рисунке 2.94 показано главное окно справочной системы Windows XP. В левой части окна находится список тематических разделов справки, в правой – отдельные важные (по мнению разработчиков) темы.

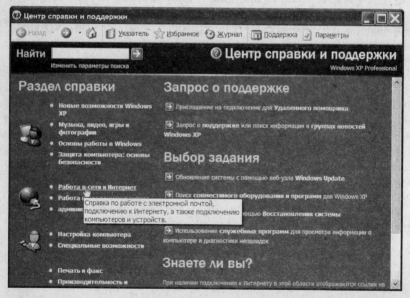

Рис. 2.94. Справочная система Windows XP: возможен просмотр по темам и поиск нужной информации

Когда вы подводите мышку к строке, она становится подчеркнутой, а стрелочка курсора превращается в мелкую такую ручонку, готовую ткнуть пальчиком в соответствующий раздел. Тем самым нам сообщают об активной роли данной надписи – о том, что по ней, и правда, можно щелкнуть мышью и что-то из этого выйдет.

Выйдет следующее: щелчок по строке раскрывает содержимое интересующего нас раздела справки. Такую организацию документов – с активными ссылками, ведущими на некоторые другие страницы, называют **гипертекстом**.

Справка устроена как разветвленное дерево тематических разделов-подразделов. Чтобы добраться до конкретной справочной статьи, надо сначала щелкнуть по названию раздела – получим список тем, по которым этот раздел собирается нас консультировать и морально поддерживать (рис. 2.95). Темы на левой панели организованы в виде иерархического дерева: щелкая по плюсикам, мы будем разворачивать нужную ветку и получать список более частных вопросов – подтем. Щелкнув по подтеме, справа увидим гипертекстовой список вопросов, которые в данной подтеме разъясняются. И только щелкнув справа по конкретному вопросу, получим, наконец, конкретные разъяснения (увы, не всегда в достаточной степени внятные и информативные).

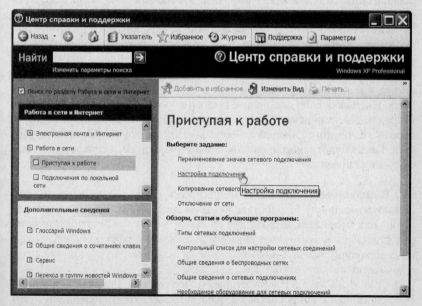

Рис. 2.95. Раздел справки со списком подразделов и конкретных вопросов

Интересно, что в тексте самих справочных статей тоже могут быть ссылки на другие статьи и разделы справки. Вы легко их узнаете, потому что все они будут подчеркнуты и набраны не черными, а синими буквами. Ссылки такие могут работать по-разному. Ссылки типа «см. также» по щелчку мышки выкидывают отдельное окошко со списком других статей на ту же тему – щелкнете по одной из них и прочитаете.

Но бывают ссылки и на компоненты Windows, запускающие, к примеру, какую-то настроечную утилиту из панели управления, чтобы вы могли, читая справку, сразу же произвести необходимую настройку. Или, хотя бы, посмотреть, как она делается. Отличительным знаком ссылки такого рода является значок ярлычка перед ссылкой.

Иногда сложные термины в статьях тоже подчеркивают, но красят в зеленый цвет. Щелкнув по такому термину, вы не перейдете на другую статью, а получите разъяснения прямо здесь – во всплывающей подсказке. Прочтете определение термина, взятое из словарика (глоссария) Windows, нажмете Esc и продолжите впитывать премудрость мира.

Есть и более быстрые способы добраться до справочной информации по нужной теме. Так, если вы хорошо понимаете, что именно хотите узнать, введите ключевые слова в строке Найти в левом верхнем углу окошка справки и нажмите Enter. На левой панели окна появится список страниц, на которых присутствуют эти ключевые слова.

Но тут, как и бывает всегда при поиске по словам и словосочетаниям, надо употреблять именно те выражения, которые употребляются в справке Windows. К примеру, желая получить полную информацию о клавиатурных комбинациях, используемых в Windows, вы можете написать в поисковой строке эти самые слова – «клавиатурные комбинации». Но, нажав Enter, вы, скорее всего, получите «0 результатов поиска» и предложение поискать другое слово, близкое по значению. А вот по словам «сочетания клавиш» найдете все, что на эту тему в справке имеется. Слева будет показан список найденных статей, а справа будете читать саму справку.

В диалоговых окнах многих программ (и не только из комплекта Windows) клавиша F1 работает немного иначе. Она выступает тут как локальная подсказка, выводящая на экран либо ту часть справки, которая относится к этому конкретному диалогу (в Vista), либо всплывающую справочку именно по выбранному в окне элементу – кнопке, переключателю, списку, строке ввода (в XP).

Для этого же в XP и некоторых более ранних системах применяется кнопка с вопросиком в строке заголовка окна (как на рис 2.96).

Кое-где можно воспользоваться также правой кнопкой мыши: щелкните ею по надписи, и вам расскажут, «что это такое».

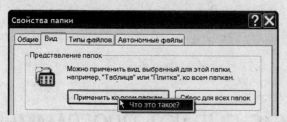

Рис. 2.96. Запрашиваем подсказку по кнопке при помощи правой кнопки мыши

А вот в Висте такие кнопочки редкость. Vista либо сама, без всяких дополнительных вопросов и кнопочек выдает всплывающую подсказку по элементу диалогового окна. Либо не выдает вообще ничего, никакой подсказки.

В справках более старых версий Windows (Windows 2000, Windows 98) были свои отличия. Свои особенности есть и в справочнике Висты.

В программах, которые могут встретиться вам на жизненном пути, могут попадаться справки разных типов – и такие, как в XP, и такие, как Висте, и даже такие, как в Windows 98. Все зависит от воли разработчиков и той программной среды, в которой они ваяли свою программу.

А иногда справки у программы вообще нет – один только файл readme.txt с текстовым описанием (хорошо еще, если по-русски!). Или справка есть, но лежит не у вас в компьютере, а на сайте разработчика: нет связи с интернетом, нет и справки!

3. КАКИЕ БЫВАЮТ ПРОГРАММЫ

Программы всякие нужны,
Программы всякие важны.

Что-то детское

Имя им легион. Обо всех даже не скажешь. Остается лишь перечислить самые распространенные их типы.

Программы для работы с текстами

Текстовые редакторы (или текст-процессоры) и издательские системы – это программы для набора, редактирования и подготовки к печати любых документов от маленькой заметки или договора на одну страничку до многотомной энциклопедии и цветного иллюстрированного журнала. Самый известный и распространенный текст-процессор – это Microsoft Word.

Новейшие версии текстовых редакторов по своим возможностям стоят уже довольно близко **к издательским системам (программам верстки)**, таким как Quark Xpress, PageMaker или InDesign. Задача таких программ – подготовить книгу, газету или журнал к печати в соответствии с самыми строгими полиграфическими требованиями. Пользуются ими в основном профессионалы издательского дела – дизайнеры, верстальщики.

Об издательских системах мы говорить в этой книге не будем, а вот о текст-процессоре Word поговорим подробно, поскольку значительная часть потребностей счастливого обладателя персонального компьютера связана именно с подготовкой и распечатыванием тех или иных бумаг.

Есть **программы-переводчики** – с английского, немецкого, французского и других языков на русский и обратно (например, переводчик PROMT). Такие программы обычно комплектуются специализированными словарями по разным областям человеческой деятельности, что позволяет значительно уменьшить астрономическое число стилевых и смысловых ляпов, характерное для машинных переводов. Программы эти уже сегодня могут реально помочь людям, не знающим иностранных языков или же знающим, но желающим сэкономить время при переводе текстов большого объема.

Электронные словари (Polyglossum, Lingvo) не претендуют на искусственный интеллект программ-переводчиков. Зато и не делают дурацких ошибок. Некоторые словари не только дают письменный перевод введенных вами слов и приводят примеры словоупотребления, но умеют проговаривать слова и целые выражения вслух, дабы мы поняли, как это слово произносится.

Очень удобны в быту «легкие» словари, не претендующие на полноту и объемность, зато быстрые и доступные мгновенно. Такой словарик может вам подсказать перевод слова при простом подведении мышки или по какой-нибудь редкой комбинации (вроде Ctrl-правого щелчка мышкой). Тут можно назвать словари Babylon, QDictionary или TranslateIt.

Отдельно, но в связи с текстовыми программами стоит упомянуть и о **программах распознавания образов** или **OCR-программах** (от Optical Character Recognition – оптическое распознавание символов). Благодаря им можно использовать сканер для ввода не только картинок, но и текстов.

Ввести текст как картинку просто, для этого годится любая сканерная программа (она может приходить в комплекте со сканером), многие графические редакторы снабжены соответствующей командой в меню. Но картинку нельзя редактировать как текст (в который нам разрешено вставить слово или вычеркнуть два), а кроме того, она занимает в десятки раз больше места на диске. OCR-программы умеют на картинке узнавать буквы и считывать с изображения текст.

Современные версии OCR-программ не просто считывают текст, но и определяют начертание – нормальное, курсивное, полужирное или подчеркнутое, – каким был набран тот или иной кусок, и воспроизводят эти шрифтовые выделения в выходном файле, понимают многоколонное расположение текста.

Лучшая OCR-программа в нашей стране – это FineReader, есть и зарубежные аналоги: OmniPage, Text Bridge, Read IRIS.

К сожалению, в этой книге не хватило места программам распознавания образов. Если вас эта тема интересует, почитайте раздел «Программы для работы с текстами» в «Самоучителе полезных программ». Там, кстати, будет и про словари, и про переводчики, и еще про некоторые программки.

Графические редакторы

Графических редакторов, «рисовалок», существует очень много. Есть мощные профессиональные программы, как, например, Adobe Photoshop, Adobe Illustrator, 3D Studio, CorelDraw – как правило, очень большие, с массой вспомогательных программ и всяческих дополнительных эффектов (за это их еще называют графическими пакетами – все в одном пакете). Есть и более простые, и совсем простые – вроде программы Paint из состава Windows.

Графические редакторы делятся на два главных типа – растровые и векторные.

Растровые рисуют изображение по точкам, то есть для каждой точки картинки отдельно заданы ее цвет и яркость. Тут можно назвать, например, Photoshop, Paintshop Pro, Paint. **Векторные** же (CorelDraw, Adobe Illustrator, встроенная «рисовалка» Ворда) рисуют сразу целую линию – дугу, отрезок прямой, а сложные линии представляются как совокупность таких дуг и отрезков.

У каждого из этих типов свои достоинства и свои недостатки, свои области применения. Векторные рисовалки используют в основном именно для рисования или для дизайна (создания графических элементов оформления в журнале или на фирменном бланке), тогда как растровые – чаще используются для обработки цифровых фотографии или сканированных изображений. Не зря в названиях их часто присутствует слово Photo (фотография).

Конечно, в растровых редакторах, вроде знаменитого Фотошопа, тоже можно рисовать, да еще как! – особенно при наличии графического планшета, который позволяет не мышкой рисовать, а почти настоящим карандашиком. Так что все границы тут довольно сильно размыты.

Особенно если учесть, что существуют и редакторы **смешанного типа**. В некоторых растровых редакторах могут встречаться элементы векторной графики (например, в Adobe Photoshop), и наоборот, в векторную рисовалку иной раз разрешается как отдельный фрагмент изображения вставлять растровую графику (как в CorelDraw последних версий).

Некоторые графические пакеты включают в себя **программы компьютерной анимации**, в том числе трехмерной, но лучше работают независимые анимационные программы. Маленькие мультики делают для оформления интернетовских страничек (анимированные кнопки и баннеры), большие – для презентаций, наглядных моделей, для кино и художественной анимации. Тут можно назвать AutoDesk Animator, 3D Studio, Macromedia Flash и Macromedia Shockware, Ulead GifAnimator.

Существует и отдельный класс программ для **обработки видео**, электронного видеомонтажа, создания титров, видеоэффектов и пр.

В комплект Windows Millennium, XP и Vista входит одна такая программа – Windows Movie Maker. Она позволит вам собрать фильм не только из отдельных видеофрагментов, но и создаст слайд-фильм из ваших рисунков или цифровых фотографий. Поможет наложить на фильм титры, добавит эффектные переходы от снимка к снимку или от видеофрагмента к другому и много еще чего сделает. Про эту программу я достаточно подробно написал в самоучителе по Windows Vista и XP.

Программы для работы со звуком

Существует два основных способа компьютерного представления музыки. Обычные записи (от симфонии для трех симфонических оркестров и двух академических хоров до записи лая вашей собачки) в компьютере представлены в форме **звуковых**, или **волновых** файлов. Основной стандарт здесь – **wave-файлы** (расширение wav). Весьма популярны также компрессированные (сжатые для уменьшения размера) файлы формата mp3, wma и др.

Другой тип звука в компьютере – **MIDI-файлы**[1] – представляет собой просто нотную запись музыки, которую вы сыграли на своем синтезаторе или специальной MIDI-клавиатуре и которую ваш компьютер записал в приемлемой для него форме. Но каким именно инструментом будет исполняться записанная партия – скрипкой или бубном, – зависит только

---

[1] От Musical Instrument Digital Interface – цифровой интерфейс музыкальных инструментов. Это общепринятый стандарт для связи синтезаторов и иных музыкальных инструментов с компьютером или между собой.

от примененного набора звуков (тембров). Звуки предоставит вам встроенный синтезатор вашей звуковой карты, а может быть электронный или программный синтезатор.

Звуковые файлы (особенно несжатые) имеют весьма серьезные размеры (хоть и поменьше, чем видео). Обрабатываются такие файлы **звуковыми редакторами** (Sound Forge, Adobe Audition, WaveLab). Звуковой редактор представляет собой программный аналог магнитофона, усиленного возможностями компьютерной обработки цифровых сигналов и набором разнообразных обработок звука (ревербератор, эквалайзер, компрессор и т. п.).

Звуковые редакторы могут быть многодорожечными (**мультитрековыми**). Тогда это уже, считай, домашняя студия звукозаписи. На каждой из дорожек записывается партия какого-то инструмента или певца, а потом проигрывается все вместе, более или менее стройным хором. При этом каждую из дорожек такого редактора можно редактировать совершенно независимо от других: резать на части, заменять неудачно сыгранные и спетые куски спетыми и сыгранными удачно, обрабатывать звуковыми эффектами.

Очень часто такие редакторы позволяют использовать живой звук совместно с MIDI-партиями. Лучшие программы этого типа – Cakewalk Sonar, Steinberg Cubase и Steinberg Nuendo.

На самом деле, среди музыкальных программ еще много всякого интересного софта. Тут и **диджейские программы**, позволяющие создавать танцевальные миксы или программы для радиостанций. И **программные синтезаторы**, которые позволят наполнить ноты MIDI-партий роскошным звуком дорогих электронных синтезаторов и сэмплеров. И конечно, **программы-конвертеры**, которые позволят вам переводить звук из одного формата в другой – например, взять запись с обычного компакт-диска и переделать в MP3 для прослушивания в плеере или размещения на сайте.

В этой книге у нас не будет возможности подробно остановиться на программах всех перечисленных типов, кроме разве что простенькой звукозаписи. Всех заинтересованных лиц отсылаю ко второй части «Самоучителя компьютерной графики и звука» или к «Самоучителю компьютерной музыки».

Базы данных, электронные таблицы, бухгалтерские программы

С точки зрения пользователя, **база данных** (data base) – это набор как бы бланков (точнее, электронных карточек), в которых есть постоянные элементы – заголовки некоторых подлежащих заполнению областей (полей) и переменные (содержимое этих полей). Например, набор бланков по учету кадров: в каждом из них поля одни и те же (фамилия, имя, отчество, должность, оклад, стаж работы, дата и год рождения, номер паспорта и т. д.), а содержимое их меняется.

В одной базе данных можно иметь «карточки» (формы) разных типов – например, карточки учета сотрудников, заработной платы по месяцам или по подразделениям, списки заданий для этих сотрудников, реквизиты контрактов, карточки товара с ценами, артикулами, штрих-кодами и что там еще?..

Создание (программирование) всех этих прелестных штучек и работа с ними осуществляется при помощи **систем управления базами данных** (**СУБД**, в англоязычной литературе это называется – DBMS), таких как Access из комплекта Microsoft Office, Delphi или dBase.

Разными фирмами изготовляются и продаются готовые базы данных по разным областям знаний, экономике и праву. Такую базу не надо программировать или заполнять. Берете и пользуетесь. Но можете и пополнять, если захотите. Скажем, база данных по законодательству, включающая нормативные документы, уголовное и гражданское право, таможенное, страховое и жилищное законодательство и, конечно, налоговый кодекс со всеми поправками и комментариями. Заходите в нее, выбираете тему – скажем, страхование, – смотрите все относящиеся к ней законы-указы-положения-нормативные акты или что там еще бывает...

К базам данных вплотную примыкают **электронные таблицы** (spreadsheet). Назвать тут можно прежде всего Excel из комплекта Microsoft Office. По виду это действительно таблицы, дополненные возможностью вести довольно сложные вычисления. Вы сами задаете способ вычисления значений в том или ином столбце (например, перемножение данных из двух других столбцов и взятие от результата процента, заданного в третьем). Меняя данные в таблице, меняете сразу же и результат.

По любым строкам, столбцам или иным группам данных из таблицы можно быстро построить график или диаграмму.

Отдельный обширный класс программных продуктов – финансовые, банковские, бухгалтерские программы, программы для ведения офисной документации, программы планирования финансовой, коммерческой и производственной деятельности (1С: Бухгалтерия и др.). Люди, которые планируют работы по серьезному проекту, ведут учет кадров и общую бухгалтерию, товарно-материальный учет и учет основных средств, оформляют приходные и расходные ордера, платежки, рассчитывают зарплату и прочее, и прочее, и прочее, без сомнения, должны освоить бухгалтерские и деловые программы[1]. Конечно, придется узнать много нового и потратить на это немало сил, но когда операцию, которая раньше занимала у вас неделю напряженного труда, машина сделает за пятнадцать минут, вы поймете, что силы потрачены не зря.

Телекоммуникационные программы

Коммуникационные программы нужны для того, чтобы нам с вами имело смысл покупать модем или факс-модем, подключаться к интернету.

Самыми распространенными программами этого типа являются **браузеры (обозреватели)** – программы для прогулок по интернету. Что такое интернет, объяснять никому не нужно (а если нужно, читайте седьмой раздел этой книги). Наиболее популярен в мире браузер Microsoft Internet Explorer. Немало поклонников и у отличных браузеров Opera и FireFox.

Для ведения электронной переписки предназначены **почтовые программы** (мэйлеры, от e-mail). В Windows XP и некоторых более ранних системах используется программа Outlook Express. В Висте практически такая же программа называется без затей – почтой Windows. Есть и независимые почтовые программы, например The Bat!

Для непосредственного общения через сеть существуют особые программы: ICQ, QIP, Trillian, mIRC, Windows Messenger (переписка в реальном времени), Skype, тот же Windows Messenger (разговоры через сеть голосом) и т. д.

О браузерах и почтальонах у нас будет обстоятельный разговор в последней части этой книги. А в «Самоучителе полезных программ» вы сможете прочесть об ICQ, QIP и Skype.

Последняя программа интересна еще и тем, что позволяет звонить с компьютера на обычный телефон в любой стране мира. Правда, в отличие от разговоров с компьютера на компьютер эта услуга стоит денег. Но цена такого разговора копеечная. Во всяком случае, гораздо дешевле, чем звонить по обычному телефону или, тем более, по мобильнику.

Еще кое-какие программы

Сапожник без сапог – это не о программистах. Для нужд собратьев по профессии – от молодых и зеленых до самых что ни на есть зубров –

---

[1] Или назначить девушку, которая их освоит.

созданы удобные **программные оболочки для написания программ** на разных языках программирования. В них можно со всем комфортом писать и отлаживать программы, и для этого понаделано множество разных синтаксических анализаторов, отладчиков, трансляторов и компиляторов, трассировщиков. Можете писать программу, а оболочка будет поправлять за вами ошибки, давать советы, выполнять вашу программу по одной команде, показывая на каждом шаге все переменные и состояние регистров процессора. Вечный кайф, кто понимает.

По каждому из известных языков программирования существует несколько оболочек, выполненных в разное время, иногда даже разными фирмами. Для Бейсика – Quick Basic (старая досовская оболочка), Visual Basic (оболочка для Windows), для Паскаля – Borland Pascal, Turbo Pascal, для C++ – Borland C++, Turbo C++, Visual C++, Symantec C++.

Многие научные работники и студенты активно пользуются в своей работе **математическими программами** типа MathLab, MatCad или Mathematica, которые предназначены для решения уравнений и систем уравнений, построения разного рода графиков и формул.

В качестве дополнительного средства в Microsoft Word имеется редактор формул (Equation Editor). Этот редактор никаких вычислений не производит, зато позволяет вводить в текстовый документ и распечатывать что-нибудь этакое:

$$\int_0^\infty \sqrt{\sum \left(f(x) + \lambda_k \right)}\, dx.$$

К классу **служебных (сервисных) программ** относятся разнообразные программы для поддержания работоспособности компьютера – тестовые, настроечные, программы для устранения тех или иных неисправностей оборудования и операционной системы.

Серьезных программных комплексов и отдельных утилит такого рода создано огромное количество. Большинство бесплатных программ, существующих в мире, – это именно сервисные утилиты. Кое-какие из них будут рассмотрены в последующих разделах этой книги, а что-то останется и для «Самоучителя полезных программ».

Очень существенный класс программ – **программные комплексы для компьютерного конструирования** как отдельных деталей и узлов, так и целых машин, механизмов, электронных схем, технологических линий – чего угодно. Часто это весьма громоздкие и требующие больших аппаратных ресурсов пакеты программ, состоящие из ряда отдельных блоков – для конструирования, для графического моделирования и отображения на экране, для математического обсчета параметров, для составления по модели технологической документации, чертежей или даже – минуя «бумажную» стадию – программы для станка с числовым программным управлением. Тут в первую очередь надо упомянуть пакет AutoCAD.

Существует множество **развивающих** и **обучающих программ** (по физике-химии-математике- истории-литературе-иностранным-и-родным языкам), мультимедиа-энциклопедий (разного рода справочников, атласов, путеводителей, альбомов с фото- и видеоизображениями, с музыкой и сопроводительным текстом, который приятными голосами читают дикторы), а также программ-музеев (собрание картин, скульптуры, оружия, ювелирных украшений, памятников архитектуры), программ-тренажеров (для обучения машинописи, вождению автомобиля или самолета), программ для тестирования профессиональных способностей человека и психологической совместимости коллектива. Есть программы для работы с географическими картами и программы-планетарии, программы для определения времени на проезд из одной точки города в другую и программы для ведения домашних дел, программы для подготовки к сдаче экзаменов в ГАИ и программы медицинского применения. Есть программы для малышей, не умеющих даже читать и писать, а есть – для ученых и экспертов.

Да мало ли чего еще напридумали хитроумные программисты. А сколько еще напридумают! И все это будет вам доступно, если вы освоите компьютер хотя бы настолько, чтобы не бояться его, не бояться того нового, что он несет с собой, новых понятий, новых программ, нового образа жизни.

Пакеты программ

Весьма популярная вещь – **офисные пакеты**. Обычно это комплекс полностью совместимых между собой программ на все случаи офисной жизни (кроме разборок и наездов, конечно), призванный составить для пользователя единую в своей основе комфортную производственную среду. К примеру, в состав офисного пакета Microsoft Office входят:

текст-процессор Word, электронные таблицы Excel, СУБД Access, программа подготовки компьютерных презентаций Power Point, программа-планировщик рабочего времени Outlook (календарь-ежедневник, плюс телефонные книжки, плюс электронная почта, плюс еще кое-что), графический редактор PhotoEditor. Кроме того, в программы этого пакета интегрированы векторная рисовалка, редактор формул, редактор фигурных надписей и многое другое.

Чтобы вы не подумали, что в моей книжке речь пойдет только о продуктах фирмы Microsoft, вот вам другой продукт – бесплатный пакет OpenOffice. В него включены текстовый редактор Writer, программа электронных таблиц Calc, программа для создания презентаций Impress, графический редактор Draw, редактор веб-страниц, среда программирования Basic и т. п.

А компания Google разместила свой офисный пакет (табличный и текстовый редакторы) на сайте в интернете[1]. На том же сайте можно хранить и созданные в редакторах документы, так что работать с ними можно на любом компьютере, хоть из интернет-кафе, хоть из другого города.

Существуют и иные комплекты программ, сформированные для более узких целей, но и более профессиональные. Например, **графические пакеты**, в состав которых может входить векторная рисовалка, растровая рисовалка, сканерная программа, программа для построения графиков и диаграмм, аниматор, дополнительные «примочки» с эффектами и фильтрами, разнообразные программы-конвертеры и проч.

Характерный пример – известный многим пакет CorelDraw, в десятой версии включающий в себя, помимо векторной рисовалки Corel-Draw, также достаточно мощную растровую рисовалку Corel PhotoPaint, программу анимации Corel R.A.V.E., программу для преобразования растровой графики в векторную Corel Capture, программу создания натуралистичных растровых поверхностей Corel Texture и т. д.

В виде пакетов могут распространяться программы компьютерного моделирования и проектирования, программы для бизнеса и т. п. Да и сама система Windows, если внимательно посмотреть, представляет собой неслабого размера пакетик со множеством конфеток, баранок, сосучек и тянучек от доброго дедушки Майкро Софтуса.

---

[1] См. табл. 2 в приложении.

Игры

Играть в компьютерные игры – занятие увлекательное и засасывающее. Некоторые люди, именующие себя геймерами, способны сидеть часами, стараясь правильно уложить кирпичики в Тетрисе, сутками осваивать сказочное пространство какой-нибудь непонятной Кирандии, неделями бродить по замкам, полным привидений, месяцами строить города на неизвестных планетах, годами палить из всех видов оружия в Думе (не в Госдуме, а в Doom'е).

Есть игры, в которые играют целыми командами, – в локальной сети или на каком-то сервере в интернете. Члены фанатеющей группы могут быть из одного института или банка, а могут – из разных стран мира, что, однако, не мешает им совместно рубиться в Duke Nukem, Quake или в Diablo и по-своему полноценно общаться.

Во все игры не переиграть и всех игр не перечислить, поэтому я лишь коротко упомяну основные их типы.

• Игры типа «стреляй-беги» или «бей все, что движется» – любимые игры младших школьников и некоторых старших. Вариаций множество – от самых простых и незатейливых, вроде Короля-Льва или Аладдина, до самых навороченных, с объемной (3D) графикой. Есть игры с простой стрельбой (пистолет, автомат), а есть с фантастической (бластеры-фигастеры), есть – с драками («каратешки» – Mortal Combat). Во всех этих играх важна быстрота реакции, приходится все время лупить не только по врагам, но и по клавишам, что для них (клавиш) порой кончается плохо. Лучше пользоваться джойстиком, подключаемым чаще всего на разъем звуковой карты. Или игровой приставкой вместо компьютера.

Обычные игры этого типа называют **аркадами**, а трехмерные – **3D-Action** («три-де-экшн»). Вместо легкомысленного слова «стрелялка» геймеры употребляют непонятное для непосвященных, а потому более крутое слово **шутер** (shooter). Впрочем, означает оно в точности то же самое – стрелялка.

Делят стрелялки и еще по одному принципу: кто в них главный герой. Если герой вы и игровой мир вы видите глазами своего персонажа, то это называется **FPS** (first person shooter – стрелялка от первого лица). Перед вами все время руки этого персонажа, сжимающие бластер-фигастер, а врагов и чудищ вы созерцаете в основном через прорезь прицела. Оттого и рожи у них такие зверские.

Игры от третьего лица называются **TPS** (third person shooter). Здесь главного игрока, героя, показывают вам со стороны – сзади, сбоку, сверху, только что не изнутри.

Самые известные и любимые в мире стрелялки – Doom, Quake, Duke Nukem 3D, Half-Life, CounterStrike. К ним постоянно выпускаются дополнения (патчи), которые добавляют в игру новые сцены (уровни), вводят новые типы монстриков, штампуются все новые версии.

• Игры-тренажеры (**симуляторы**): разного рода гонки, военные и космические игры. Обычно в них игрок как бы сидит в кабине самолета или автомобиля с экранами, рычагами и кнопками. Конечно, ездить в таких автомобилях и летать в таких самолетах попроще, чем в настоящих. Но вкус почувствовать можно.

Больше всего понаделано игр-автогонок (The Need For Speed, Driver, Grand Theft Auto) и самолетных симуляторов (Microsoft Flight Simulator F19, F29, MIF29), но есть и вертолетные бои (Comanche, KA52), и даже космические корабли и роботы (Universal Combat, Mechwarrior, X2, The Divine, Rebel Assault, Wing Commander).

В симуляторах тоже важна быстрая реакция, поскольку езда и полеты идут с довольно высокой скоростью, а бой – вообще дело для проворных.

• **Спортивные симуляторы** (NBA, FIFA, NHL, Box) – имитации спортивных соревнований по футболу, баскетболу, хоккею и проч. Правда, управление таким сложным объектом, как боксирующий или играющий в футбол человек, пока не очень удается программистам. Да и пользоваться для этого мышкой, клавой или джойстиком не очень-то сподручно. Поэтому игры этого типа большим спросом не пользуются.

• В стратегических играх (**стратегиях**) вы строите города, страны и даже целые планеты, управляя их развитием, строя дома и дороги, проводя электричество, облагая жителей и предприятия налогами, заключая союзы и объявляя войны. Главная цель – добывание неких важнейших ресурсов – энергии, «спайса», территорий, воды, денег – чего угодно...

В таких играх вы сами не участвуете в деятельности подчиненных вам территорий или планет. Работают другие, а вы их лидер и мозговой центр – король, президент, генерал, верховный маг.

С точки зрения правил совершения ходов стратегии делят на пошаговые (**TBS** – turn-based strategy), где ходы совершаются игроками строго по очереди, как в шахматах, и на стратегии реального времени (**RTS** – real-time strategy), где каждый игрок делает ход тогда, когда считает это нужным.

Самые известные стратегии: Warcraft, Starcraft, Age of Empires, Command & Conquer, Dune II (RTS), а также Heroes Of Might And Magic (TBS).

• Впрочем, есть и такая разновидность стратегий, в которых вы и сами немножко бегаете и стреляете. То есть отчасти это стрелялка, отчасти стратегия. Геймеры называют это **FPS** (First Person Strategy – стратегия от первого лица). Например, это может быть симулятор боевых роботов, в котором вы не только главнокомандующий, но и боец.

Самые известные игры такого типа Parkan, Urban Assault, Battlezone.

• Если в таком фантастическом мире вы не верховный властитель и даже не генерал, а рядовой участник – воин, маг, космический торговец, то это уже называют **ролевой игрой** или **RPG** (role playing game). А если кроме вас и компьютера в эту же игру на некоем интернетовском сервере играет еще тысяча (или сто тысяч) человек, то такие забавы называют уже многопользовательскими ролевыми играми: **MUG** (multi-user game) или **MMORPG** (Massively Multiplayer Online RPG – «очень многопользовательские» онлайновые ролевые игры).

В ролевой игре очень важно не только, каким персонажем вы играете (какие у него способности, сильный он или, наоборот... умный, воин или колдун), но и то, какое вы выбрали для него оружие и доспехи. У каждого вида оружия и доспеха свои тактико-технические данные, своя убойная сила, степень защиты и долговечность.

По мере развития игры ваш персонаж набирает очки. По достижении некоторого магического количества очков он приобретает следующую степень могущества и мастерства: становится сильнее, быстрее, может таскать одновременно больше всяких боевых или колдовских принадлежностей.

Сегодня самые популярные RPG – это Diablo, Everquest, Nox, Ultima Online или отечественный «Бойцовский клуб».

• Существует другая разновидность ролевых игр, где вы играете не одним персонажем, а небольшой командой, которую составляете сами. Тут большое значение имеет взаимодействие и взаимопомощь членов команды. Их индивидуальные качества должны дополнять качества других, чтобы команда могла побеждать врагов в самых разных ситуациях.

Среди игр этого типа можно назвать Wizardry, Final Fantasy, Might And Magic.

Вообще, стратегии и RPG – игры довольно сложные. Играют в них люди, которым нравится работать не столько руками, сколько головой. Младших школьников среди таких немного, а вот студентов и вполне взрослых людей полно.

• **Игры-приключения** – обычно это хитроумные красивые игры-сказки, ужастики-страшилки (Alone in The Dark), приключения (Indiana Jones), фантастика. У этих игр есть одно общее: вы часто не знаете истинной цели игры и тех средств, которыми ее следует добиваться. Вы бродите по миру, полному странных или вполне обыкновенных предметов, чье назначение вам неизвестно, и пытаетесь понять, что к чему. За это их и зовут бродилками, а также **квестами** (от английского quest – поиски).

Здесь все делается без спешки, вам дают время подумать, пройтись еще разок и обо всем догадаться. Ни в кого не надо палить (как правило), никого не надо бить ногами (почти никогда). Вам что-то сообщают в начале игры, а могут и промолчать. Вы щелкаете мышкой по предметам, и они начинают что-то вам объяснять о себе; ведете диалоги с незнакомцами и спутниками своих странствий, пытаясь уловить заключенную в их словах скрытую подсказку; проходите в какие-то двери, завладеваете какими-то предметами, которые неизвестно когда и для какой цели удастся применить (потом они непременно пригодятся, важно догадаться, как и когда)...

Думайте, пробуйте все, что взбредет в голову, прыгайте, бегайте по экрану, лезьте во все дыры, пытаясь усечь, что к чему, куда пойти, на что нажать, по какому месту стукнуть, какое заклинание произнести (или сыграть), и очень внимательно читайте всякого рода подсказки.

Квесты любят люди взрослые, спокойные, не любящие спешки и суеты. Говорят, девушкам тоже больше нравятся игры именно этого типа.

Самые известные квесты – The Legend Of Kyrandia, The Neverhood, The Mist, популярны также отечественные разработки – Штырлиц, Петька и Василий Иванович, Операция: Пластилин.

• «Настольные» и логические игры и головоломки предпочитают те, для кого игра не основное занятие в жизни, изредка перемежаемое учебой, работой, женитьбой и вдумчивым выпиванием очередной баночки «Пепси», а всего лишь краткий и необременительный отдых в офисе – способ провести несколько минут, пока шеф не вернулся и не заставил снова печатать свои идиотские письма. В офисах очень любят пасьянсы

(Solitaire, Косынка и т. п.), любят Тетрис и некоторые его разновидности с шариками или кубиками, а также Сапера, Lines, Jawbreaker.

Для более серьезного проведения досуга существуют и более серьезные игры – шахматы (Chess, Chessmaster и др.), карточные игры (PrefClub, Poker), шашки-реверси, нарды, калах.

К настольным относятся также игры типа бильярда. Например, Pinball, входящий в состав Windows.

Сегодня большинство продаваемых в нашей стране игр переведено на русский язык, что добавляет им интереса. Правда, качество переводов и профессионализм исполнителей не всегда оказываются на высоком уровне, ну да игроманы на это не обращают особого внимания. Существуют и вполне приличного уровня отечественные игры.

Графика в современных играх, как правило, рассчитана на хорошие мониторы и видеокарты с 64, 128 МБ памяти и даже выше, а «трехмерка» требует еще и приличного 3D-ускорителя. В игры включаются большие фрагменты видеофильмов или компьютерных мультфильмов. Все это сильно увеличивает их объем, а поэтому и распространяются они только на компакт-дисках. Да самих компактов в комплект игры может входить и два, и пять, а то и целый DVD...

То ли дело старые игры с простенькой VGA- или EGA-графикой! Они запросто помещались на одной, максимум двух дискетах, работали без звуковой карты – через пищалку... Эх, славные времена были! Детство человечества!

Устанавливаются игры так же, как и любые другие программы: на компакте для этого должен быть специальный файл, который обычно называется setup.exe или install.exe, находите его и запускаете. Впрочем, часто это не требуется: современные игры начинают сами процесс установки, едва только вы вставите в дисковод компакт-диск и он раскрутится.

Игра, задав вам те или иные вопросы, сама себя установит на диск. А какие-нибудь старенькие тетрисы-шметрисы приходится вручную копировать с дискет или с компакта на диск, а для запуска – отыскивать этой папке файл с расширением exe, com или bat и именем, напоминающим название игры.

На слабых компьютерах часто возникают проблемы с нехваткой оперативной памяти, отсутствием или несовместимостью звуковой карты, неподходящим типом монитора, из-за чего процесс установки игры может не дойти до конца. Ну, значит, не судьба...

4. НЕКОТОРЫЕ ПРОГРАММЫ ИЗ КОМПЛЕКТА WINDOWS

Очистка диска

По мере замусоривания диска свободное место на нем тает. Ставите какие-то программы и игрушки и забываете про них, в огромных количествах закачиваете в компьютер фотографии из своего цифровика и из интернета, скачиваете видеофильмы и мультики, читаете, ни о чем не думая, «живые журналы» сотен разных людей... А потом вдруг выясняется, что на диске осталось слишком мало места для жизнедеятельности системы. А заодно и для вас, как одного из ее обитателей.

Тут-то Windows вам и сообщает: пора, мол, произвести уборку (см. рис. 4.1). Стоит по этому сообщению щелкнуть, как запустится утилита **Очистка диска (Disk Cleanup)** и приступит к изысканию способов поубавить мусора.

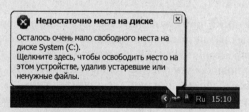

Рис. 4.1. Пора почистить диск!

Эта же утилита вызывается из папки служебных программ значком с символическим изображением метелки и винчестера. Запуская ее отсюда, вы должны будете указать, на каком именно диске будет производиться генеральное подметание.

Рис. 4.2. 623 МБ мусора можно удалить, нажав кнопку OK

Чистильщик просмотрит те папки на диске, которые ему доверено обслуживать, и определит, что там такого ненужного. О результатах будет доложено в таком, примерно, виде, как на рисунке 4.2. Здесь можно выбрать:

● будет ли наш «начальник очистки» стирать некие неиспользуемые программы, загруженные из интернета (из папки Windows/Downloaded Program Files);

● будет ли он стирать временные файлы интернета из затерявшейся в дебрях «документов и настроек» папочки Temporary Internet Files и им подобных;

● надо ли также чистить папки Temp для хранения временных файлов, создаваемых различными программами во время работы. Папки такие есть и в директории Windows, и в «документах и настройках». Временные файлы появляются обычно только на системном диске (том, где находится папка Windows), при очистке других дисков вам просто не покажут строк про загруженные программы, временные файлы интернета и просто временные файлы;

● а вот строчка про корзину (директорию Recycler) точно будет. Тут освобождается именно эта корзинка – с данного диска, остальных папок Recycler (на других дисках) чистильщик не тронет.

Короче, расставили галочки, жмем OK и получаем временное облегчение.

Проверка диска

Жесткий диск, винчестер – основное запоминающее устройство компьютера, главное хранилище информации. И хранилище это хрупкое. Его следует беречь, холить и лелеять, если, конечно, вам дороги данные, которые в нем хранятся. Если же нет, можете эту главу не читать. Можете также не обращать внимания на сбои файловой системы, вставлять и вынимать винчестер на мобил-рэке при включенном питании, ронять винчестер на пол с различной высоты, поливать горячим чаем, а если позволяет достаток, то и ликером Irish Cream. А для остальных я расскажу о программе для ухода за диском.

Структура данных на диске может быть нарушена по разным причинам. Чаще всего это происходит из-за сбоев системы или внезапного отключения питания в момент, когда диск производил запись. Нормальным образом завершить операцию записи не удается, а на диске появляются какие-то неполадки. Такой слегка поврежденный диск, в общем, не теряет работоспособности, но если неисправности на нем накапливаются, может и потерять.

На поверхности диска могут возникать дефекты и без каких-либо видимых причин – в результате технического брака. Какой-то участок перестает читаться, и все на нем записанное теряется. Особенно часто такая беда случается с дискетками. Хорошо бы за этим последить и, по возможности, принять меры.

Утилита Проверка диска как раз и предназначена для такого слежения и принятия мер. Она проверяет общую структуру данных, проверяет файлы и служебные области файловой системы. Кроме того, она может проверить всю поверхность диска на наличие сбойных участков, сектор за сектором, и попытаться все не испорченные данные со сбойных участков перенести на исправные. Сами же сбойные участки помечает специальным указателем (bad block – плохой блок), чтобы на это нехорошее место никакие программы уже ничего не пытались писать.

Запустить проверку диска можно из окна свойств диска (щелчок правой кнопкой мышки по диску в папке Мой компьютер, строка Свойства). Есть там вкладочка Сервис, а на ней – кнопка Выполнить проверку. На рисунке 4.3 вы видите простенькое окно утилиты проверки дисков: пара настроек да пара кнопок. Если не пометить первую строку – сразу нажать кнопку Запуск, то утилита только проверяет диск, но обнаруженных ошибок не исправляет. Смысла в этом большого нет, так что галочку надо поставить.

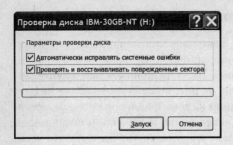

Рис. 4.3. Проверка дисков

Однако поставить удается не всегда. Для исправления системных ошибок нашему проверяльщику требуется единоличный (монопольный) доступ к диску, иначе бед не оберешься. Но если мы собрались проверить системный диск (тот, на котором находится папка Windows и персональные папки пользователей) или же покусились на другой диск, на котором имеются открытые файлы (например, в Word загружен файл, взятый именно с этого диска), то ни о каком монопольном доступе нельзя и помыслить.

Так что едва вы поставите галочку в строке Автоматически проверять системные ошибки, как вам выдадут сообщение, что работать нельзя, нету монопольного доступа. И предложат произвести проверку этого диска при следующем запуске системы (после выключения или перезагрузки). Можете разрешить, можете и отказаться, но тогда работать программка не станет.

Галочка в строке Проверять и восстанавливать поврежденные сектора (Scan for and attempt recovery of bad sector) позволит по окончании основной проверки запустить еще и проверку поверхности диска. Вторая операция требует заметно больше времени, чем первая.

В Висте, окончив свою работу, утилита проверки сообщит об этом и предложит показать нам подробности. В XP никаких подробностей нам даже не предлагают – сделают там себе чего-то, да и все.

Форматирование дисков

Пустой, неразмеченный диск ни на что не годен. В проводнике его показывают, но работать с ним нельзя. Вся необходимая для работы структура создается при разметке диска – **форматировании**. Жесткие диски в Windows XP и Vista форматируются при их первичном подключении и создании на них раздела[1]. И в дальнейшем их приходится форматировать только в случае какой-то неприятности. Например, после серьезного заражения вирусом.

---

[1] Для этого используется специальная программа – Диспетчер дисков (читайте главу «Управление дисками» в самоучителе по Windows XP и Vista или в полной версии самоучителя).

Дискеты и флэш-память продаются уже отформатированными, на них сразу же можно писать файлы. А вот дискеты б/у форматировать иногда приходится, если они совсем перестают читаться. После форматирования они, иной раз, чудесным образом оживают.

Вставим диск в дисковод, откроем Мой компьютер и, щелкнув по значку диска правой кнопкой мыши, выберем в контекстном меню строку Форматировать (Format). Получим такое окно, как на рисунке 4.4.

☞ Будьте внимательны при выборе диска для форматирования: если выберете не тот диск, затрете его вчистую! Обязательно подстрахуйтесь: посмотрите, что написано в строке заголовка: «Формат Диск 3,5 (A:)» или, например, «Формат System (C:)».

При форматировании дискеток во всех трех списках этого диалогового окна выбирать не из чего, в них окажется всего по одной строке – той самой, что и показана на нашем рисунке.

А вот при форматировании жестких дисков выбор будет. Например, можно будет выбрать **файловую систему**. В XP и Висте используется файловая система

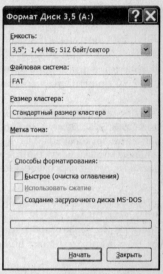

Рис. 4.4. Форматирование дискеты в Windows XP

NTFS, хорошая, надежная, защищенная от сбоев. Но Windows 9x с дисками в этой файловой системе не работает – просто не видит их. В 9x применяется другая файловая система **FAT32**[1].

Если же мы форматируем CD или DVD (такое возможно только в Windows Vista), то выбрать надо будет файловую систему **UDF**, тогда вы сможете напрямую писать и дописывать данные на диск, стирать ненужные файлы и т. п.

Но тут надо определиться с вопросом о том, где вы собираетесь читать записанный таким образом диск. Если только в своем собственном компьютере с системой Vista (например, для того, чтобы периодически создавать копии своих текстов, фотографий и иных самых дорогих сердцу файлов), это одна ситуация. Если желательно иметь возможность

---

[1] Маленькие диски (размером менее 2 ГБ) можно также форматировать в файловой системе FAT, которую понимают даже компьютеры с операционными системами MacOS и Linux.

прочитать данные с этого диска и на компьютерах с Windows XP – другая. А если еще и Макинтоши с Линуксами требуется охватить – то третья...

При форматировании CD и DVD в списке **Файловая система** у вас будет четыре строки, обозначающие различные редакции файловой системы UDF. На компьютерах с Windows XP и Windows 2000 будет нормально читаться диск в относительно старой версии файловой системы UDF 1.50. Системы UDF 2.00 и UDF 2.01 – более новые, XP и Виста, как сейчас говорят, «при делах», а Windows 2000 – «отдыхает». По умолчанию форматирование происходит как раз в UDF 2.01. Ну, и новая редакция UDF 2.50 понятна только компьютерам с Windows Vista.

☞ Диски в файловой системе UDF устроены совершенно не так, как обычные CD и DVD. Даже и не надейтесь, что записав на такой диск mp3-музыку или иные звуковые файлы, вы сможете читать их в переносном плеере, домашнем музыкальном центре или в DVD-плеере. Для этих целей нужна запись диска традиционного формата (ISO), о чем – в следующей главе.

Следующий пункт в окне форматирования – **Метка тома**. Для жесткого диска и CD/DVD тут надо ввести что-нибудь осмысленное, а для дискеты не обязательно: в отличие от метки винчестера и компакт-диска, метка дискеты даже не показывается в проводнике.

Две существенные настройки есть в нижней секции **Способы форматирования**. Тут можно поставить птицу в строке **Быстрое**, и тогда по нажатию кнопки **Начать** диск будет просто очищен от файлов, что займет совсем мало времени

Если же птицу не ставить, пойдет полное, более длительное форматирование – дорожка за дорожкой, сектор за сектором... Этот способ применяйте для чистых (не отформатированных) дисков и дискет, а также для дискет с серьезными сбоями.

Скажем, вы пытаетесь просмотреть содержимое дискеты, а система ругается, говорит, что, мол, дискетка ваша неисправна или «вааще не отформатирована!», хотя вы точно помните, что еще недавно на ней были какие-то файлы. Ну, умерла, так умерла – форматируем... Быстрое форматирование в этой ситуации может просто не пойти, а вот при полном, после того, как все служебные области и все дорожки будут размечены заново, дискетка, может быть, и оживет.

Но порой портится очень важная дорожка с номером 0, где располагается и область загрузки, и таблица размещения файлов, и корневая папка дискеты. Если программа сообщает вам о неисправности этой нулевой дорожки и на этом заканчивает свою работу, дискетку можно выкидывать.

Однако прежде проверьте ее на другом компьютере: вдруг неисправна не дискета, а дисковод! Такое тоже случается.

Ну, вроде все, параметры выбрали. Останется только щелкнуть по кнопке **Начать** и дождаться завершения форматирования. Процент выполнения операции показывается в графическом виде – полосочкой в нижней строке окна форматирования.

Запись CD и DVD

Работа с CD- и DVD-дисками, отформатированными в файловой системе UDF, – вещь для Windows новая. И к тому же, как мы поняли из предыдущей главы, у таких дисков есть немалые проблемы с совместимостью: ни в бытовой аудио- или видеоаппаратуре, ни в компьютерах со старыми версиями Windows прочитать их не удается. Так что хорошо бы нам освоить также запись дисков обычного стандартного формата **ISO**.

Начиная с Windows XP, в системе присутствует возможность записывать CD, очищать их от файлов (стирать), а также дописывать файлы на ранее записанный CD-RW. Для записи DVD придется применять специальные программы, вроде Nero или Easy CD Creator.

Виста сумеет записать и DVD. Правда, особых удобств и гибкости настроек не ждите, только самые простые функции.

Даже копирования дисков, операции обязательной для любой мало-мальски приличной программы, специализирующейся на записи оптических дисков, тут нст. (Вообще, замечено, что компании, выпускающие свою продукцию – музыку, видео или программы – на компактах и DVD, очень не любят, когда пользователи имеют возможность копировать их диски. А главное, когда пользуются этой возможностью! Может, потому в виндах и нет копирования дисков?)

Как же записывать оптические диски?

Первым делом вы должны сообщить системе, какие именно файлы и папки хотите туда записать. Для этого надо просто скопировать их в окно CD или DVD-привода – мышью или любым иным известным вам способом. Для самой быстрой переправки на оптический диск можно щелкнуть по выделенным файлам и папкам правой кнопкой мыши, отыскать в меню **Отправить** команду типа такой: **CD RW дисковод (E:)** или **DVD-RW дисковод (E:)** и, конечно, запустить ее.

☞ Еще раз напоминаю: отправлять данные на DVD в системе Windows XP смысла нет – она не записывает дисков этого типа.

Посмотрите на рисунок 4.5, где показано, как выглядит в окне проводника компакт-диск, куда скопированы некоторые файлы (на рисунке нашем для наглядности выбрано упорядочивание значков по группам – как в словаре). Как видите, файлы, подготовленные для записи, во-первых, бледные, а во-вторых, помечены стрелочкой. Но не такой, как у обычных ярлыков, а толстой и направленной вниз. Это признак особого *го ярлыка для файлов, подготовленных к записи на оптический диск.*

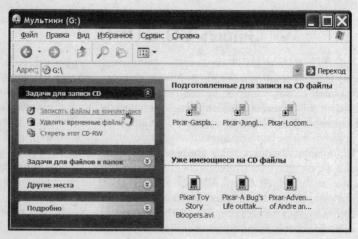

Рис. 4.5. Файлы, подготовленные для записи на компакт-диск (*вверху*) и файлы, уже записанные на компакт-диск (*внизу*)

Если же диск чистый, то файлов без стрелок на нем просто не будет – одни только кандидаты на запись.

Чтобы убедиться, что все подготовленные для записи файлы поместятся на диск, выделите их (Ctrl-A) и измерьте (контекстное меню, команда Свойства). Собираясь дописать данные на не до конца заполненный CD, измерьте также общий размер файлов на компакте, чтобы понять, сколько на нем осталось места. На обычный CD-R или RW помещается 650 МБ данных, но если на коробочке с диском написано «700 МБ», значит, вам повезло и на данный «блин» можно запихнуть побольше данных.

На DVD входит около 4,4 ГБ, даже если на коробке диска и сказано, что он вмещает 4,7 ГБ. Верить этим надписям не стоит: хитрые капиталисты называют гигабайтом не 2^{30} байта, как положено у компьютерщиков, а миллиард байтов, – а это заметно меньшая величина (посчитайте на досуге, если не лень). Точно так же нас обманывают и с объемом жестких дисков: 300-гигабайтный (согласно рекламе) диск на деле вмещает всего около 280 ГБ[1].

☞ «Писалка дисков» в Windows VIsta не позволяет дописывать файлы на ранее записанный DVD (сперва надо полностью его стереть, а потом записать заново). Хорошие программы для записи дисков, вроде Nero, без особого смущения дописывают и DVD[2].

☞ Не пытайтесь отправлять на CD звуковые дорожки, взятые с обычных аудиодисков. В проводнике дорожки выглядят как файлы с именами Track01.cda, Track02.cda и т. д. На самом деле *это не файлы*, так что ничего хорошего от такого копирования не выйдет. Чтобы снять музыку с аудиодиска в виде файлов, пригодных к «навариванию» на диск, надо воспользоваться Проигрывателем Windows Media (см. восьмой раздел самоучителя) или какой-нибудь утилитой-конвертером, специально обученной преобразованию звуковых файлов из одного формата в другой.

Vista при первой же попытке перейти на чистый диск покажет вам маленькое диалоговое окошко, в котором вы сможете ввести метку диска (по умолчанию сюда пишется текущая дата). Но кроме строки для ввода метки будет в этом окне и круглая кнопочка с галочкой носом вниз и подписью Показать параметры форматирования. По ней стоит щелкнуть хотя бы для того, чтобы четко понимать, *какую файловую систему мастер собирается создать на этом диске*. На рисунке 4.6 вы видите эти параметры. Живая файловая система (Live File System) – это то, что у программы форматирования называлось UDF, а стандартная файловая система оптических дисков названа тут Mastered (ISO).

Не согласны с предложенным выбором? Поставьте точку в другой строке.

Ну вот, файлы для записи мы приготовили, можно запускать уже и саму запись. Слева на панели типичных задач XP есть для этого команда Записать файл на компакт-диск (на рисунке 4.5 на нее указывает пальчик). В Висте панель такая исчезла, но сами типичные задачи остались – в виде

---

[1] И что особенно неприятно, к ним не придерешься: формально они правы. Ведь приставка гига как раз и означает в науке миллиард (например, гигагерц – это миллиард герц). А то, что у компьютерщиков другие представления об этом деле, в суде доказать невозможно!

[2] Об этой отличной программе для записи и копирования дисков самых разнообразных форматов читайте в разделе «Программы для записи CD и DVD» «Самоучителя полезных программ».

кнопочек вверху. Будут среди них и кнопки для записи (Запись на компакт-диск) и стирания диска (Стереть этот диск).

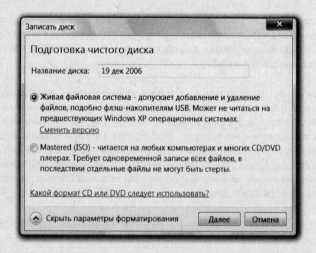

Рис. 4.6. Нужен стандартный ISO-диск или UDF?

Запускаем. Тут же приходит к нам Мастер записи компакт-дисков (CD Burning Wizard) и предлагает ввести метку для диска.

В Висте мастер попросит также выбрать скорость, на которой ему нужно писать. Для многих CD- и DVD-дисководов разрешается задавать разные скорости записи – однократную, двукратную, четырехкратную, «быстрейшую». Набор скоростей зависит не только от предельной скорости, на которой способен писать ваш привод, но и от того, с какой скоростью разрешается писать на болванку. На упаковке ее всегда написано что-то вроде 4x, 8x, 12x или 48x. Это и есть предельно допустимая скорость записи на данный диск.

Те, кто хочет перестраховаться, выбирают скорость пониже. А кто торопится – повыше.

Закинув на CD одни только звуковые файлы с расширениями wav, mp3 и wma, вы получите от мастера еще один вопрос. Он хочет понять, какой диск вам нужен: аудио или обычный диск с данными. Но если среди звуковых файлов затесался хоть один не звуковой, другого какого-нибудь типа, то окошка такого вам не покажут. И если диск ваш не CD, а DVD, – тоже не будет такого вопроса. И даже если диск ваш – CD, но был он отформатирован в системе UDF (в «живой файловой системе»), не будет этого вопроса, а значит, не будет и возможности записать аудиодиск. Сначала придется этот диск стирать (форматировать), а уж потом записывать.

В Windows XP мастер может передоверить запись аудиодиска Проигрывателю Windows Media – откроет его и покажет там все подготовленные для записи звуковые файлы. Тогда надо будет нажать кнопочку Начать запись уже в проигрывателе. Обычно такая «передача прав другому лицу» происходит, когда вместо стандартной девятой версии плеера установлена обновленная – одиннадцатая.

Нажимаете кнопку Далее. Пойдет запись, пройдет запись и окончится запись. И если диск и дисковод исправны, то все у нас получится, как говорится в оптимистической социальной рекламе поближе к выборам.

Как видно из рисунка 4.5, для RW есть еще пара команд:
- Стереть этот CD-RW (Erase files on CD-RW). Удалить какую-то отдельную папку или файл нельзя. Иногда программа сама предлагает вам стереть RW, если ей что-то непонятно в его формате;
- Удалить временные файлы (Clear the starting area) – удаляются ярлычки файлов, подготовленных к копированию на CD. Это если вы передумали записывать диск.

Кнопки с таким же названиями есть и в проводнике Висты. И делают, как ни странно, то же самое.

Проигрыватель Windows Media

Любой мультимедийный файл по двойному щелчку попадает в стандартный виндоузовский плеер и сразу начинает проигрываться. Диски некоторых типов (аудио-CD, видео-DVD) тоже могут автоматически воспроизводиться этой программой, едва только раскрутятся – все зависит от настроек системы.

Правда, изначально DVD-фильмы плеер не проигрывает (там какие-то сложности с патентами, надо кому-то платить за лицензию, а даже корпорации Microsoft не хочется этого делать). Кроме DVD не проигрываются некоторые хитрые разновидности стандартного формата видеофайлов AVI. А разновидности такие возникают едва ли не каждую неделю.

Но стоит нам воспользоваться какой-нибудь программой, в которой имеется набор соответствующих драйверов (точнее, кодеков – кодеров-декодеров), и проигрыватель станет полностью универсальным. В таблице 2 в приложении вы найдете адрес одной из программ такого типа – бесплатного пакета кодеков K-Lite Codec Pack.

В Windows 2000 используется проигрыватель Windows Media шестой версии, в Ме – седьмой, в ХР – девятой, однако при первой же возможности (при подключении к интернету) программа сообщает о том, что на сайте Microsoft имеется обновление и предлагает скачать и установить одиннадцатую – такую же, которая применяется и в Windows Vista.

Если у вас легально приобретенная версия Windows, то новую версию скачать стоит, а вот обладателям пиратских версий я бы этого категорически не советовал, потому что новая версия работать у них не будет. Сразу после своей установки плеер захочет проверить, насколько законно вы пользуетесь своей копией Windows, и как вы думаете, что выйдет в результате этой проверки? Правильно, «полный отлуп» по всем направлениям. И полную невозможность пользоваться виндоузовским проигрывателем, пока не удалишь новую версию[1].

На рисунке 4.7 вы видите, как выглядит окно проигрывателя девятой версии, в котором проигрывается некий музыкальный альбом. На примере этой версии мы и поучимся общению с нашим не столько плеером, сколько даже медиакомбайном – универсальным устройством для извлечения звуков и видео из файлов и дисков разнообразных форматов.

Справа идут названия песен – **список воспроизведения** это называется. По любой песне в списке можно дважды щелкнуть, чтобы запустить именно ее. Можно хватать строки мышкой и перетаскивать по списку, меняя порядок.

Названия песен и альбома для файлов формата MP3 и WMA (формат Windows Media Audio) плеер берет из их метаданных. А если в метаданных пусто, то пишется просто имя файла. Но откуда плеер берет названия при прослушивании аудио-CD? Ведь на самом диске ничего такого не записано и файлов как таковых там нету! Берет из интернетовских баз данных, где большинство выпускающихся дисков регистрируются. Только, бывалоча, вставишь диск, а плеер шустрый уже слазил на какой-то свой сайт (если, конечно, интернет включен) и название диска притащил, и названия песен, да еще и картинку с обложки! А если связи с интернетом нет или диск в списках не значится, то будет написано **Неизвестный диск** – **Дорожка 1, Дорожка 2, Дорожка 3...**

Впрочем, названия песен можно ввести и вручную: два отдельных щелчка по строке или один щелчок + нажатие клавиши F2 – и вводите. Данные будут запомнены программой, и когда вы в следующий раз вставите этот диск, она их вам покажет.

---

[1] На виндоузовском проигрывателе свет клином не сошелся. Есть и другие плееры, в том числе и бесплатные, как например, BS Player или Media Player Classic из комплекта K-Lite Codec Pack.

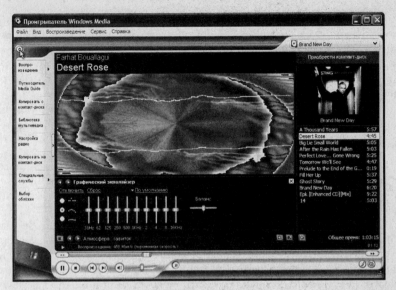

Рис. 4.7. Проигрыватель Windows Media 9 воспроизводит диск, попутно показывая различные атмосферные явления. Включен графический эквалайзер

Внизу – пульт управления воспроизведением. Всякому, кто в своей жизни когда-либо видел кассетный магнитофон или CD-плеер (а кто не видел? есть такие?), понятно назначение основных органов управления – кнопок паузы, остановки, перехода на песню назад и вперед, быстрого включения/отключения звука.

Кроме кнопок есть тут и пара движков: длинный, во весь экран – для быстрого перехода по песне (или по фильму, если мы смотрим видео). Ниже – коротенький движок для регулировки громкости. В разъяснении нуждается только пара нестандартных кнопок.

Эта кнопка в девятой версии задает перемешивание списка – воспроизведение песен в случайном порядке. Скажем, вы натаскали музыки в список воспроизведения целыми альбомами. Но чтобы не слушать их именно по альбомам, приготовить из них окрошку, включаете воспроизведение в случайном порядке. Будет как на музыкальном радио, только без непрерывного трепа ведущего и музыкальной викторины «Угадай мелодию и выиграй мобильник».

В большом окне в центре программа может показывать картинку с обложки музыкального альбома либо одну из нескольких десятков движущихся картин. Выбор картинки – через контекстное меню этой центральной панели.

При просмотре видеофильма тут будет показан сам фильм. Двойной щелчок по изображению – и плеер переходит **в полноэкранный режим** – разворачивается на весь экран, закрывая даже панель задач и кнопку Пуск. Прячутся все кнопки, списки и прочие элементы управления кроме пульта управления плеером. А если секундочку-другую не двигать мышкой, то спрячется и пульт, и даже стрелочка-курсор исчезнет – можно спокойно смотреть кино или наслаждаться гипнотическими картинками. А стоит мышкой двинуть – и пульт тут как тут: управляйте.

Выход из полноэкранного режима по клавише Esc.

У плеера есть свое меню команд, но оно все время норовит спрятаться. Если вам понадобится найти какую-то команду, то меню покажет вам вот эта кнопка (на рисунке 4.7 на нее показывает стрелочка). Вызвать меню можно также, нажав и отпустив клавишу Alt.

Поизучайте меню проигрывателя, найдете там много интересных команд, о которых я вам пока не рассказал, а может быть, не расскажу и позднее. Программу из категории навороченных (к которой, несомненно, относится и проигрыватель WM) ни пером описать, ни разумом охватить невозможно. Только постигать на собственном опыте, как великую мать-природу.

Так, в меню Вид ▸ Дополнительные возможности вы найдете команду, добавляющую на экран десятиполосный графический эквалайзер (для любителей подстроить по своему вкусу частотные характеристики звука), или команду, позволяющую выстраивать плавные переходы и выравнивать громкости соседних композиций. В меню Воспроизведение сможете включить или отключить субтитры у видеофильмов, сменить язык звукового сопровождения фильма на DVD. И т. п.

Чтобы проиграть компакт-диск (аудио или видео), а также DVD, если они по какой-то причине не запустились автоматически, щелкните по треугольничку на кнопке Воспроизведение (в 11 версии – кнопка Проигрывается). Самая верхняя команда в меню этой кнопки как раз предназначена для запуска проигрывания диска, вставленного в дисковод. Строчка для воспроизведения CD и DVD есть и в обычном меню – в пункте Воспроизведение.

В виндоузовском проводнике у любого мультимедийного файла или у группы выделенных файлов будет в контекстном меню пара удобных команд, имеющих отношение к проигрывателю.

● Команда Воспроизвести отправляет все выделенные файлы в плеер и запускает их поочередно. Все, что там ранее проигрывалось, умолкнет, пойдет проигрываться новое. Более того, весь старый список воспроизведения пропадет, заменится на новый.

• Команда Поставить в очередь (может называться Добавить в список проигрывателя Windows Media) действует более деликатно. Она не прерывает музыку или фильм на полуслове, просто добавляет новые строки в конец списка воспроизведения. Так можно полазить по своим папкам и поставить в очередь несколько любимых песенок разных исполнителей и с разных альбомов, несколько мультиков или фильмов.

Можно также брать мышкой файлы в проводнике и напрямую тащить в открытое окно плеера. Кстати, это можно делать, даже если окно плеера не видно – закрыто другими окнами! Берете файлы мышкой и тащите на кнопку плеера на панели задач. Но не отпускаете мышку, а ждете секунду-другую, пока окно плеера развернется. И тогда уж затаскиваете файлы в список воспроизведения на походящее место.

☞ Многих раздражает, что проигрыватель прямо при включении лезет в интернет, на сайт и притаскивает оттуда какие-то ненужные им новости западной поп-музыки. Чтобы это запретить, достаточно зайти в настройки программы (Сервис ▸ Параметры) и на странице Проигрыватель убрать галочку из строки «Открывать узел Media Guide при запуске». Ну его, в самом деле!

Компактный вид

Если свернуть окно плеера, щелкнув по минусу в правом верхнем углу его окна, то программа, как ей и положено, свернется в кнопку на панели задач. Но при этом выдаст сообщение о том, что ежели по панели задач кликнуть правой крысой, да в подменю Панели инструментов кликнуть по строке Проигрыватель Windows Media, то ждет вас чудо чудное, чудо невозможное: проигрыватель ваш отныне будет сворачиваться не в обычную кнопку, а в совершенно выдающуюся (см. рис. 4.8).

На этой совершенно выдающейся кнопке (я бы даже сказал КНОПЕ) есть собственные кнопки – для остановки и паузы, для перехода на следующую и предыдущую песню и для отключения звука, есть выдвижной регулятор громкости (на кнопке с динамиком) и даже выскакивающий мини-дисплейчик, на котором показывается название очередной песни или цветомузыка (дисплейчик включает и отключает «полукнопка» в правом верхнем углу КНОПЫ).

Чтобы вернуться в режим нормального полного окна, нажмите другую «полукнопку» – в правом нижнем углу.

У плеера одиннадцатой разновидности есть еще один компактный вид – такой как на рисунке 4.9. Переключение на него и обратно происходит щелчком по кнопке, расположенной в правом нижнем углу плеера.

Рис. 4.8. Плеер в компактном виде

Рис. 4.9. Компактный режим проигрывателя WM 11

Копирование музыки с CD

На самом деле плеер Windows Media не ограничивается только проигрыванием файлов и дисков, которые мы ему подсовываем. На узкой панели слева (в одиннадцатой версии – вверху) вы видите список вопросов, которыми занимается проигрыватель. Щелкаете по одной из кнопок, и тут же меняется содержимое основной правой панели, как бы перелистываются страницы.

Щелчок по кнопке Копировать с компакт-диска (или просто Копировать с диска) даст возможность брать песни с CD, превращать в звуковые файлы и записывать на винчестер. Можно будет слушать музыку, не снимая диска с полки, можно будет копировать ее в переносной плеер.

Чаще всего музыка копируется на диск со сжатием (с компрессией), отчего размеры файлов оказываются раз в десять меньше, чем у стандартных звуковых файлов формата WAV. Причем методы компрессии существуют разные, и степень компрессии тоже бывает разная.

Обычно сжатие предполагает некоторую потерю качества звучания. Чем сильнее сжатие, тем больше потери. Потеря качества – это, конечно, плохо, но, во-первых, все современные алгоритмы компрессии удаляют в первую очередь те части звуковой палитры, которые человеку практически не слышны, на слух не воспринимаются.

А во-вторых, нам дают возможность самим определить степень этих потерь. В многостраничном окне настроек проигрывателя (вызывается командой Сервис ▸ Параметры) есть страница Копировать музыку (или Копирование музыки с компакт-диска), на которой и расположен движок, определяющий качество (см. рис. 4.10).

В 9-й версии плеера по умолчанию принято сжатие с потоком звуковых данных 128 Кбит/с. При этом музыкальный компакт-диск, который в виде WAV-файлов занял бы около 600 МБ, превратится всего в 56 МБ музыки в формате WMA (Windows Media Audio). Вполне прилично звучащей музыки!

При самом высоком качестве звучания (с потоком 192 Кбит/с) полный аудиодиск будет занимать всего 86 МБ.

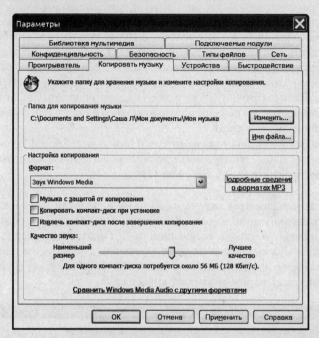

Рис. 4.10. Задаем параметры сжатия звука, записываемого с CD на хард-диск

Еще выше качество звука может оказаться, если в списке Формат выбрать строку Звук Windows Media (переменная скорость). Это более современный алгоритм, при котором программа на ходу меняет степень сжатия. В паузах или когда инструментов (голосов) звучит мало, сжатие может быть достаточно сильным, а как только заиграет весь состав музыкантов, как только запоет весь сводный хор, так степень сжатия снижается. Поток звуковых данных тут может достигать 240–355 Кбит/с при размере файлов 100–150 МБ.

Ну и самое высокое качество дает формат Звук Windows Media без потери данных. Тут экономия достигается только за счет более плотной упаковки данных в файле, но ни одного бита информации не пропадает. Движок в диалоговом окне ездить перестает – стоит в крайнем правом положении. Аудиодиск превращается в 200–400 МБ. Конечно, не десятикратная экономия, а всего лишь в 1,5–3 раза. Но тоже неплохо.

☞ В одиннадцатой версии качество звука можно выбрать, не залезая в диалоговое окно. В меню кнопки «Копировать с диска» есть подменю «Скорость потока», а в нем шесть строк, задающих качество – от 48 Кбит/с (наименьший размер файлов) до 192 Кбит/с (наилучшее качество).

Важный вопрос: куда плеер будет записывать создаваемые файлы? На той же странице параметров (рис. 4.10) можно нажать кнопку Изменить в секции Папка для копирования музыки и показать программе, куда кидать создаваемые файлы. По умолчанию проигрыватель все кладет в папку Моя музыка (есть такая поддиректория в Моих документах, если вы еще не забыли). Причем создает для каждого исполнителя отдельную вложенную папку, а в ней еще одну вложенную папку – для каждого альбома данного исполнителя.

Если, конечно, знает исполнителя и название альбома! Если не знает, то создаст папку Неизвестный исполнитель, а в ней – что-то типа такого: Неизвестный диск (21.06.2007 9 08 47).

Ну, все, параметры задали, сказали ОК и закрыли окно настройки. Остается щелкнуть по кнопке Копировать с компакт-диска (Копировать с диска) и перейти в соответствующий раздел программы. Расставьте галочки возле нужных песен (если не поставить, скопируется диск целиком) и нажмите продолговатую кнопочку Копировать музыку (Copy Music) (на рисунке 4.11 на нее указывает курсор).

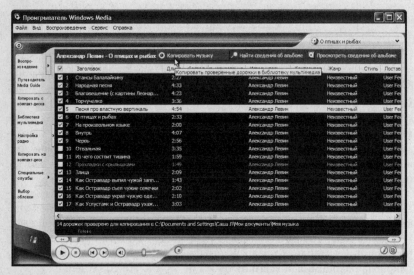

Рис. 4.11. Копируем звуковые дорожки с компакта в нашу коллекцию мультимедийных файлов (библиотеку мультимедиа)

Плеер сначала задаст вопрос о том, хотите ли вы включить защиту от копирования. Если вы вдруг этого захотите, то вам позволят прослушивать эту музыку только с данного компьютера и других защищенных устройств, а если ваш переносной плеер не дай бог недостаточно защищенный, жди неприятностей. Если вам такая идея не нравится, поставите галочку в строке, подтверждающей ваше намерение таки скопировать собственный компакт-диск на собственный винчестер, даже невзирая на то, что какими-то жадными дядями этот ваш поступок может быть истолкован как нарушение копирайта.

Все сохраненные дорожки быстренько переделаются в файлы и автоматически попадут в списки мультимедийных файлов, которые ведет наш проигрыватель. Список этот носит гордое имя...

Библиотека мультимедиа

Стандартное место файлов библиотеки – в Моих документах. В списки библиотеки можно внести также файлы, лежащие в любых нестандартных местах (на других дисках, в других папках), – взять мышкой всю папку, да и притащить на страницу библиотеки.

Все попадет в соответствующий отдел списка: звуковые файлы – в отдел Все аудио, видео – в отдел Все видеозаписи (см. рис. 4.12). Что важно, файлы не копируются в Мои документы, остаются на своих местах. Для быстрого их запуска создается список воспроизведения (плей-лист) – файл с расширением wpl (Windows Play List).

Рис. 4.12. Библиотека мультимедиа

Скажем, развернув ветку Вся музыка ▶ Исполнитель, увидите имена всех исполнителей, выбрав исполнителя – все его альбомы, выбрав альбом, получите список песен в нем.

Можно пройти по другому пути: раскрыть ветку Вся музыка ▶ Альбом и сразу получить все альбомы, которые у вас на диске хранятся.

Иные пути тоже имеются. Например, можно просмотреть музыку по жанрам или, как сделано в одиннадцатой версии, просмотреть только последние добавленные альбомы. Важно другое: стоит вам щелкнуть на пульте треугольной кнопкой Воспроизвести, как выделенный мышкой альбом или даже все альбомы автора пойдут проигрываться.

Запись музыкального компакт-диска

Проигрыватель Windows Media сумеет проделать и обратное копирование – перекинуть файлы с хард-диска на CD-R или RW, превратив их в аудиодорожки. Или записать в виде wav-файлов на CD или DVD. Для этого предназначена кнопка Копировать на компакт-диск на левой панели плеера 9 версии (и кнопка Запись на верхней панели 11 версии).

Компакт-диск обязательно должен быть пустым, если на нем хоть что-то записано, программа работать откажется. Придется вам либо вставить чистый диск, как она просит, либо стереть все данные с RW, воспользовавшись самой правой кнопкой в этом окне (всплывающая подсказка называет ее Очисткой диска).

Самый простой способ показать программе музыку, которую предстоит «нарезать» на диск, такой: открыть страницу Копировать на компакт-диск (Запись) и натаскать туда мышкой нужных файлов. Останется только расставить их мышкой в нужном порядке и нажать кнопку Копировать (см. рис. 4.13).

Тип создаваемого диска выбирается в списке над правой колонкой – той, где на нашем рисунке написано Дисковод компакт-дисков (D:). В списке будет Аудиодиск и Компакт-диск с данными.

Напрямую, с одного CD на другой, копировать нельзя. Обязательно надо сперва переправить музыку на хард-диск, а уж оттуда кидать на CD. (Существуют программы, вроде Nero Burning Rom или CD Copier из пакета Easy CD Creator, которые способны напрямую копировать музыку с CD на CD-R, в том числе и на одном CD-приводе.)

Кроме того, проигрыватель Windows Media не позволит нам самим задать величину пауз между песнями, что, безусловно, позволяют все специализированные программы-прожигалки. А представьте, что одна непрерывная композиция на альбоме разделена на условные части-треки. При копировании с диска они попадут в отдельные файлы, а при записи вы даже не сможете их соединить: проигрыватель вставит между ними паузы!

Рис. 4.13. Проигрыватель Windows Media 9: запускаем запись
аудио компакт-диска

Так что во многих случаях все же приходится прибегать к услугам специализированных программ. О некоторых из них будет рассказано в «Самоучителе полезных программ», раздел «Программы для записи CD и DVD».

В девятой версии плеера есть еще много всякого-разного. Страница Настройка радио со списками музыкальных радиостанций, любую из которых можно запустить на прослушивание (если, конечно, вы подключены к интернету на более или менее приличной скорости).

Страница Выбор обложки (Skin Choser – буквально, «выбор кожи»), которая позволит выбрать даже форму самого плеера. Это, кстати, довольно модная забава – менять скины у программ. В интернете существуют немалые коллекции скинов для разных программок, позволяющих себя переодевать. Очень по этой части знаменит, например, проигрыватель Winamp.

В одиннадцатой версии нет отдельной страницы для смены обложки, сделать это вам поможет команда Выбор обложки в меню Вид. Зато в этой версии есть новая страница Синхронизация, которая позволит составлять списки воспроизведения для переносного плеера и автоматизировать закачку файлов в него.

Все это достаточно подробно описано в самоучителе Windows XP и Vista, но я думаю, вы вполне сможете разобраться с этим и сами.

Фотоальбом Windows Vista

Что такое фотоальбом в компьютере? Как он может быть организован?

А вот как. Компьютер собирает информацию обо всех картинках из папки Изображения (ваши картинки) и Общие изображения (картинки разных пользователей). Кроме того, разрешается добавлять в альбом любые другие папки с изображениями – фотографиями, рисунками и видео. Система проиндексирует указанные вами места, после чего она сможет практически мгновенно производить поиск нужных картинок, сортировать и группировать их по вашему желанию.

Все они будут показываться в виде эскизиков в едином окне-альбоме. Для облегчения поиска нужной картинки (или видео) среди моря других картинок (и видео) вы сможете попросить оставить на виду только те из них, которые были созданы в определенном году, месяце, такого-то числа, а все остальные спрятать. Или оставить только картинки по определенным темам. Или картинки из определенной папки на диске. С определенной оценкой или с определенными ключевыми словами («Отпуск», «Семейные праздники», «Мои портреты», «Друзья», «Дети», «Спорт», «Красивые пейзажи» и т. п.). И конечно, сможете быстро запустить просмотр фотографий в крупном размере или в виде слайд-шоу.

Если добавить к этому возможность подкорректировать любую фотографию (например, устранить страшноватые «красные глаза»), да еще и возможность быстро записать выбранные фотографии на CD или DVD, то мы как раз и получим примерный перечень возможностей программы Фотоальбом Windows (Windows Photo Gallery).

Те, кто пока не перешел на Висту, вполне могут скачать себе с сайта компании Google бесплатную программу-фотоальбом Picasa, по принципам своей работы похожую на то, о чем мы будем сейчас говорить (см. табл. 2 в приложении).

Как все устроено

Мы уже с вами выяснили, что любая фотография по двойному щелчку попадает в виндоузовскую программу просмотра графики. Повнимательнее рассмотрев рисунок 2.66 на странице 115, вы, может быть, разглядите на верхней панельке кнопку Добавить папку в фотоальбом. Если по ней щелкнуть («клинкуть», как частенько говорят детишки, – от английского click, щелчок), то произойдут две вещи: данная папка и все картинки в ней будут добавлены в фотоальбом (проиндексированы), а сама программма-фотоальбом запустится (рис. 4.14).

Рис. 4.14. Фотоальбом Windows Vista

Когда вы следующий раз дважды щелкнете по картинке из этой папки, в окне просмотра на месте кнопки Добавить папку окажется кнопка Перейти в фотоальбом. А когда вы в фотоальбоме дважды щелкнете по картинке, чтобы ее посмотреть крупно, то в окне просмотра окажется кнопка Вернуться в фотоальбом. Так что просмотровщик с альбомчиком на самом деле представляют собой единое целое. И это правильно.

 Попасть в фотоальбом можно и через меню программ (Пуск ▸ Все программы) – строкой с изображением цветочка в вазе и фотографии в рамке.

Что же нам тут показывают? Справа, понятное дело, эскизы фотографий, рисунков и видео, которые программа нашла на диске, а слева – вертикальная **панель навигации** для быстрой сортировки и группировки эскизов: щелкнув по одной из строк, справа увидите совсем другой набор картинок: снимки с определенной датой или определенными ключевыми словами (где бы на дисках вашего компьютера они ни лежали) или, наоборот, из определенной папки, независимо от даты и темы.

Размеры эскизов в окне можно менять в довольно широких пределах: кнопка с лупой и плюсиком на нижней панели подставляет нам свой регулятор размеров. Потянув выскочивший движок вверх, вы сделаете эскизы крупнее, вниз – мельче.

А соседняя кнопочка мгновенно вернет эскизам стандартные размеры.

Изначально эскизы никак не подписаны – картинки и все. Но стоит нам подвести мышку к любому эскизу и подержать над ним курсор в течение пары секунд, как всплывает большая такая, жирная такая подсказка – окошко с увеличенным изображением этой картинки. Там же найдутся и основные сведения о ней: имя файла, дата создания (или съемки), размер файла (в килобайтах или мегабайтах), размеры изображения в этом файле (по горизонтали и вертикали – например, 1024×768 точек) и некоторые другие сведения.

При достаточно крупных эскизах всплывающая подсказка перестает показывать увеличенное изображение (и так все видно!), но все надписи в ней останутся.

Расположение эскизов в окне фотоальбома можно изменить при помощи кнопки-меню, на которую нацелен курсор на рисунке 4.15. Всплывающая подсказка называет ее **Выбор представления эскизов**.

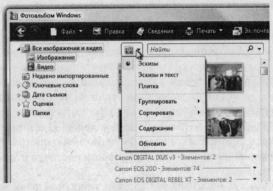

Рис. 4.15. Способы показа и группировки значков в окне фотоальбома

Здесь в подменю **Группировка** задается способ объединения изображений в группы – по дате, по времени, по ключевым словам, по оценке, даже по типу камеры.

Каждая группа эскизов в режиме группировки отделяется от предыдущей горизонтальной серой линией, на которой вы сможете прочитать дату (если группировка идет по датам), точный адрес папки (если группируем по местоположению на диске) или ключевые слова. На нашем рисунке показана группировка по типам фотоаппаратов – их названия и можно прочитать на серой линии.

Содержимое какой-то папки, которая вас сейчас не интересует, можно временно спрятать, щелкнув по треугольничку справа от серой линии.

А если щелкнуть по самой серой линии, то все фотографии из данной группы окажутся выделены. Можно тут же запустить просмотр или слайд-шоу.

 Чтобы запустить слайд-шоу, щелкнем по этой круглой кнопке или нажмем F11. Обычный просмотр запускается клавишей Enter.

Если в окне фотоальбома ничего не выделено, вам будут показывать поочередно все найденные снимки, если что-то выделено, покажут только выделенное.

Пришли к вам гости, и вам захотелось показать им свои лучшие пейзажи, свои лучшие фотопортреты, лучшие фотографии автомобилей или суперзвезд. Щелкаете на левой панели (панели навигации) по строке Ключевые слова – разворачивается полный список ключевых слов. А потом просто выбираете строку Пейзажи, Мои портреты, Автомобили или Суперзвезды. Можно выбрать и несколько строк, щелкая по ним с клавишей Ctrl. Сотни и тысячи картинок пропадают, остается только то, чем вам хотелось похвастаться.

Отсюда вывод: надо продумать систему ключевых слов, которыми мы будем награждать свои снимки. Слов таких не должны быть слишком много. Если вы каждому изображению дадите собственные, уникальные ключевые слова, то список окажется слишком длинным, а собрать вместе фотки одного типа просто не удастся.

Чтобы присвоить своим фотографиям ключевые слова, вы должны зайти в свойства файла или группы выделенных файлов (команда Свойства в контекстном меню). Там на странице Подробно найдете строку Ключевые слова, где и сможете не только ввести новые ключевые слова, но и удалить старые – тоже для всей группы разом.

☞ Если фотографий выделено несколько, то все они получат одинаковые ключевые слова.

Ввести разрешается несколько ключей, разделяя их точкой с запятой. Фотография будет показана, если выбран любой из ее ключей. Скажем, фотография с ключами Пейзажи;Отпуск;Море будет показана и вместе со всеми другими Пейзажами, и вместе со всеми другими отпускными фотографиями, и вместе со всеми изображениями морей – Черного, Красного, Белого, Мертвого, Средиземного и других, которые вам удалось «пощелкать».

Остальные строки на панели навигации устроены аналогично. Можно посмотреть все фотографии одного года, месяца, дня – строка **Дата съемки**. А можно устроить просмотр по местоположению – по папкам, в которым ваши фотки лежат на диске (строка **Папки**).

При хорошо подготовленной и разумно размеченной коллекции вся процедура – от выбора нужных фотографий до запуска просмотра – займет у вас несколько секунд.

Исправление фотографий

Щелчок по кнопке **Правка** открывает окно фоторедактора (см. рис. 4.16). Справа на панели **Правка** шесть команд для исправления различных фотографических дефектов – неверной экспозиции, неверной композиции и прочей амуниции.

Рис. 4.16. Фоторедактор Windows Vista

Но прежде хочу обратить ваше внимание на то, какие предусмотрены меры предосторожности для страховки от наших необдуманных действий (а у начинающих необдуманных действий намного больше, чем обдуманных).

Первое наше средство предосторожности – кнопка **Отменить** справа внизу. Пощелкав по ней мышкой, вы сможете шаг за шагом отменять любые выполненные операции. Хоть все. Можно пользоваться также стандартной клавиатурной комбинацией отмены команд Ctrl-Z.

В обратную сторону отматывает список команд комбинация Ctrl-Y и кнопка повтора команд правее кнопки отмены (почему-то осталась без подписи).

Но как только вы щелкнете по кнопке перехода на следующий или предыдущий снимок (на нижней управляющей панели), нажмете кнопку Вернуться в фотоальбом или, что то же самое, нажмете Esc, **изменения будут тут же сохранены**, записаны на диск.

А если на следующее утро мы вдруг увидим, что вместо того, чтобы улучшить картинку, испортили ее вчера ночью – как нам поступить? Многие другие программы, очень мощные и дорогие, нам в таких ситуациях деликатно намекают на то, что поезд на Воркуту уже тю-тю, ничего изменить нельзя.

Но тут совсем иной случай! Если вы снова возьмете в редактор испорченную картинку, то на месте кнопки отмены найдете кнопку Возврат. Щелчок по ней (и комбинация Ctrl-R) возвращает исходную (предыдущую) версию файла.

Но ровно одну! Если вы после порчи картинки снова ее правили и сохраняли, то тут уж действительно поезд ушел.

Есть, конечно же, и более традиционные способы подстраховаться от неправильных действий. Так, в меню кнопки Файл имеется команда Сделать копию. Вас попросят дать копии имя (рис. 4.17), а потом нажать кнопку Сохранить. Копия запишется на диск, рядом с оригиналом (в той же папке).

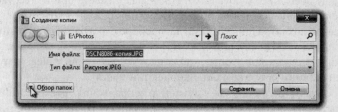

Рис. 4.17. Создаем копию файла с другим именем

А щелкнув по кнопочке Обзор папок (на нее указывает курсор на нашем рисунке), сможете найти для файла-копии другое местоположение. Многие фотолюбители и большая часть фотопрофессионалов создают отдельную папку для оригиналов, а всю правку ведут только с копиями. Мало ли что не понравится потом взыскательному профессионалу! Мало ли, что ему понадобится сделать из этого снимка через год или через пять лет!

Ну, а рядовые пользователи этими делами себя не очень-то отягощают: немного подправил картиночку и доволен. Чего там еще копии плодить!..

Как же подправить картиночку в Фотоальбоме Windows?

• Щелчок по строке Автокорректировка запускает операцию автоматического исправления яркости, контраста и цветности. При небольших неладах с цветом и контрастом автокорректировка действует хорошо, при чуть больших уже не годится. Вместо исправления выходит порча.

• Щелчок по строке Экспозиция разворачивает секцию из двух настроек, показанных на рисунке 4.16. К ним мы будем прибегать, когда захочется исправить ошибки фотоаппарата по части выдержки и диафрагмы: автоматика фотоаппаратов, увы, не всегда хорошо понимает, чего мы от нее хотим. Сможем улучшить освещенность картинки, выявить детали в темных местах, но так, чтобы не слишком испортить светлые.

Стоит пользоваться движками не поодиночке, а совместно. Это позволяет сделать снимок более выразительным, ясным, многие картинки действительно исправляются, начинают выглядеть гораздо лучше. Но есть и свои пределы. Так, если небо на фотографии вышло совсем белым, исправить это не удастся, как ни старайся.

• Строка Корректировка цвета открывает секцию из трех движков, которые предлагается потаскать туда-сюда ради исправления неверной цветопередачи. Исправление цветов задача более сложная, чем исправление освещенности.

Чаще всего цвет искажается, когда вы снимаете при искусственном освещении. Снимки такие бывают какими-то желто-красными, в них ощущается нехватка синего. Иногда, наоборот, фотоаппарат, специально настроенный на съемку при искусственном освещении, забывают перестроить для съемки на улице – получают все излишне синее. Вот этими вещами и занимаются команды коррекции цвета.

Вообще, в большинстве случаев к исправлению цветов стоит приступать только после того, как на фотографии исправлены яркость и контраст. Иначе толку не добьетесь. Иногда одно только улучшение световых характеристик снимка в значительной мере исправляет и цветопередачу. Однако не стоит забывать и о том, что нет правил без исключений.

☞ Чтобы проверить, что было до обработки и что стало после, удобно пользоваться комбинациями Ctrl-Shift-Z (отмена сразу всех обработок) и Ctrl-Shift-Y (повтор сразу всех обработок).

С цветом и светом разобрались, теперь поговорим о том, как исправить композицию: отрезать ненужные детали по краям снимка, убрать поля, изменить пропорции изображения.

• Ведает этим делом секция **Обрезка изображения** (рис. 4.18). Когда мы эту секцию раскрываем, программа рисует нам контур будущей обрезки – светлую рамку, по которой она собирается пройтись своими электронно-вычислительными ножницами. Беремся мышкой за один из узелков рамочки (щелкаем мышкой в том месте, где курсор превращается в двойную стрелочку, как в левом верхнем углу нашего рисунка) и, не отпуская мышки, растягиваем или сжимаем рамочку так, чтобы композиция нас устроила. Потом беремся за другой узелок, за третий. Если хочется сдвинуть рамку целиком, щелкаем мышкой внутри рамки (курсор станет крестообразным) и тащим на новое место.

Рис. 4.18. Растягиваем рамочку обрезки

Можно раздвигать или смещать рамку столько раз, сколько нужно. Обрезка совершится только после того, как мы нажмем кнопку **Применить**.

Кроме ручной работы предусмотрены в программе и полуавтоматические методы обрезки фотографий, очень удобные, когда снимок планируется не только просматривать с экрана, но и печатать на бумаге. Причем так, чтобы на карточке не было белых полей, которые, честно скажем, фотографию не украшают.

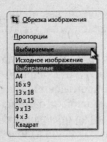

Рис. 4.19. Стандартные пропорции обрезной рамки

В списке Пропорции (рис. 4.19) вместо строки Выбираемые (то есть свободные, произвольные пропорции) можно щелкнуть по строке 13×18, 10×15 или 9×13. Тогда рамочка будет растягиваться не произвольным образом, а так, чтобы соотношение сторон соответствовало стандартным форматам фотобумаги, на которой обычно и печатают наши карточки в фотолабораториях.

Для печати на принтере выберете А4, чтобы фотография соответствовала пропорциям стандартного писчего листа. А если захотите сделать фотографию фоном рабочего стола, то ее пропорции должны точно соответствовать пропорциям экрана. Тогда можете выбрать строку 4×3 (обычный монитор) или 16×9 (широкоформатный).

При таких обработках вам может пригодиться кнопочка Поворот кадра, которая поворачивает на 90°, конечно же, не сам кадр, а только рамку обрезки.

• Последняя команда правки предназначена для устранения эффекта красных глаз на изображениях людей. Как известно, эффект этот возникает при съемке с фотовспышкой в слабо освещенных помещениях – оттого, что зрачки у людей, которые перед съемкой были достаточно расширены, при съемке со вспышкой не успевают сузиться, отчего глазное дно работает как зеркало, да еще и зеркало красное. Некоторые камеры готовят наши глаза к съемке – запускают длинную световую «трель», чтобы глаз адаптировался, а зрачок сузился. Но делают это далеко не все камеры. И не всегда это помогает.

Мы должны щелкнуть мышкой и, не отпуская ее левой кнопки, растянуть прямоугольную рамочку вокруг красной области в глазу (захватить ее надо полностью), примерно так, как показано на рисунке 4.20. И тут же краснота превратится в черноту, а все, что не красное (радужная оболочка глаза), остается без изменений.

Иногда приходится выстроить рамочку несколько раз, особенно при сложной форме красноты. Один раз захватишь большую часть, а потом узкими рамочками – края.

Но для такой тонкой работы нужно **увеличить масштаб**, сделать изображение покрупнее. Воспользуйтесь для этого значком с лупой и плюсиком. Чтобы потом на такой увеличенной картинке перебраться на другое подлежащее исправлению место, вы должны будете нажать клавишу Alt (курсор из крестика превратится в руку 🖑) и этой рукой (не отпуская «альта») возьметесь за рисунок и подвинете его.

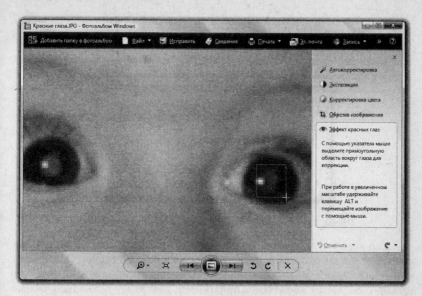

Рис. 4.20. Боремся с эффектом красных глаз

К сожалению, слишком светлые, недостаточно красные глаза корректор наш корректирует недостаточно хорошо. Например, превращает зрачок не в черный, а в серый. И никаких дополнительных настроек у него нет.

И все же, с его помощью вы сумеете вернуть человеческий облик большинству кровожадных вампиров из своей фотоколлекции.

Печать изображений и отправка по почте

Фотоальбом позволит напечатать фотографии и послать их по электронной почте. Об этом не стоило бы говорить – ведь у нас с вами впереди целый раздел про электронную почту, но у фотоальбома есть особые способности на этот счет: он позволит нам подобрать качество изображения так, чтобы размер файла был именно таким, как нам нужно. А при печати сможет еще и расположить несколько изображений на одной странице.

Вот какое окно появляется, когда мы щелкаем по кнопке Эл. почта (рис. 4.21). Раскрыв список, вы найдете в нем, кроме строки Исходное изображение, еще пять строк, задающих геометрические размеры отправляемых картинок: Мелкий: 800×600, Более мелкий: 640× ×480, Средний: 1024×768 и Крупный: 1280×1024. Это означает, что с письмом уедут не оригиналы, а копии файлов, переделанные по вашему заданию. Тут же программа покажет общий «вес» всех выбранных файлов при данном размере картинки.

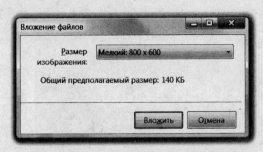

Рис. 4.21. Отправка изображения по электронной почте

Для чего это делается? Всякий, кто отправлял и принимал письма, знает, что писем с огромными вложениями никто не любит. Одни ходят в интернет через медленное модемное соединение – эти злятся, что письмо с большим вложением приходится скачивать буквально часами (да еще связь обрывается, и проходится начинать все сначала). У других размеры электронного почтового ящика ограничены, а слишком большие письма просто до них не доходят – почтовый сервер их выбрасывает. Третьи платят за каждый принятый и отправленный мегабайт...

Вот вы и сможете решить, что в данном случае важнее – высокое качество изображения или небольшие размеры письма. И насколько именно важнее.

А вот как печатает картинки фотоальбом Windows. На кнопке **Печать** выбираете первую же команду (по второй щелкать бессмысленно: заказ отпечатков через интернет в России пока не работает). Появляется такое окно, как на рисунке 4.22.

Выбираете (слева направо): один из своих принтеров, формат бумаги (обычно, А4), а также разрешение принтера, то есть качество печати. Для пробных распечаток можно брать разрешение пониже, а для чистовиков – максимальное.

Внизу можно попросить печатать более одного экземпляра каждой картинки, а также запретить или снова разрешить подгонку изображений под размер страницы. Если на странице должно печататься сразу несколько изображений, то размеры каждого подгоняются под отведенную ему часть листа.

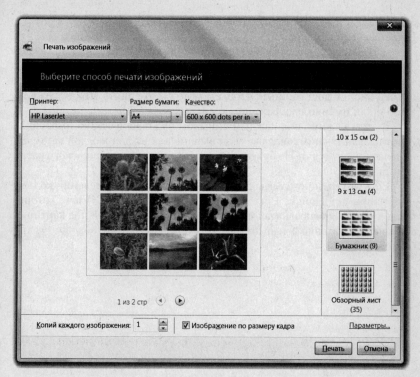

Рис. 4.22. Печать изображений в фотоальбоме Windows

В правой колонке расположены кнопки, задающие количество снимков на листе и их размеры. Тут можно:

• напечатать каждое изображение во всю страницу;

• напечатать каждое изображение, подогнав под формат 20×25 см. Поля, которые при этом неизбежно образуются, можно будет отрезать ножницами;

• напечатать по два изображения на странице, каждое в формате 10×15 либо 13×18. Потом разрезать и поставить карточки в альбом. В этом режиме печати программа поворачивает снимки на 90°;

• напечатать по четыре изображения формата 9×13 на каждой странице. Тоже вполне «альбомный» формат;

• напечатать девять карточек на каждом листе. Режим называется Бумажник, то есть снимки таковы, что их можно вставлять в бумажник или книжечку с документами. Ну, там, фотография любимой девушки, фотки детей и жены, собаки, кошки – что там еще люди с собой носят?.. Неужели Диму Билана?!

- И наконец, в режиме Обзорный лист программа печатает на каждом листе по 35 изображений, повернув их на 90°. В таком виде очень удобно хранить каталоги своих фотографий – компактно и у каждого эскиза размер вполне достаточный, чтобы можно было понять, что тут изображено и как именно изображено.

В этом режиме под каждым снимком будет напечатано имя файла. А вот названия снимков, даже если вы вписали их для каждой карточки, напечатаны не будут. Не будет также даты снимка и графического разрешения.

Есть другие программы для просмотра графики и ведения коллекций, например Thumbs Plus, ACDSee, IrfanView или XNView, которые позволяют при печати каталога выбирать состав надписей под картинками, вводить заголовки, имя автора, дату и все прочее, что обычно тут требуется.

5. КОМПЬЮТЕРНЫЕ ВИРУСЫ И БОРЬБА С НИМИ

Кто не курит и не пьет,
Тот здоровеньким помрет.

Народная мудрость

Компьютерные вирусы – это программы, написанные хулиганами и вредителями, возможно, страдающими комплексом неполноценности или, наоборот, манией величия (что на самом деле почти одно и то же). Хуже того, их могут писать и террористы, ставящие своей целью отомстить кому-то, может, даже всему человечеству. Или бессовестные рассыльщики спама, которые захотят воспользоваться вашим компьютером как собственной станцией рассылки.

Поэтому эмоциям тут не место, а нужны разумные меры защиты, подобно защите от рэкетиров, мошенников, холеры, СПИДа и резкого ужесточения налогового законодательства.

Вирус чаще всего приходит под видом программы или игры. Может и вправду запуститься какая-то программа или игра, но «под ее покровом темным вершатся тайные дела»... Сперва вирус работает скрытно, повсюду внедряется, заражает все, что может, а уж потом дает о себе знать. Некоторые вирусы сидят тихо до определенной даты, как, например, «Чернобыльский вирус», срабатывающий один раз в год, 26 апреля, или «Пятница тринадцатое», срабатывающий именно при таком сочетании дня недели и числа. Другие начинают вредить сразу же.

Некоторые вредоносные бациллы пытаются заразить не только ваш, но и другие компьютеры. Они могут без вашего ведома рассылать письма по электронной почте абонентам из вашей адресной книжки, присоединив к письму «отравленную» программку, которую объявляют полезной утилитой или «прикольной заставкой».

Вирус мешает работать операционной системе, уничтожает файлы и папки, да так, что потом не найти и следов. Иные могут полностью разрушить информацию на диске, который приходится заново форматировать и заново устанавливать все программы, а о результатах своего многомесячного труда, если у вас нет копий на дискетах или иных внешних носителях, можете забыть. Самые же злобные вирусы (вроде нашумевшего в свое время Win95.CIH) способны даже вывести из строя аппаратуру компьютера и выставить вас на крупную сумму.

Но есть особая категория вирусов, которые ведут себя совершенно иначе. Живут тихонько, маскируются под пустое место. А сами через интернет пересылают своему хозяину всяческую информацию о ваших кодах и паролях, о содержимом ваших файлов. Хозяин такого засланца, такого **троянского коня** может не просто получить доступ в интернет за ваш счет (украв пароль), но и прочесть, а также стереть в любой момент любые ваши файлы, запустить любые программы на вашем компьютере. Конечно, для этого должна быть установлена связь с интернетом.

Именно троянские вирусы используются для массовой рассылки рекламы (спама) – за ваш счет, разумеется, для хакерских атак на другие компьютеры, для распространения вирусов и т. п.

Сегодня вирусы чаще всего приходят с электронными письмами – в приложенных к письму файлах. Но могут они перелезать на другие компьютеры сети непосредственно, без помощи почты. Такой вирус (**сетевой червь**) проверяет все компьютеры локальной сети на предмет дырок в защите. Найдя таковую, засылает туда свою копию. Копия поступает так же.

Вирусы способны заражать не только программы. Иногда заражаются служебные участки диска или дискеты, например загрузочная область. Тогда вирус включается прямо в момент загрузки, беря под свой контроль все остальные программы, включая и операционную систему. Это так называемые **бутовые вирусы** (от boot sector – «загрузочная область»).

Может быть заражен даже текстовый документ или электронная таблица.

– Но как это может быть, чтобы заражался текст? – спросите вы. – Ведь было сказано, что вирус – это программа, которая все и портит. А текст сам не работает (работает за него программа – текстовый редактор), а значит, он не может начать безобразничать, так ведь?

– Так, да не совсем. Документы современного текстового или табличного редактора (например, Microsoft Word и Excel) могут иметь собственные наборы макрокоманд – маленькие программки, часть из которых запускается при загрузке файла в редактор и выполняет некоторые полезные действия по оформлению документа. Вот сюда-то, в макрокоманды файла, и может забраться вирус. Точнее, **макровирус**. То есть заразу несет все-таки программа, только встроенная в документ.

В последнее время в интернете большое распространение получили **скрипт-вирусы**, заразиться которыми можно просто просматривая веб-страницу. Для оформления современных веб-страниц применяются специальные программки – скрипты. Но в защите Windows, браузера Internet Explorer и почтовой программы Outlook Express обнаружились дыры, через которые хакеры и научились просовывать нам вирусы.

Вот в силу всего изложенного (и многого еще не изложенного) каждый должен иметь программу защиты от вирусов и копии всех важных файлов на внешних носителях.

Если зараза все-таки случилась, выключите от греха компьютер (пока он работает, разбойничает и вирус) и вызывайте специалиста по обезвреживанию вирусов. Или попробуйте найти хороший антивирус у знакомых.

Самые распространенные в России антивирусы – Doctor Web И. Данилова и Антивирус Касперского. Из западных образцов можно назвать Norton AntiVirus – самый, пожалуй, широко распространенный в мире антивирус, Nod32 – самый, пожалуй, быстрый и легкий (мало загружающий систему). Есть и ряд бесплатных антивирусов, тоже вполне приличного качества. Это программы AntiVir, avast!, AVG Free. Интернетовские адреса всех этих программ вы найдете в таблице 2 в приложении.

Как устроены антивирусы

Раньше антивирусы действовали в основном так: вы их запускали, а они проверяли оперативную память компьютера и просматривали файлы на дисках, найдя заразу, удаляли ее или пытались вылечить зараженные файлы. Такие программы называются **антивирусными сканерами**. Их и сегодня включают в состав антивирусов, но главные теперь не они.

Чтобы не пришлось долго и мучительно лечиться, лучше просто не болеть. В качестве главного профилактического средства предлагается **система непрерывного наблюдения – антивирусный монитор**. Один модуль антивируса берет под свой непрерывный контроль входящую электронную почту, другой проверяет файлы, поступающие из интернета и по локальной сети, третий проверяет программы, которые вы запускаете, следит за тем, какие данные записываются на жесткий диск...

Если модули непрерывной защиты должны быть максимально быстрыми, легкими и незаметными, чтобы не мешать своими действиями системе, программам и, конечно, их владельцам, то сканер может мучить компьютер по полной программе, отыскивая вирусы внутри архивов, пытаясь узнать вирусы новых разновидностей, отсутствующие в антивирусных базах, применяя для этого сложные эвристические алгоритмы. Запускается сканер либо по расписанию (раз в сутки, раз в неделю), либо самим пользователем – когда ему придет в голову мысль провести углубленную проверку своих данных.

В составе любого антивируса обязательно имеется **блок для обновления антивирусных баз через интернет**. Вирусов развелось очень много, новые появляются ежедневно, а то и по нескольку штук в день, поэтому и антивирусы обновляются ежедневно, а то и по нескольку раз в день. Идет постоянная гонка между новыми опасными мутантами и лекарственными препаратами, которые призваны весь этот птичий грипп обнаруживать и уничтожать.

Большая часть антивирусов обновляется автоматически, по своему собственному расписанию (например, каждые четыре часа или каждые двадцать четыре часа), но встречаются программы, которые обновляются только вручную. Например, бесплатный антивирус Antivir (в отличие от платной версии) не утруждает себя автоматическим обновлением.

Вполне можно взять в меню такой программы значок утилиты обновления («обновлялка» может представлять собой отдельную программку) и притащить в меню Автозагрузка, чтобы он обновлялся автоматически при старте Windows.

А теперь от теории перейдем к практике – посмотрим, как пользоваться бесплатным антивирусом avast! Я выбрал именно его не потому, что он самый из всех лучший антивирус – тут очень трудно выбрать чемпиона, – а потому, что он, в отличие от других бесплатных антивирусов, имеет русскую версию, что для нас будет удобно.

Спасибо чешским программистам, авторам этой программы!

Антивирус avast!

Avast! Home Edition (домашняя бесплатная редакция) представляет собой программу начального уровня среди антивирусных программ чешской компании Alwill Software. Помимо нее имеются платные редакции – для делового применения (Professional Edition), для защиты серверов предприятий (Small Business Server Edition) и т. п. Домашней редакцией разрешают пользоваться неограниченное время и совершенно бесплатно, но только дома и только для своих личных занятий. В деловых и коммерческих целях использовать ее запрещено. Ну, запрещено, значит, не будем. Для бизнеса и купить не жалко.

В таблице 2 в приложении вы найдете адрес русской интернет-странички avast!, почитаете на сайте о программе, перейдете на страницу загрузки и скачаете себе антивирус, если он вам понравится (файл setuprus.exe).

В четвертой версии программы (точнее, версии 4.7, которую программа имела на момент написания этой книги) файл этот весил немало – около 13 МБ. Вполне возможно, что в тот момент, когда вы отправитесь на сайт программы, там будет лежать уже следующая версия, и не исключено, что более «тяжелая». Вирусов с каждым днем все больше, а вслед за ними растут и антивирусные базы программ...

Короче говоря, скачаете программу, запустите ее, и avast! установится на ваш компьютер. Потом он предложит перезагрузиться, заодно просканировать весь диск. Если вы на 100 % уверены, что вирусов у вас нет, можете эту проверку запретить. Но вообще, для начала провериться – правильная идея.

После перезагрузки в области уведомлений окажется пара значков антивируса – шарик с буковкой **i** и шарик с буковкой **a**. Если шарик **a** вращается, это означает, что непрерывная защита компьютера включена. Часовой заступил на пост.

Через контекстное меню значка с буквой **a** мы и сможем управлять действиями программы (рис. 5.1). Например, запустить сканирование (строка Запустить антивирус avast!), вызвать окно с настройками программы, временно приостановить и снова запустить любой элемент защиты (*провайдер*, как они здесь называются).

Проверкой содержимого веб-страниц занимается здесь провайдер Web экран. Входящую почту обезвреживает провайдер Электронная почта, а для тех, кто

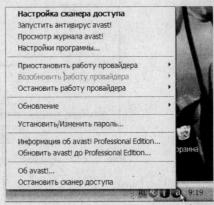

Рис. 5.1. Управление антивирусом avast! через контекстное меню значка

пользуется почтой MS Outlook из пакета Microsoft Office, предназначен специальный провайдер Outlook/Exchange. Атаки сетевых червей отражает провайдер Сетевой экран. Попытки переслать вирус по ICQ или через иную программу обмена короткими текстовыми сообщениями пресекает провайдер Мгновенные сообщения, а прямую перекачку файлов от компьютера к компьютеру контролирует провайдер Экран P2P. Ну, и есть еще Стандартный экран, который берет под контроль запускаемые программы и открытые документы, не позволяя нам с вами запустить вирус на своем компьютере. Все это вместе и составляет антивирусную непрерывную защиту – *сканер доступа*, как она тут называется.

Из контекстного меню значка можно запустить обновление баз (командой Обновление ▸ Обновление iAVS) и самой программы, если вышла ее новая версия (Обновление ▸ Обновление программы). Впрочем, делать этого обычно не приходится, потому что все необходимые обновления происходят автоматически[1].

Вообще, основное достоинство современных антивирусов в том и состоит, что они действуют полностью автономно, все необходимое делают сами. Наше участие требуется только в одном случае: если найдены зараженные файлы.

Рис. 5.2. Обнаружен вирус! Что будем делать?

Найдя заразу, программа выдает окошко с сигналом радиационной опасности (см. рис. 5.2), но тут же принимается успокоительно бубнить, мол, не беспокойтесь, парни, все под контролем, давайте я вам эту скотину убью до смерти! Ну, пусть убьет, не жалко.

---

[1] По умолчанию автоматически обновляются только антивирусные базы, а о появлении новых версий программы вас будут лишь информировать. Но зайдя в многостраничное окно настроек программы на страницу Обновление (Основной), вы сможете поставить точку в строке Выполнять обновления автоматически в секции Программа. Тогда и новые версии антивируса будут приезжать к вам автоматом.

Выбор вариантов следующий:

- переименовать зараженный файл;
- удалить его;
- вылечить файл, то есть избавить его от внедренного внутрь вируса. Лечение возможно далеко не всегда: одно дело, когда имеется текстовый или табличный документ, в котором прячется фрагмент вируса, и совсем другое, когда в файле кроме вируса ничего и нет. Такого только прибить и остается;
- переместить в защищенное хранилище;
- продолжать работу без выполнения каких-либо действий. Так поступать стоит, только если вы на 100 % уверены, что это не вирус и avast! всполошился зря.

Примерно такое же сообщение выдает и защитник интернетовский, только тут он не предлагает удалить файлы – просто прерывает соединение с сайтом и запрещает файлу закачиваться.

По команде Запустить антивирус avast! начинается быстрая проверка памяти и загруженных программ. А потом появляется главное окно антивируса (рис. 5.3), в котором можно выбрать, что сканировать, как сканировать, и получить информацию о проверке (сколько проверено, сколько заражено и т. п.).

В секции 1 (Области сканирования) можно задать проверку всех жестких дисков (поставив галочку в строке Локальные диски), сменных носителей (дискеты или компакт-диска) и конкретных папок (папки программа попросит показать – пометить галочками).

У программы три типа сканирования (секция 2): быстрое, стандартное и тщательное — самое длительное, но и самое дотошное. Кроме того, можно пометить галочкой строку Сканировать архивы, при этом сканирование пойдет несколько медленнее. Программа успешно находит вирусы в архивах, но удалять их оттуда, скорее всего, не будет. Придется нам самим, своими руками...

Задав все параметры, нажимаете кнопку Начать сканирование и дожидаетесь его завершения.

Впрочем, запускать проверку диска, папки или файла проще через контекстное меню, не вызывая для этого окна запуска. После установки антивируса в контекстном меню любого виндоузовского объекта найдется команда для его проверки на наличие вирусов.

Это тоже типично для антивирусов – все они добавляют такие команды в контекстные меню.

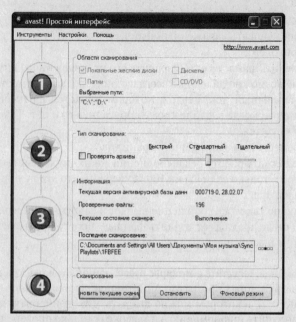

Рис. 5.3. Окно антивирусного сканера

А вот особенность программы, которая есть далеко не у всех антивирусов: она может автоматически (во время простоя компьютера) создать базу данных по всем файлам, находящимся на дисках, с тем чтобы в случае вирусного заражения быстро и без потерь восстановить их, вылечить. Называется эта база VRDB – Virus Recovery Database (база вирусного восстановления).

Создается страховочная информация о трех последних копиях файлов, а потом раз в три недели обновляется. Значок с буковкой i как раз и относится к этой восстановительной системе. Если буква вращается, значит, формирование базы идет.

Ну, а в контекстном меню этого значка в лотке, кроме команд немедленного запуска или отключения данного модуля, найдется и команда Объединить с главным значком avast!. И тогда вместо двух крутящихся шариков в области уведомлений останется только один.

Должен вам честно сказать, что эту дополнительную страховку мне проверить в действии пока что не удалось, потому что за весь период пробной эксплуатации не было ни одного, так сказать, страхового случая. Я поставил программу на ноутбук, а потом и на основной свой рабочий компьютер – на новую систему Windows Vista. И под Вистой, где многие программы работать не могут, чешский атас!... То есть avast!, успешно трудится ради мира и дружбы между народами.

Хоть антивирус наш и бесплатный, авторы его хотят, чтобы мы у них на сайте зарегистрировались. Без регистрации можно работать только в течение двух месяцев, но если вы не поленитесь потратить пару минут на то, чтобы зайти на сайт и зарегистрироваться, то будет работать и дальше. Это тем более нетрудно сделать, что сайт регистрации снабжен переключением с английского на русский – будет там соответствующий списочек в самом верху страницы. Сообщите им адрес своей электронной почты, и по этому адресу вам вышлют ключ активации.

Останется открыть письмо в почтовой программе и найти в нем такие примерно строки:

```
ваш лицензионный ключ:
---------- скопировать отсюда ----------
W456789891H2700A1106-060U8809[1]
---------- скопировать отсюда ----------
```

Выделяете мышкой строку с ключом – примерно так, как показано выше, копируете ключ (Ctrl-C), потом щелкаете по значку антивируса в системном лотке и выбираете команду Об avast! В появившемся окошке сведений о версии программы и ее антивирусных баз нажмете кнопку Лицензионный ключ и вставите то, что копировали в письме комбинацией Ctrl-V. ОК.

Советы для спокойной жизни

Чтобы жить спокойно и, как говорят в народе, помереть здоровеньким, надо неукоснительно выполнять некоторые простые правила.

• Не отключайте брандмауэр Windows. Пока вы работаете в интернете, он вас защищает, а когда уходите – не мешает и вообще никак себя не проявляет. Если вы постоянно подключены к локальной сети и к интернету, не отключайте брандмауэр никогда. Сетевые черви и некоторые хакерские атаки довольно эффективно отражаются этим защитным приспособлением.

• При работе в интернете обязательно включите антивирус в режим непрерывного контроля. Убедитесь также, что в программе включен контроль за входящей почтой и разрешено автоматическое обновление.

---

[1] Ключ условный, у вас будет что-то совсем другое.

Большинство вирусов могут быть какими угодно хитрыми и опасными, но одного они не могут. Ни один вирус классического типа не может сам запуститься в вашем компьютере в первый раз. Даже если вам его прислали по почте или вы сами его откуда-то перекачали, он не опасен – до тех самых пор, пока вы его не запустили своими руками. А вот тогда уж он себя покажет!..

Поэтому:

• Никогда не просматривайте электронную почту, если режим непрерывного контроля выключен.

• Никогда не запускайте программ, заставок и иных *исполняемых* файлов (вспоминаем главу «Типы файлов – типы значков» во втором разделе), которые приложены к письмам, пришедшим от малознакомых людей. Даже если ваш антивирус на их счет помалкивает! Эпидемии вирусов всегда начинаются с появления новых разновидностей заразы, про которую антивирусы пока не знают. А значит, отключать голову и тыкать во все без разбору ни в коем случае не стоит!

• Никогда не запускайте программы из писем, пришедших «своим ходом» – под видом рекламной акции или бескорыстной дружеской помощи неизвестно от кого. Бесплатные программы авторы отдают на популярные софтовые серверы интернета, ставят на своих собственных сайтах. Но чтобы автор программы или даже какой-то энтузиаст рассылал ее незнакомым людям, этого не бывает! В такой программе обязательно сидит либо простой вирус, либо троянский.

• И фирмы тоже не рассылают программы в письмах! Даже если письмо очень похоже на письмо от корпорации Microsoft, от вашего банка или интернент-провайдера, не ставьте себе программы, которые пришли самотеком. **Не ставьте никогда**.

И если письмо с программой приходит от вашего хорошего знакомого, это тоже никакая не гарантия. Вирус, который приятель ваш по неосторожности мог подцепить, тоже будет рассылать сам себя в письмах – от его имени. Конечно, письма вирусов нетрудно отличить от писем людей. Скажем, друг почему-то решил написать вам письмо по-английски. Увидев такое, надо бы задуматься – с какой это радости?!

• Никому и никогда **не высылайте пароли** от своих кредитных карт, банковских эккаунтов, не высылайте никому пароли для доступа в интернет и для входа на вашу электронную почту. Если кто-то представился системным администратором и просит (в связи с аварией или хакерской атакой) сообщить ваш пароль, чтобы прислать вам новый, **не сообщайте**.

Вообще, никто и никогда из нормальных работников банков, платежных систем, интернет-провайдеров, сетей, магазинов не попросит вас выслать свой пароль. Если что-то и правда случится с базой паролей, админ сгенерирует новый пароль и пришлет вам. Знать для этого ваш пароль ему не нужно.

• Не доверяйте ссылкам в письмах, если они ведут в какие-то места, где следует вводить данные конфиденциального характера. Достаточно широко распространены разного рода фокусы с подменой адресов сайтов (это называется фишингом, то есть ловлей рыбки в мутной воде). Лучше всего отправиться на сайт напрямую и пройти тем самым путем, которым вы ходите всегда, когда вам нужно проверить состояние счета или оплатить покупку.

• Вообще, не доверяйте незнакомцам, как сказано мудрым писателем. Если незнакомец сообщает вам, что вы только что выиграли сто тысяч евро и можете немедленно получить свой выигрыш – надо только оплатить почтовые расходы, гоните его в шею! Точнее, удаляйте письмо немедленно, не удостоив ответом.

И если другой незнакомец сообщает вам, что он бывший премьер-министр далекой теплой страны (или дочь бывшего премьер-министра), где много-много денег, и у него (у нее) даже есть миллионов 20–30, только он(а) не может их оттуда вывезти из-за ужасного деспотического правительства, и что он(а) вам отдаст несколько своих миллионов, если вы ему(ей) поможете перевести деньги, – гоните их обоих в шею той же самой клавишей Del! Потому что кончится все тем, чем всегда кончается: вас попросят завести где-то счет и оплатить необходимые предварительные расходы. А потом ждите новых писем от других родственников премьер-министра.

Как только заходит речь о том, что для получения тысячи рублей надо сперва заплатить сто, для получения тысячи долларов выслать сто двадцать, а для получения миллиона – всего 634 доллара и 50 центов, немедленно высылайте универсальный ответ: клавиша Del и более ни слова.

• Установите службу Windows Update (обновление операционной системы) в один из автоматических режимов, чтобы скачивание обновлений происходило независимо от вашего настроения и желания заниматься этим именно сегодня. Все-таки значительная часть дырок в обороне компьютера происходит из-за недоработок в системе. Как только выясняется, что дырку использовали вирусы, тут же выходит апдейт (обновление).

Наверное, еще какие-то правила можно сформулировать, но для начала хватит и этих.

6. ПОПУЛЯРНЫЙ ТЕКСТОВЫЙ РЕДАКТОР MICROSOFT WORD

И пошел Билл Гейтс к великой реке Мис-
сисипи. И встал на правом берегу как великий
дуб. И задумался на тридцать лет и три месяца. По истечении этого времени изронил Билл
Гейтс золотое слово «Word». И с тех пор всякий день повторяют это слово воины у ночных
костров и сыны воинов в каждом из вигвамов
Великой Равнины.

Из эпоса виртуальных индейцев
«Дума о Майкрософте»

 Microsoft Word действительно весьма популярный и мощный редактор. Он умеет все, что должен уметь современный текст-процессор, плюс еще кое-что.

Сейчас более или менее в ходу несколько разновидностей этой программы, входящих в пакет Microsoft Office разных версий. Скажем, в пакет Microsoft Office XP входит Word XP (версия 10), в Microsoft Office
2003 – Word 2003 (11), ну, а в пакет Microsoft Office 2007 – Word 2007
(12). Эти версии программы во многом схожи, просто владельцы самых
слабых компьютеров пользуются более ранними версиями (они «полегче»), а счастливые обладатели мощных и быстрых компьютеров с последними версиями Windows – самыми последними и самыми мощными. Исключение составляет только Word 2007, система управления
которым переработана до такой степени, что мама родная не узнает, если
она лично не принимала участие в этой переработке.

Поэтому мы в этой книжке будем разбираться с программой на примере версии 2003. Во всех более ранних версиях отличия будут мини-
мальные. Ну, и как на отдельное экзотическое растение будем периоди-

чески поглядывать на Word 2007, дивясь причудам американских генных инженеров.

Но прежде чем заниматься непосредственно Вордом, давайте сначала разберемся с тем...

Чего же мы хотим от текстовых редакторов?

Что нужно человеку, работающему с текстами?

1. Набрать текст (на русском или каком угодно ином языке).

2. Записать текст на диск в виде файла (сохранить) или загрузить его с диска тогда, когда он снова понадобится для работы.

3. Отредактировать (внести правку).

4. Оформить.

5. Напечатать.

Как набирают текст – более или менее понятно. Главное, привыкнуть к тому, где какие клавиши на клавиатуре и как переключаться с латинского режима на русский. Зачем сохранять текст на диск в виде файла, тоже понятно – чтобы можно было воспользоваться им еще раз, послать по почте или скопировать на дискету. А вот редактирование – это что?

Ну конечно, это возможность вносить в текст поправки любого рода, добавлять и убирать, а также менять местами отдельные слова, абзацы или целые главы. Проверять орфографию.

Существует и такое замечательное, только в компьютере появившееся действие, как **поиск**, при котором вы задаете слово, предложение или какой-то иной набор символов, а программа сама находит его в тексте. Это необыкновенно удобная на этапе редактирования процедура. Без нее уже и с обычной книгой не так легко общаться: когда хочется отыскать в ранее прочитанном тексте какое-то место, так порой не хватает этой возможности!

Но есть и еще одна, просто незаменимая вещь – **поиск с заменой** (иногда говорят просто **замена**). Без этого о редактировании даже и говорить-то смешно. Что толку написать и красиво оформить предвыборную речь или, скажем, статью, если нельзя одним движением руки заменить сразу во всем длинном документе выражение «как и было нами предсказано, инфляция неуклонно растет» на выражение «как и было нами предсказано, инфляция неуклонно снижается», встречающееся там раз пять в самых неожиданных местах.

Но тут возможен ряд проблем. Например, заменяя по всему тексту выражение «политический авантюрист» на выражение «господин президент», вы должны учесть, что выражение может встречаться в различных падежах: «политического авантюриста», «политическому авантюристу» и проч.

При поиске слов в продвинутых текстовых редакторах разрешают пользоваться **подстановочными знаками** (поиск по маске или по шаблону, как это часто называют). Например, поиск по маске **политическ???** **авантюрист?** будет означать наличие после первого слова любых трех символов, после второго – одного (политическ**ому** авантюрист**у**, политическ**ого** авантюрист**а**).

Но это еще не все. Как быть с выражением «политическ**их** авантюрист**ов**», где этих «любых символов» другое количество? Можно пользоваться звездочкой, означающей любое количество любых символов, но при этом надо учитывать, что по маске **политическ*** авантюрист текст-процессор может отыскать фрагмент, в котором первое слово будет отстоять от второго на пару страниц.

Легко им, англичанам, без падежей и политических катаклизмов!

Кроме того, не забудем о различии и в то же время родстве между строчными и заглавными буквами. Ладно скроенный и крепко русифицированный текст-процессор должен это понимать и уметь по вашему желанию обращать внимание на различие регистра или же не обращать. Тогда вы сможете разом искать в тексте и «Петра Петровича Петросяна», и «Петра Петровича ПЕТРОСЯНА». Или, наоборот, замечать только ПЕТРОСЯНА, а Петросяна игнорировать, как недостаточно крупную политическую фигуру.

От текстового процессора при редактировании требуется удобство перемещения по тексту (горячие клавиши для ускоренного перепрыгивания в начало и конец строки или текста, на следующее или предыдущее слово или абзац), удобство выделения текстового фрагмента (того, над которым мы будем производить всякие операции).

Весьма желательно, чтобы редактор был ***многооконным***. Тогда в каждое из окон можно будет загрузить по файлу, не стирая остальных, и работать с ними отдельно. Делайте несколько текстов одновременно, как какой-нибудь Юлий Цезарь или Н. Г. Чернышевский! Впрочем, обычно в окнах держат не более 2–3 файлов, между которыми таскают туда-сюда куски, или берут из нескольких файлов фрагменты текста, создавая новый текст[1].

---

[1] Очень, кстати, прогрессивная, так называемая *цельнотянутая* технология создания оригинальной, например, научной статьи при помощи десяти чужих (или десяти своих старых) статей и многооконного текстового процессора.

Переходы из окна в окно должны быть удобны, окна должны по вашему желанию изменять свой размер и местоположение на экране.

А что понимается под оформлением текста?

Любой текстовый редактор, который собирается что-то выводить на печать, позволит вам задать на странице поля, поскольку прямо от верхнего или левого края большинство принтеров печатать не может (это «слепое пятно» у каждого из них свое, смотрите инструкцию на ваш принтер), и потом, это просто некрасиво[1]. Задаются левое, правое, верхнее и нижнее поля.

Каждый абзац текста должен быть определенным образом на странице расположен. Сейчас вы поймете (если раньше этого не знали), что дает то или иное выравнивание (форматирование) абзаца.

Этот абзац выровнен по левому краю. Правый край остался невыровненным. Так оформляют деловые письма, иногда такое размещение текста используют в брошюрах, внутрифирменной документации, газетах или журналах, но так никогда не оформляют книги.

Этот абзац выровнен по правому краю. Невыровненным остался левый край. Такое расположение текста применяется в газетно-журнальных столбцах особого стиля, таблицах и проч.

Этот абзац отцентрован,
то есть каждая строка размещена на равном расстоянии от краев (точнее, от полей) страницы.
Так оформляют заголовки, подзаголовки и некоторые другие выделенные элементы текста.

Этот абзац выровнен по обоим краям. Кроме того, в нем сделан абзацный отступ (красная строка). Так оформляется большинство книг, журналов, газет, статей и проч. и проч. В таком режиме весьма желательно пользоваться переносами, иначе расстояния между словами могут оказаться неприятно большими (так называемые жидкие строки).

---

[1] Вот если вы печатаете плакат или фотографию на цветном принтере, то печатать «в край» весьма желательно, чтобы плакат или фотка были без полей. Существуют принтеры, которые это умеют.

Этот абзац выровнен по обоим краям. В нем сделан абзацный отступ, а кроме того, заданы дополнительные сдвиги относительно левого и правого полей страницы. Так оформляются, к примеру, эпиграфы.

У этого абзаца увеличенное межстрочное расстояние, иначе – интерлиньяж. Иногда оно задается в строках, как на пишущей машинке (через один интервал; через полтора интервала, как в данном абзаце; через два), а иногда – в сантиметрах, дюймах (inch, около 2,5 см), пунктах (pt – 1/72 дюйма) и долях пункта.

- Это абзац с маркером. Маркеры используют для создания ненумерованных списков.
- Вид маркера в большинстве редакторов можно поменять – вместо стандартного кружочка выбрать квадратик, звездочку, ромбик и т. п.

1. Нумерованный список – тоже разновидность маркированного абзаца.
2. Нумеровать абзацы вручную не приходится: это дело берет на себя текстовый редактор.

На странице может находиться один или несколько **колонтитулов** (и данная книга тому пример). Колонтитулом называется надпись, появляющаяся на каждой странице данной главы (или на каждой четной и отдельно – нечетной). Обычно это имя автора (я тут что-то поскромничал...), название книги, название главы. Их размещают и вверху (верхний колонтитул), и внизу страницы (нижний колонтитул). Номер страницы – тоже разновидность колонтитула (**колонцифра**).

Кроме того, хорошие текст-процессоры позволяют располагать текст в две, три и более колонок, выравнивая их по высоте, вставлять в текст фотографии или рисунки, подготовленные в графическом редакторе, обтекая их текстом; вставлять сноски и ссылки, составлять алфавитные указатели и оглавления и т. д.

Для быстрого форматирования текста в современных текст-процессорах и издательских системах существует развитая система так называемых **стилей**. Стилем тут называют полное оформление абзаца или текстового фрагмента: шрифты, сдвиги от левого и правого края, межстрочное расстояние, выравнивание краев, отступы, линейки и рамки вокруг текста, разрешенные или запрещенные переносы и т. д. Каждый стиль имеет свое собственное имя: например, Заголовок 1, Заголовок 2, Обычный, Цитата и т. д. Любой стиль можно изменить, а также создать новый, доселе небывалый.

Если обычным способом вам приходится выполнять десяток разных операций, чтобы оформить фрагмент нужным образом, то оформление при помощи заранее созданного стиля требует ровно одной операции: назначаете всем выделенным абзацам этот стиль и идете дальше.

Внешний вид и органы управления

Давайте запустим программу и посмотрим на нее. А если не запустим, то, по крайней мере, взглянем на рисунки 6.1 и 6.2. Так выглядит основное окно текст-процессора Microsoft Word 11-й и 12-й версий. Как говорится, найдите хоть что-то общее (кроме названия).

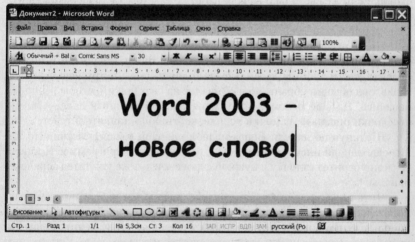

Рис. 6.1. Внешний вид Word 2003

Нет, ну кое-что общее, конечно, есть. Скажем, рисунки на кнопочках (пиктограммы) одинаковые. Но расположение кнопочек и весь остальной интерфейс изменены радикально. А вот предыдущие версии похожи друг на друга как родные братья.

С вашего разрешения, я в этом разделе не буду указывать, что такая-то возможность, кнопка, команда или настройка есть, скажем, в Word 2003, а в Word 2000 или в Word XP ее не было: вы сами увидите в своей версии редактора, есть у вас такое дело или нету его. И если название команды менялось, но не принципиально, не буду перечислять всех вариантов.

А вот с Word 2007 этот фокус не проходит – слишком велики отличия. Можете считать меня занудой, но придется мне всякое руководящее указание давать в двух экземплярах: сначала я буду писать, в каком месте та или иная команда расположена в обычных версиях Ворда, а в скобочках – в новой.

☞ В справке по 2007-му Ворду (раздел Новые возможности) есть внушительных размеров таблица, показывающая, в какие места переехали старые вордовские команды. Люди, имевшие опыт работы в Word 97, 2000, XP или 2003, получат массу свежих впечатлений, ознакомившись с этой таблицей. Уж приятных или неприятных, не знаю...

Посмотрим повнимательнее на окно Word 2003. Верхняя строка окна – это заголовок, где программа всегда пишет имя загруженного файла. Если же вы только начали работу с текстом, он пока безымянный и ни разу на диск не сохранялся, то здесь будет написано Документ1, Документ2 и т. д.

Ниже расположена строка **выпадающих меню**. Под ней – **панели инструментов** Стандартная и Форматирование. Внизу рисунка 6.1, под горизонтальным лифтом, вы видите еще одну панель инструментов – Рисование, она обычно убрана, но я ее извлек на свет божий, чтобы вы полюбовались. Да еще потому, что у меня она постоянно в деле – можно стрелочки рисовать, рамочки всякие, картинки вставлять в текст.

Щелкнув по панели Ворда правой кнопкой мыши, вы увидите, какие еще панели инструментов есть у вашей версии программы. Поставьте (или уберите) галочку в нужной строке – и тут же увидите (спрячете) панельку.

Чуть ниже панели Форматирование, над самым рабочим полем, расположена **координатная линейка**, напоминающая линейку пишущей машинки. С ее помощью мы будем задавать поля и отступы. Вертикальная линейка (слева) поможет нам выставить нижнее и верхнее поле. Устанавливаются (убираются) обе эти линейки через меню Вид (View) командой Линейка (Ruler). Как всегда, мы будем писать в таких случаях Вид ▶ Линейка.

А теперь поглядим на окно Ворда 2007-го (см. рис. 6.2). Как видно из рисунка, обычные выпадающие меню тут вообще отсутствуют. Щелчок по тому или иному пункту заменяет разом весь набор инструментов на широкой кнопочной панели (точнее, **ленте**, как это здесь называется). На нашем рисунке показана лента Главная, где собраны кнопки, кнопки-меню и строки ввода, предназначенные для редактирования и оформления текста. Большая часть операций, которые нам с вами понадобятся в повседневной жизни, запускается именно отсюда.

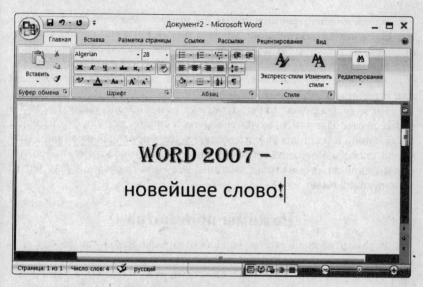

Рис. 6.2. Внешний вид Word 2007

Лента делится на тематические секции, группы, название каждой группы помещается внизу – на нашем рисунке это Буфер обмена, Шрифт, Абзац, Стили. Описывая местоположение той или иной команды, я буду писать сначала название ленты, а потом группы, например: Главная ▸ Абзац.

Есть и отдельные кнопки, не входящие ни в одну группу – как кнопка Редактирование на нашем рисунке. Из такой отдельной кнопки обычно выпадает список команд – меню.

Полноценное выпадающее меню у нас тут всего одно – меню Office, которое открывается, когда мы щелкаем по круглой неподписанной кнопке в левом верхнем углу. Тут собраны команды для работы с файлами (сохранение, открывание нового, печать документа и т. п. – то, что в обычных версиях Ворда находится в меню Файл).

Тут же найдете и главную настроечную кнопку программы – Параметры Word. В классических версиях Ворда вход в окно настроек происходит по команде Сервис ▸ Параметры.

А правее кнопки Office располагается **панель быстрого доступа** – для самых важных кнопок – для сохранения файла, отмены или повтора команд. Щелкнув «правой крысой» по любой кнопке или списку на любой из лент, вы сможете выбрать в контекстном меню команду Добавить на панель быстрого доступа. Вот и будет кнопочка видна вам в любом режиме работы[1].

Вдоль нижней границы ленты вы можете видеть несколько таких вот [⌐] кнопочек со стрелками. Щелчок по каждой такой кнопке вызывает какой-то дополнительный орган настройки: диалоговое окно, список или дополнительную боковую панель. (В таких случаях мы будем писать примерно так: Главная ▸ меню Шрифт и далее – название команды или страницы в диалоговом окне.)

По ходу дела у нас могут, откуда ни возьмись, выскакивать совсем новые ленты. Например, щелкнув мышкой по рисунку или фотографии, вставленной в текст, вы увидите новую ленту Формат для изменения размеров, способа обтекания текстом и иных параметров картинки. А щелкнув мышкой по любой строке таблицы, получите сразу две новых ленты: Конструктор и Макет.

Режимы просмотра

В самой нижней строке вордовского окна находится четыре или пять мелких кнопок, задающих режимы просмотра документа.

[▤] Эта кнопка переводит нас в **Обычный режим** (в 2007 – **Черновик**), в который мы сможем переходить для набора и редактирования, когда не требуется отображение вставленных в текст рисунков, когда нам еще не нужно видеть колонтитулы и номера страниц, когда убраны лишние поля и колонки. Зато компьютеру не приходится тратить много сил на пересчет сложных деталей оформления и графических изображений, и он будет работать намного быстрее, что при наборе и редактуре – самое главное.

Кроме кнопки, нас может перевести в этот режим также клавиатурная комбинация Alt-Ctrl-N.

[▣] Кнопка **Разметка страницы** и комбинация Alt-Ctrl-P позволяют видеть страницу в ее истинном виде. В этом режиме мы будем заниматься оформлением текста шрифтами, отступами и прочими красотами. Здесь видны все вставленные в текст картинки, колонтитулы, номера страниц, здесь показывается многоколонное расположение текста и все остальное, чего не видно в обычном режиме.

В принципе, на быстрых компьютерах с достаточной оперативной памятью можно набирать и редактировать текст даже в режиме разметки,

---

[1] Убрать отсюда не оправдавшую доверия кнопку можно точно так же – через ее контекстное меню.

особой разницы вы не заметите. Однако кроме скорости работы, есть и соображение простого удобства. Так, в режиме разметки нам все время будут мешать верхнее и нижнее поля страницы: они занимают 20–40 % от высоты страницы, а их приходится все время пролистывать туда-сюда. Тогда как в обычном режиме верхнее и нижнее поля просто не показаны, граница страницы выглядит как тонкая пунктирная линия между строками текста, что намного удобнее.

Впрочем, начиная с Word XP, это неудобство режима разметки не является непреодолимым. Подведите мышку к верхней или нижней границе страницы, курсор превратится в две стрелочки, направленные вверх и вниз: (всплывающая подсказка пишет: «Убрать пробелы»). Щелкаете, и пробелы сверху и снизу пропадают. Вернуть их можно таким же точно способом (будет написано «Показать пробелы»).

Правда, иной раз пользователь делает такой щелчок неумышленно – просто пытаясь попасть в какой-то объект, расположенный в самом низу страницы (например, в картиночку, вставленную в текст). Целился в картиночку, попал по границе – и тут же снова выскочили верхние-нижние поля!.. Чтобы такого не было, в версии 2007 предлагается не однократный щелчок, а двойной. Как человек, частенько в эту ловушку попадавший, всячески одобряю такое решение.

Эта кнопка переводит Word в **Режим структуры** (Alt-Ctrl-O). Применяется этот режим только для документов, разбитых на части, главы, разделы. Здесь будут видны только заголовки, так что очень легко разом изменить их оформление и нумерацию, повысить или понизить уровень заголовка (была подглавка – станет полноценная глава), поменять главы местами (просто мышкой перетащить) и т. п.

Кнопка **Веб-документ** показывает текст в таком примерно виде, как он будет выглядеть на интернетовской странице – со всеми неизбежными упрощениями и потерями. В этом режиме вы будете работать, если захотите сделать в Ворде веб-страницу. Программа просто не позволит вам дать тексту такое оформление, которое не сможет адекватно показать браузер (обозреватель интернета).

В версии 2003 года повилась пятая кнопка, переводящая программу в **Режим чтения**. Вам будут показывать документ целыми разворотами, соответственно подбирая масштаб изображения и корректируя внешний вид документа. Перелистывая страницы клавишей PgDn (вперед) или PgUp (назад), щелкая по вертикальному лифту ниже или выше «кабинки лифта», мы каждый раз будем видеть следующий или предыдущий разворот целиком, чего все остальные режимы пообещать нам не могут. Удобно листать страницы также колесиком мышки.

В этом режиме чудесным образом пропадает строка состояния и горизонтальный лифт, прячутся все лишние панели инструментов, а оставшиеся выстраиваются в одну строку, освобождая место для текста.

В Ворде 2007 исчезает даже горизонтальный лифт, вместо него на каждой странице появляется по кнопке с жирной стрелкой – для листания назад или вперед.

Чтобы выйти из режима чтения, нажмите Esc.

Окошко-список, которое всплывающая подсказка называет Масштаб, позволяет увеличивать и уменьшать изображение. Кроме стандартных значений (100 %, 150 %, 75 % и пр.), которые значатся в списке, можно встать в это окно мышкой и вписать, к примеру, 195 %. Так Word тоже умеет.

195% ▾
500%
200%
150%
100%
75%
50%
25%
10%

В Word 2007 окошка такого нет, зато есть горизонтальный движок в самой нижней строке. Тянете вправо – масштаб увеличивается, влево – уменьшается.

Если ваша мышка снабжена колесиком, то менять масштаб вы сможете, крутя колесико при нажатой клавише Ctrl: крутите вперед – буквы становятся крупнее, назад – уменьшаются.

Когда у вас выбран увеличенный вид, целая строка текста может перестать помещаться на экране, что очень неудобно. Зайдите тогда в меню Сервис, выберите команду Параметры и на странице Вид поставьте галочку в строке Перенос по границе окна (или так: Office ▸ Параметры Word ▸ Дополнительно ▸ секция Показывать содержимое документа). Все сразу придет в норму.

Конечно, данная установка действует лишь в обычном режиме просмотра (режиме Черновик). Режим разметки предназначен как раз для того, чтобы показывать все как есть, поэтому в нем такие удобные нарушения естественного хода вещей не разрешены.

¶ Щелкнув по этой кнопке, вы увидите все обычно не показываемые символы, в том числе и концы абзацев (¶)[1], табуляторы (→), пробелы (·), неразрываемые пробелы (°) и т. д. Это может вам понадобиться при оформлении текста. Зато при наборе и редактировании все эти спецзначки мешают. Просто отожмите эту кнопку.

Окна документов

Word – программа многооконная. В наших силах открыть в нем столько окон, сколько нужно. Для этого есть несколько способов.

---

[1] Enter'ы («энтеры»), как их иногда называют – за то, что по нажатию клавиши Enter начинается новый абзац.

Во-первых, можно **создать новый пустой документ**, нажав на клавиатуре сочетание **Ctrl-N** (от <u>N</u>ew – новый) или щелкнув по такой кнопке на панели инструментов. Есть для этого же команда Создать в меню Файл (или в меню Office).

А во-вторых, можно **создать новое окно с тем же документом**. Выберите команду Окно ▶ Новое (или: лента Вид ▶ секция Окно ▶ Новое окно) – и сможете редактировать разные части одного текста независимо друг от друга (окна могут называться document.doc:1 и document.doc:2). Это очень ценная возможность, когда надо что-то поправить или просто отыскать в другой части длинного текста, но это место тоже терять из виду не хочется.

Ну, а кроме этого, загружая файл с диска, Word всегда помещает его в новое окно.

Переходы между окнами – через меню Окно (лента Вид ▶ Перейти в другое окно), где вы найдете список всех открытых окон – выбрали нужное и перешли. Но проще и привычнее переходить между окнами по Alt-Tab, как будто у вас запущено два или три отдельных Ворда[1].

Набор текста

Вводите текст, натурально, с клавиатуры. Вводится он с того места, где у вас расположен мигающий текстовый курсор.

При наборе программа сама переносит вас на следующую строку, когда предыдущая заполнена. Никакие специальные телодвижения для этого совершать не требуется. Те, кто привык на пишущей машинке нажимать в конце строки перевод каретки, должны как можно скорее от этой привычки избавиться: в компьютере эта привычка вредна. В конце абзаца – и только там! – надо нажать на ввод (Enter). Если вы станете переходить на следующую строку, нажимая Enter в конце каждой строки, то нормальных и понятных компьютеру абзацев у вас не получится. Стоит вам вставить в текст еще хоть словечко, и последнее слово строки непременно вылезет на следующую, а это форменный брак в работе!

Если нужен принудительный **обрыв строки** внутри абзаца, нажмите Shift-Enter. Принудительный **конец страницы** ставится комбинацией Ctrl-Enter, конец колонки при многоколонном расположении текста – Ctrl-Shift-Enter. Аналогичные команды есть и в меню: Вставка ▶ Разрыв.

Красную строку (абзацный отступ) можно сделать, нажав в начале абзаца клавишу Tab.

---

[1] В каком-то смысле это действительно так!

А нажав клавишу Tab в начале любой строки, кроме первой, вы сдвинете влево весь абзац (это называется **отступ слева**). Нажав Tab несколько раз – увеличите этот отступ.

Если вы хотите **набирать текст сразу каким-то определенным типом и размером шрифта**, выберите заранее нужную гарнитуру в списке Шрифт, а в списке Размер шрифта – подходящий размер (кегль, как говорят полиграфисты). Чаще всего используют размер 10 (как в большинстве книг) или 12 (как на пишущей машинке).

После этого набор будет происходить выбранным шрифтом, пока вы не зададите другой шрифт или не введете клавиатурную комбинацию **Ctrl-пробел**, которая отменяет все перемены оформления.

А как понимать такое явление: язык ввода (раскладка клавиатуры) выбран правильный, а текст, который вы набираете, все равно показывается в виде всяких непонятных козюбриков, а то и пустых квадратиков: ⬜⬜ ⬜⬜⬜⬜⬜. Или текст не желает менять свой вид, хотя вы и заказали для него совсем другую гарнитуру шрифта. Понимать это надо так, что в шрифте, которым вы пытаетесь набрать текст, нет русских букв. Выберите в списке шрифтов что-нибудь другое, и дальше все будет печататься нормально.

Из десятков шрифтов, входящих в комплект, Windows и Office русские буквы имеют считанные единицы! С гарантией можно пользоваться гарнитурами Arial (Эриэл), Arial Narrow (Эриал узкий), **Arial Black** (Эриэл жирный), Tahoma (Тахома), Verdana (Вердана), Times New Roman (Таймс), Book Antiqua (Антиква книжная), Garamond (Гарамонд), Georgia (Джорджия), Lucida Console (Люсида консольная), Palatino Linotype (Палатино линотайп), Courier New (Курьер) и **Impact** (Импакт). Может, и еще какие-то забыл – проверите сами, когда захочется.

Когда нужно **вводить текст курсивом** (*наклонным шрифтом*), нажмите комбинацию **Ctrl-i** (от слова italic – курсив), а закончив курсивный кусок, – Ctrl-пробел для возвращения к нормальному шрифту или еще раз Ctrl-i.

Когда нужно **вводить полужирный** или подчеркнутый текст, нажмите **Ctrl-B** (bold, жирный) или **Ctrl-U** (underline, подчеркнутый). Возврат к нормальному шрифту такой же – Ctrl-пробел (отмена нестандартного формата букв) или повторно Ctrl-B, Ctrl-U.

Чтобы **вводить данные в таблицу**, надо сначала эту таблицу создать: щелкнуть по кнопке Вставить таблицу (лента Вставка ▶ Таблица), выбрать мышкой количество строк и столбцов, как показано на рисунке 6.3, – и готово. Теперь можно вводить в нее текст, переходя в следующую ячейку клавишей Tab или мышкой.

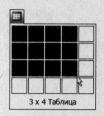

Очень удобно, что Word сам добавляет в таблицу пустую строку, когда вы нажимаете Tab, стоя в самой последней ячейке! То есть вам не надо заранее задумываться о числе строк – сколько надо, столько в ней и будет. А как добавить в нее столбцы и какие еще можно проделать с ней операции, мы поговорим в главе «Таблицы».

Рис. 6.3. Создаем таблицу

Символы, отсутствующие на клавиатуре

Отсутствующие на клавиатуре символы вводятся командой **Вставка ▸ Символ**. На первой странице ее диалогового окна (см. рис. 6.4) вы имеете право выбрать из списка нужный **Шрифт**, а в нем – любую нужную вам закорючку. Потом нажимаете кнопку **Вставить** и радостно видите ее в своем тексте. Поменяв шрифт, вы сможете найти, например, буквы с ударениями и другими диакритическими знаками (á, ó, ý или даже ü), всякие пиктограммы и стрелочки (гарнитуры Webdings, Wingdings, Wingdings2 и 3).

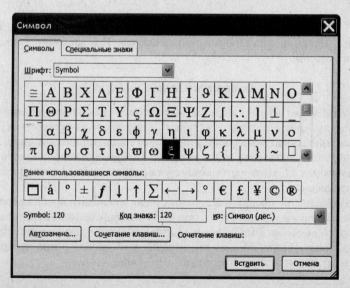

Рис. 6.4. Word 2003: вставляем в текст хитрую греческую закорючку ξ

Со второй страницы Специальные знаки можно взять и некоторые другие вещи – вроде неразрывного пробела, короткого и длинного тире, мягкого переноса и т. д. Там же найдете и горячие клавиши для ввода некоторых из этих символов. Например, комбинация Ctrl-Num– (Ctrl-минус на цифровой клавиатуре) вставляет короткое тире (–), Alt-Ctrl-Num– вставляет длинное (—).

Не спутайте: комбинация Ctrl-минус (на обычной клавиатуре) вводит другой символ – **мягкий перенос**. Вставляется особый дефис, который показывается, только когда попадает на конец строки, а в остальное время невидим (в отличие от обычного дефиса – жесткого переноса). Обычно-то Word сам расставляет переносы (см. главу «Переносы»), но бывают и трудные случаи (особенно на страницах с узкой колонкой текста), когда приходится программе немножко помогать.

Неразрывный пробел (между числом и наименованием, между инициалами и фамилией, между знаком номера и самим номером, между словом и последующим тире[1]) ставится комбинацией **Shift-Ctrl-пробел**.

В XP, как видно из рисунка, ведется список из шестнадцати последних символов, которые мы вставляли, чтобы мы могли снова быстро к ним обратиться. Тут же можно назначить горячую клавишу для упрощенного ввода выбранной закорючки (кнопка Сочетание клавиш) или задать комбинацию символов, которую надо ввести в тексте, чтобы она заменилась на эту закорючку (кнопка Автозамена).

В 2007 список последних 20 вставлявшихся символов появляется прямо в меню кнопки Символ (лента Вставка). Там же будет и команда Другие символы.

Автоматизация набора

Word умеет на ходу переделывать прямые кавычки в парные (при вводе на английском языке – в "лапки", а при вводе на русском – в более для нас привычные «ёлочки»), а дефис – в полиграфическое тире. Если в каком-то месте вам это не было нужно (например, надо оставить прямую кавычку: 17"), отмените команду переделки (Ctrl-Z) и продолжайте вводить дальше.

Чтобы дефис превратился в тире, надо: а) сделать пробел перед дефисом и б) пробел после. Но в отличие от кавычек дефисы переделаются почему-то не сразу. Только когда в) введено следующее за дефисом слово, а за ним – г) любой знак препинания или пробел, тогда программа превратит дефис в тире. Китайские церемонии, ей-богу!

---

[1] Не принято, чтобы тире переезжало на новую строку.

Многие отделяют разные части текста строкой дефисов или знаков равенства, изображая таким образом одинарную или двойную линию. Word сможет превратить такие псевдолинии в настоящие. Три и более дефисов, как только вы нажмете Enter, превращаются в тонкую линию во всю ширину текстового поля:

Три значка подчеркивания (_) и последующий Enter превращаются в толстую линию:

Три знака равенства и Enter — в двойную:

А три звездочки — в толстую пунктирную:

▪▪

Word сумеет преобразовать адрес интернетовского сайта в работающую **гиперссылку**. Стоит мне ввести http://levin.rinet.ru и нажать пробел, как адрес моей веб-страницы становится синим и подчеркнутым, то есть гиперссылкой, щелчок по которой отведет меня по указанному адресу. Правда, в отличие от браузера, где мы просто щелкаем мышкой по ссылке, здесь надо щелкать с клавишей Ctrl. Во избежание неприятных случайностей.

Чтобы **автоматически нумеровать абзацы**, надо в первом из них поставить цифру (арабскую или римскую; можно также заглавную или строчную латинскую букву) и за ней точку, дефис или закрывающую скобку. После пробела набрать текст абзаца и нажать Enter. В новом абзаце следующая цифра или буква появится автоматически. Причем если вы захотите вставить между двумя нумерованными абзацами еще один, все они перенумеруются сами. И так далее, пока не надоест. Когда же надоест, дважды нажмите клавишу Enter — и набирайте дальше уже без номеров. Можно также щелкнуть мышью по кнопке Нумерованный список (Нумерация). Тогда нумерация будет простая — с числом и точкой. Когда понадобится прекратить нумерацию, еще раз щелкните по кнопке. Точно так же можно **создавать маркированные списки** — абзацы, помеченные «пулями» (bullet). Я в этой книге использую в качестве пульки круглую жирную точку (•). Word умеет в автоматическом режиме ставить также галочку ➢ или стрелочку ⇨. Просто ставите в начале абзаца звездочку, галочку > или стрелочку =>. В тот момент, когда вы нажмете Enter, у вас появится пуля. Такая же пуля появится и в следующем абзаце[1].

---

[1] Начиная с Word XP, вы можете использовать в качестве пульки даже рисуночек. Если он стоял самым первым в самой первой строке абзаца, то после нажатия клавиши Enter такой же точно рисуночек появится и во второй строке.

Для прекращения списка дважды нажмите Enter или отожмите кнопку.

Поменять вид пули и способ нумерации вы сможете командой Список в меню Формат. Там в одном трехстраничном окне собраны все варианты оформления маркированного и нумерованного списка. Страницы называются Маркированный (список), Нумерованный и Многоуровневый. Посмотрите все это сами, когда понадобится. Там все ясно, как в детской книжке — одни картинки.

В 2007 картинки разложены по трем меню: возле кнопок Маркеры, Нумерация и Многоуровневый список (лента Главная ▶ секция Абзац).

Кому-то вся эта автоматизация не нравится. Не нравится — не надо! Зайдите на страницу Автоформат при вводе в окне Сервис ▶ Параметры автозамены и поснимайте галочки в особенно раздражающих вас строках. (В 2007: Office ▶ Параметры Word ▶ Правописание ▶ Параметры автозамены ▶ Автоформат при вводе.)

Если вы ошиблись

Ввели не тот символ или группу символов? Можете затереть их:
- по одному — клавишами **Backspace** (влево от курсора) или **Del** (вправо от курсора)
- и целым словом — комбинациями **Ctrl-Backspace** и **Ctrl-Del** (очень удобные комбинации, советую запомнить!).

Для отмены предыдущей операции нажмите эту кнопку или стандартную комбинацию **Ctrl-Z**. Одной операцией, которую отменяет команда, считается ввод текста подряд, любая операция редактирования или оформления текста.

Нажав эту же кнопку или Ctrl-Z несколько раз, можно отменить сколько угодно предыдущих операций. Это очень здорово, потому что отмена всего одного ошибочного действия, применявшаяся в старых версиях текст-процессоров и иных программ, явно не могла учесть всех глупостей, на которые мы с вами способны (особенно к концу рабочего дня или глубокой ночью).

Треугольничек на кнопке отмены сигнализирует нам о наличии под ней некоего списка. Список действительно имеется. Это **история команд**, выполненных вами с момента загрузки файла в редактор. Выбрав соответствующую строку, можно разом отменить все до этой точки. А дойдя до конца списка, мы отменим абсолютно всё.

Для того чтобы «отменить отмену» — прокрутить список отмен в обратную сторону, — нажмите эту кнопку или одну из горячих клавиш: **F4** или **Ctrl-Y**. В списке, который показывает нам эта кнопка, находится весь список команд для возврата – хоть от самого начала вновь до самого конца.

☞ Напоминаю, что действие команд отмены и повторения не распространяется на содержимое кармана (Clipboard). То есть даже отменив команду копирования или вырезания фрагмента, вы все равно не вернете в карман предыдущий запомненный фрагмент. Будьте с этим внимательны.

Сохранение файла на диск

Наша вторая задача – сохранить результаты своего труда на диске в виде файла. Для этого надо дать файлу имя и указать программе, на каком диске и в какой папке вы хотите его держать.

Нажмите кнопку с дискеткой. Можете также ввести команду Файл ▶ Сохранить (Office ▶ Сохранить).

В Ворде есть для этого и горячая клавиша **Shift-F12**, которую хорошо бы запомнить и почаще нажимать – на тот случай, если соседская бабуля снова попытается включить в розетку свой неисправный обогреватель, от которого вырубается электричество по всему дому и начисто пропадает вся несохраненная информация.

Почему в Microsoft выбрали такую нестандартную и не сказать, чтобы слишком удобную комбинацию – одна из великих тайн мироздания, которая еще ждет своего Коперника. В подавляющем большинстве текстовых, графических, музыкальных, табличных, веб- и прочих редакторов используется другая комбинация – **Ctrl-S** (от слова save – сохранить). Да и в старых версиях самого Ворда применялась она же.

Впрочем, можно ее включить и в новых версиях Ворда: Вид ▶ Панели инструментов ▶ Настройка ▶ Клавиатура. Там будет полный список вордовских команд, отыщете строку FileSave и щелкнете по ней мышкой, потом поставите курсор в строку ввода Новое сочетание клавиш и нажмете Ctrl-S. Останется нажать кнопку Назначить, чтобы комбинация запомнилась и начала действовать.

В 2007 порядок такой: Office ▶ Параметры Word ▶ Настройка ▶ кнопка Настройка. Остальное аналогично.

По команде сохранения файл, который уже ранее сохранялся, молча запишется на диск с тем же именем и на то же место. Можно его закрыть или продолжать работать с ним.

Если же файл совсем свеженький, безымянный, то появится окно Сохранение документа. На рисунке 6.5 показан вариант этого окна в Word 2003.

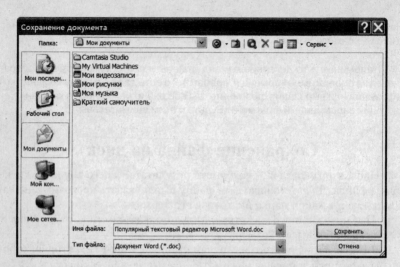

Рис. 6.5. Сохранение файла. Вверху – окно проводника, слева – кнопки быстрого перехода. В самом низу – строки для ввода имени файла и для выбора его типа (формата)

В строке **Файл** (или **Имя файла**) вводите имя документа. Если этого не сделать, то в качестве имени будет использовано несколько первых слов, взятых из вашего текста (до первого знака препинания).

Второй вопрос – куда будет сохраняться файл. Если вы не зададите иного, Word запишет файл в папку **Мои документы**. Воспользовавшись своими знаниями о том, как прогуливаться по диску при помощи проводника, дойдите до нужной папки – и только тогда прикажите программе **Сохранить**. Фактически, тут у нас и есть окошко проводника – оно как бы встроено в окно сохранения.

Даже для ранее сохранявшегося файла можно вместо команды **Сохранить** выбрать в меню **Файл** (**Office**) команду **Сохранить как** или нажать клавишу **F12**. Тогда вы сможете изменить местожительство своего документа или его имя.

Например, у вас есть файл типового договора с клиентами. Отредактируете его, вставите дату, имя и реквизиты клиента, конкретные условия договора, а потом сохраните файл с другим именем или в другой папке. В результате типовой договор останется чистым, и вы сможете пользоваться им и в дальнейшем.

Кстати, пару слов надо сказать об основных типах файлов, которые вы найдете в списке **Тип файла** (нижняя строка на рисунке 6.5).

• **Обычный текст** – наиболее стандартный из всех форматов текстового файла (расширение txt). Такой файл безошибочно засосет любой текстовый редактор, любая версточная программа (даже на Макинтоше или в Линуксе). При этом не сохраняется никакое оформление, что, согласитесь, порой весьма досадно.

• Если оформление для вас существенно, но вы не знаете, какой текстовый редактор у вашего приятеля или работодателя, сохраните файл как **RTF** (Reach Text Format). Это наиболее стандартный формат для оформленных текстов.

• Файлы формата **Веб-страница** можно размещать в интернете и просматривать с помощью браузера. Текст сохраняется в файле с расширением htm или html, а если в нем были картинки, то они окажутся в отдельной папочке с тем же именем, как и у самого htm-файла.

• А файл формата **Веб-страница в одном файле** (расширение mht) удобно посылать по электронной почте.

• Ну, и основной вордовский формат – **Документ Word** (расширение doc).

• Word 2007 перешел на новый стандарт, который называется так же – Документ Word, но файлы его с расширением docx непонятны предыдущим версиям программы. Для того чтобы люди, не догадавшиеся поставить себе новую версию текст-процессора, могли прочитать ваш файл, сохраняйте его в старом вордовском формате, который тут называется **Документ Word 97**–2003.

☞ А люди, которые «не догадавшиеся» (или не пожелавшие), могут бесплатно скачать себе с сайта Microsoft Office (см. таблицу 2 в приложении) некий «Пакет обеспечения совместимости Microsoft Office для форматов файлов Word, Excel и PowerPoint 2007». Размеры пакета недетские – 27 МБ! – зато, установив его, они смогут полноценно работать с файлами нового стандарта в Офисе XP или 2003.

Позвольте пару советов организационного плана.

Не засоряйте папку Мои документы. Большинство начинающих совершенно бездумно сохраняют все подряд в эту папку. Уже очень скоро список файлов оказывается просто неохватной длины, и в папке становится невозможно ориентироваться. К тому же, начинают путаться варианты одного и того же текста, черновики с чистовиками, dogovor.doc с dogovor.txt. А ведь сюда же браузер Internet Explorer будет сохранять веб-странички, которые вас заинтересуют. То-то будет бардак!

Лучше по мере необходимости создавайте в Моих документах тематические вложенные папки (а в них – какие-то свои, если потребуется). Для этого очень удобна будет вот такая кнопка на панели окна сохранения файлов (на рисунке 6.5). Она и создаст вам новую папку прямо в окне сохранения.

Не забывайте также время от времени чистить Мои документы, удаляя или перемещая оттуда все ненужное, стирая временные файлы (с расширением tmp).

Можно создать в Моих документах также ярлыки папок – тех, которые находятся в каких-то других местах, на других дисках (например, оттащив папку в Мои документы с клавишей Alt). Тогда вы будете попадать в любое хранилище своих документов одним щелчком, вместо того чтобы каждый раз долго ползать по диску, отыскивая нужный адрес.

Открываем файл

Чтобы загрузить в Word файл, сохраненный где-то на диске или дискете, нужно нажать эту вполне стандартного вида кнопку. Можно также выбрать команду Открыть в меню Файл, нажать **Ctrl-F12** или **Ctrl-O** (не ноль, а буква латинского алфавита – от слова Open).

Появится окно Открытие документа, мало чем отличающееся от того, что было показано у нас на рисунке 6.5. Находите нужный файл, дважды по нему щелкаете, он й загружается.

Можно выбрать несколько файлов (в большинстве версий – не более 12), выделяя с «шифтом» или «контролем», и тогда каждый из них загрузится в свое отдельное окно.

Еще пара способов загрузить файл в Word:
• взять мышкой в проводнике значок файла и оттащить в открытое окно Ворда;
• дважды щелкнуть по вордовскому документу в любом виндоузовском окне.

Иногда после сбоев и зависаний (а то и без оных) файл, с которым вы работали, может месяц, а может всю жизнь, вдруг **перестает открываться**. Word сообщает, что, мол, файл ваш поврежден и работать с ним положительно невозможно. Как поступить?

На этот случай в списке Тип файла заготовлена строка **Восстановление текста из любого файла**. Шрифтового и прочего оформления не восстановишь уже, а вот текст вполне можно спасти.

Другой вариант. В окне открывания файлов есть кнопка Открыть (Open), по которой предполагается щелкать, выбрав нужный файл (обычно мы этого не делаем, просто жмем на Enter). Но во всех последних версиях Ворда эта кнопка снабжена треугольничком вершиной вниз, на который мало кто обращает внимание. А зря! Тут скрывается некий список (рис. 6.6). Обращаю ваше внимание на строку **Открыть и восстановить**, впервые появившуюся в версии XP. Возможно, она позволит вам открыть испорченный файл, сохранив не только текст, но и оформление!

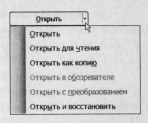

Рис. 6.6. Варианты открывания файла

Перемещаемся по тексту

Ну вот, мы с вами набрали нужный текст, сохранили на диск в виде файла. Теперь займемся внесением исправлений и оформлением.

Но чтобы исправить что-то, надо сперва до этого места дойти. Перемещаются по тексту мышкой или клавишами.

Мышкой – щелкая по горизонтальному и вертикальному лифту (полосе прокрутки) или таская туда-сюда его движок («кабинку лифта»). При этом Word пишет вам в желтеньком квадратике возле движка номер страницы, которую вы сейчас проезжаете в своем лифте, а если документ разделен на главы или иные разделы, то также название раздела. Можно перемещаться и крутя колесико на своей мышке.

При таком перемещении текстовый курсор остается на месте. Стоит вам теперь набрать что-нибудь с клавиатуры, и вы тут же вернетесь на ту страницу, где забыли свой курсор. Чтобы действительно перейти куда-то с помощью мыши, надо не просто пролистать страницы, но также и поставить текстовый курсор на новое место – щелкнуть мышью по странице.

Клавишами перемещаются так: стрелочками управления курсором (переходя на соседнее слово или строку) или клавишами Page Up и Page Down (листая страницы). Клавиша Home переносит вас в начало строки, End – в конец. Тут уже курсор едет вместе с нами.

Если нажать стрелку курсора и не отпускать, курсор поедет по тексту вверх, вниз или вбок.

Есть еще несколько необыкновенно удобных и вполне стандартных горячих клавиш, которые упрощают перемещение по тексту.

• Чтобы прыгнуть в самый конец текста, нажмите комбинацию Ctrl-End; чтобы прыгнуть в начало – Ctrl-Home.

• Комбинация Ctrl-→ (стрелка вправо) переносит вас на начало следующего слова, а Ctrl-← – на начало предыдущего.

• Ctrl-↓ и Ctrl-↑ переносят вас в начало следующего или предыдущего абзаца.

Советовал бы вам эти несложные комбинации запомнить и применять в работе. Они действуют, кстати, и в редакторе писем Outlook Express, и во многих других программах, где возможен набор текста.

Замечательная возможность, предоставляемая Вордом, – **возврат к месту последнего редактирования** (точнее, даже к трем последним местам редактирования) по комбинации Shift-F5.

Информация о месте последнего редактирования сохраняется в самом вордовском файле. Загрузив его – хоть на следующий день, хоть через год, – вы по Shift-F5 мгновенно попадете к тому месту, где прервали работу в прошлый раз. Более того: если какой-то фрагмент текста был вами выделен перед сохранением файла и выходом из программы, то и через год этот же фрагмент окажется выделенным, когда вы по Shift-F5 к нему вернетесь.

Но это касается только вордовских документов. В текстовых файлах или в RTF ничего такого не хранится.

Выделяем фрагменты

Для того чтобы оформить какой-либо фрагмент текста, надо его сперва выделить. Выделяют, дело ясное, мышью или с клавиатуры. Но сказать так – это еще ничего не сказать. Потому как способов существует множество, просто тьма. Впрочем, мало кто пользуется в своей работе всеми. Каждый выбирает то, что ему удобнее в данной ситуации.

Самый главный клавиатурный способ выделения файлов такой: ставите курсор в начало фрагмента, который хотите выделить, нажимаете клавишу Shift и, не отпуская ее, перемещаетесь по тексту любыми известными вам способами. Например:

• Shift-← или Shift-→ – выделение текста по одной букве. Если стрелку не отпускать, она поедет по тексту, выделяя все на своем пути.

• Shift-↑ или Shift-↓ – выделение текста по строке. Если стрелку не отпускать... (см. выше).

• Shift-Ctrl-← или Shift-Ctrl-→ – выделение следующего или предыдущего слова в тексте. Если стрелку не...

• Shift-Ctrl-↓ или Shift-Ctrl-↑ – выделение следующего или предыдущего абзаца. Если стрелку...

• Shift-Page Up и Shift-Page Down – выделяется страница вверх или вниз от текущего положения курсора. Если...

• Shift-Home – выделение от текущего положения курсора до начала строки, Shift-End – до конца.

• Shift-Ctrl-End – выделение вниз до конца текста, Shift-Ctrl-Home – вверх до начала.

Для выделения всего текста нажмите комбинацию **Ctrl-Num5** (пять на цифровой клавиатуре) или **Ctrl-A**. В меню Правка есть для этого же команда Выделить все (или лента Главная ▸ Редактирование ▸ Выделить ▸ Выделить все).

Выделенный текст будет белый на черном фоне. Стоит вам щелкнуть мышкой или нажать любую клавишу управления курсором, как выделение снимется. А если ввести любой символ с клавиатуры (включая Enter или Tab), то весь кусок сотрется, а вместо него окажется один этот символ. То есть Word понимает это ваше действие как указание *заменить весь выделенный текст этим символом*.

Очень удобная возможность, но требующая от нас некоторого внимания. А то как бы чего-нибудь жизненно важного не лишиться.

Самый главный мышиный способ. Нажимаете левую кнопку мыши в начале фрагмента и, не отпуская ее, тащите выделение туда, куда вам нужно. Нажав потом Ctrl, вы сможете выделить еще один и еще один фрагмент – в том числе несмежный с данным (начиная с Word XP).

Но это не все мышиные возможности. Двойной щелчок по слову выделяет это слово, тройной – весь абзац. Если кнопку не отпускать, то, двигая мышь, можно выделять текст целыми словами или абзацами.

Щелчок по странице *левее текста* (там, где мышиный курсор изменяется, превращаясь из такой вертикальной черточки: I в такую стрелочку: 𝄐) выделяет данную строку, двойной – весь абзац. Если кнопку не отпускать, то можно выделять текст целыми строками или абзацами.

Тройной щелчок мышью левее текста выделяет текст целиком.

Есть и комбинированные методы выделения текста – **клавишно-мышиные**. Например, щелкаете мышкой по началу выделяемого фрагмента, а потом, держа Shift, по его окончанию (выше либо ниже по тексту) – и все, что находится между этими точками, будет выделено.

Или такой интересный способ: щелчок мышью по тексту с нажатой клавишей Ctrl выделяет предложение. А щелчок левее текста с клавишей Ctrl выделяет сразу весь текст.

☞ Выделяя куски текста, вы заодно выделяете и вставленные туда объекты – рисунки, формулы, диаграммы и т. п. А чтобы выделить такой объект отдельно, просто щелкните по нему мышкой один раз.

Кроме всего этого бесконечного разнообразия в Ворде есть специальные режимы выделения текста и колонки.

Нажав клавишу **F8**, вы увидите, что в строке состояния возникло слово ВДЛ. Значит, включился режим выделения. Тащите курсор стрелками или мышью, и текст будет выделяться. Чтобы закончить выделение, нажмите Esc или дважды щелкните по слову ВДЛ.

Можно поступить иначе. Второе нажатие клавиши F8 приведет к выделению слова, третье – предложения, четвертое – абзаца, а пятое – всего текста. Здорово, да? Нажали F8 всего пять раз, а весь текст уже выделился! Главное – суметь досчитать до пяти, ни разу не сбившись.

Комбинацией **Ctrl-Shift-F8** включается **режим выделения колонки** (прямоугольного блока). В информационной строке вы увидите слово КОЛ. Выделите нужный блок стрелками или мышью. Чтобы закончить выделение, достаточно двойного щелчка по слову КОЛ.

Выделить колонку можно также мышью: нажимаете клавишу Alt и тащите мышиный курсор.

Вот сколько способов. Но я, например, чаще всего обхожусь Главным Клавиатурным Способом. Вполне хватает.

Операции над выделенным фрагментом: правка

А теперь обсудим, зачем мы, собственно, выделяли все эти фрагменты и что с ними можно делать.

Можно: удалить (Del), вырезать (то есть удалить в карман), скопировать в карман (в буфер обмена), один или несколько раз вставить в другом месте документа или даже в другом документе. Причем все это касается не только текста, но и рисунка, таблицы, любого иного объекта.

Команды редактирования вы сами без труда найдете в меню Правка, а также в контекстном меню выделенного фрагмента. Но удобнее пользоваться кнопками на панели инструментов Стандартная (или в секции Буфер обмена на ленте Главная) и уже знакомыми нам клавиатурными комбинациями.

 Щелкая по кнопке с ножницами, мы вырезаем фрагмент, помещая его в буфер. Действуют также комбинации Ctrl-X и Shift-Del.

 По кнопке с такими как бы копиями листочков – копируем фрагмент. Комбинации Ctrl-C и Ctrl-Ins.

Вставляем текст из буфера – нажатием этой кнопки (тут как бы выкладывают листочек из портфеля). Комбинации Ctrl-V и Shift-Ins.

Разрешается вставлять фрагмент одной клавишей Ins, что все обычно и делают. Но сперва надо это своему Ворду разрешить: в параметрах программы (Сервис ▶ Параметры) на странице Правка надо поставить галочку в строке Использовать клавишу Ins для вставки (Office ▶ Параметры Word ▶ Дополнительно ▶ Параметры правки). Если галочки нет, то клавиша Ins будет переводить Word в режим замены, при котором новые буквы пишутся поверх старых, а не раздвигают их, как в обычном режиме ввода. Бывает, не заметишь, что нажал Ins, и пока сообразишь что к чему, несколько строк уже съел!..

Так что первым делом этот дурацкий режим отменить!

Начиная с Word XP, при вставке текста из кармана будут прямо в тексте показывать вам мелкий значок с точно таким же портфельчиком и листочком, как на кнопке Вставить. Всплывающая подсказка называет его Параметры вставки. Если по нему щелкнуть, то выясняется, что это не просто кнопка, а целая менюшка (рис. 6.7).

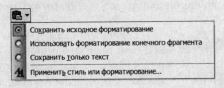

Рис. 6.7. Варианты вставки фрагмента в текст

Первая строка означает, что текст будет вставлен со своим оформлением (копировали в буфер курсив – вставится курсив), вторая присвоит ему такой же вид, как у окружающего текста. А строка Сохранить только текст убирает оформление текста и вдобавок вычищает из вставляемого фрагмента рисунки, формулы и прочие нетекстовые вкрапления.

Если же вы, не обращая на значок никакого внимания, продолжите набор, он пропадет сам собой. Но можно нажать и Esc.

Как уже говорилось, действие команд отмены и повторения не распространяется на содержимое кармана, где вы, может быть, запасли большой фрагмент для последующей его вставки.

Чтобы сохранить свой карман в целости и сохранности, не доверяйте сомнительным банкам и слишком уж выгодным предложениям... А если говорить о Ворде, – не пользуйтесь для удаления фрагмента кнопкой с ножницами и комбинациями Ctrl-X и Shift-Del. Вместо этого применяйте клавишу Del, и тогда удаляемое в карман не попадает и ничего в нем не портит.

Другой способ сохранить в неприкосновенности содержимое буфера состоит в использовании пресловутого метода drag & drop. Выделенный фрагмент можно **взять мышкой и просто перетащить на другое место**. А потащив с клавишей Ctrl – создать копию. В карман эта копия не попадает.

Буфер обмена Office

Кстати, насчет кармана. Мы как-то смирились с тем, что он одноместный, что, запихав в него новый фрагмент, мы теряем предыдущий. Но это не совсем так. Во всех последних версиях Офиса (начиная с версии 2000) появился настоящий многоместный карман. Он действует только в программах из комплекта Microsoft Office (Word, Excel, Power Point, Access, Outlook), никак не влияет на обычные операции копирования-вставки.

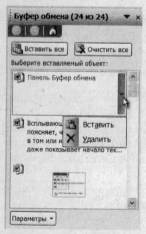

Рис. 6.8. Буфер обмена Office

Офисный карман хоть и большой, но все-таки тоже не резиновый. В Word 2000 буфер Офиса двенадцатиместный. Тут он выглядит как отдельная квадратная панелька, которую можно включить, щелкнув правой кнопкой мышки по любому месту на панелях инструментов и пометив строку Буфер обмена.

Начиная с Word XP, панель увеличивается – и по количеству сохраняемых фрагментов, и по геометрическим размерам. В ней теперь помещается до двадцати четырех фрагментов (см. рис. 6.8), и она представляет собой вертикальную панель, которая появляется справа от текста, за вертикальным лифтом[1]. Тут видно несколько первых строк скопированного текста (если был скопирован текст) или показан эскиз рисунка (если был скопирован рисунок).

---

[1] В 2007 панель располагается слева.

Любой из запомненных фрагментов можно вставить в текст в той точке, где стоит текстовый курсор. Достаточно просто щелкнуть по фрагменту мышкой. Можно также щелкнуть справа от фрагмента – по полоске с галочкой, как на рисунке 6.8. Тогда появится простое двухстрочное меню: можно вставить этот фрагмент в текст или удалить его.

Обратите также внимание на кнопочки вверху панели: можно очистить весь буфер или разом вставить все его содержимое на страницу. Например, вы скопировали несколько строк в разных местах текста для того, чтобы в другом месте (или в другом документе) создать из них список. Вот и перейдете в этот другой документ, да и вставите фрагменты – по одной штучке или все разом.

Чтобы убрать панель, щелкните по крестику в ее правом верхнем углу.

Изначально панель буфера настроена на автоматическое появление. Едва вы что-то скопируете два раза подряд (Ctrl-C, Ctrl-C), и она тут как тут. Но если вы ее трижды закрыли и ни разу ничего из нее не вставили, она обидится и сама выскакивать перестанет.

На кнопке Параметры в нижней строке этой панели есть меню, управляющее ее поведением. Можно разрешить или запретить появление панели, запретить или разрешить значку буфера появляться в области уведомлений.

Можно выбрать и такой режим, при котором панель буфера появляться не будет, а скопированные данные все равно будут накапливаться! Когда это потребуется, вы сможете вызвать панель двойным щелчком по значку в лотке или через меню.

☞ Если панель перестала появляться автоматически, вызвать ее вы сможете по команде Правка ▶ Буфер обмена (или Главная ▶ Буфер обмена).

Кстати, подобных внезапно выскакивающих вертикальных панелей (это называется **Область задач**) вы можете увидеть еще несколько штук. При старте Ворда, при создании нового документа, при создании или изменении стиля. Даже справка по программе появляется именно на такой внезапной панельке (кроме вечно оригинального Ворда 2007-го, который выдает справку в отдельном окошке).

Замена регистра

Еще одна очень полезная операция, которую умеет проделывать Word, – замена регистра букв. Если выделенный текст состоял из одних только строчных букв, то по комбинации **Shift-F3** каждое слово оказывается Написанным С Прописной Буквы (как в англоязычных названиях и в дурных переводах этих названий на русский). При втором нажатии все буквы во фрагменте ЗАМЕНЯЮТСЯ НА ПРОПИСНЫЕ. При третьем – снова становятся строчными.

Когда же текст не выделен, замена регистра по Shift-F3 происходит только в том слове, где стоит курсор.

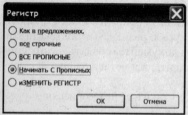

Рис. 6.9. Меняем регистр букв

Две дополнительные возможности дает команда Регистр в меню Формат (или кнопка Шрифт ▸ Регистр на ленте Главная). На рисунке 6.9 показано ее окошко.

Полезна может оказаться, например, команда иЗМЕНИТЬ РЕГИСТР, которая поможет быстро переделать неправильно набранный текст. Ошибки такого рода возникают, когда нажмешь нечаянно клавишу Caps Lock, сам этого не заметив.

Был когда-то такой редактор Лексикон для Windows (отечественного производства) – что-то вроде облегченной версии Word. Так у него в аналогичном диалоговом окошке была еще одна очень хорошая строка, с помощью которой можно было поменять в выделенном фрагменте русские буквы на английские и обратно. Нужда в этой операции возникает довольно часто: забудешь, бывало, переключить раскладку и фигачишь по клавишам, *yt ukzlz yf 'rhfy...* Я хотел сказать, *не глядя на экран.* У Ворда ничего такого нет, а жаль.

Довольно успешно борются с этой распространенной ошибкой автоматические переключатели клавиатуры, вроде Punto Switcher (см. «Самоучитель полезных программ», раздел «Программы для работы с текстами»). Такие программы, увидев невозможные в русском или английском языке сочетания букв, на лету переделывают ошибочный фрагмент. А заодно меняют клавиатурную раскладку. Правда, иной раз такая программа принимает опечатку за иноязычный текст.

Ну и нечего, понимаешь, опечатки допускать!

Операции над выделенным фрагментом: оформление

Выделенный фрагмент можно оформить шрифтами, цветом, отступами и сдвигами, красной строкой и т. д. Все эти операции сосредоточены в верхней части меню Формат и на панели Форматирование (см. рис. 6.10).

Рис. 6.10. Панель Форматирование

В Word 2007 все эти кнопки и списки собраны на ленте Главная (вспоминаем рисунок 6.2). Кроме того, выделив фрагмент текста мышкой, вы увидите возле него бледненькую всплывающую подсказку, похожую на какую-то кнопочную панельку. Переведете на нее курсор мыши – и действительно получите в свое распоряжение такую летучую панельку, как на рисунке 6.11. Здесь, как видите, сосредоточены основные кнопки оформления выделенного текста. Если нажать одну или несколько кнопок, фрагмент будет соответствующим образом оформлен. А если мышку отвести в сторону, панелька пропадет.

Рис. 6.11. Всплывающая кнопочная панель Word 2007

Эту же панельку вы увидите, щелкнув по фрагменту правой кнопкой мыши. Точнее, появится не только эта панель, но и контекстное меню выделенного фрагмента. В предыдущих версиях текст-процессора появляется только контекстное меню. Но в нем тоже найдутся оформительские команды.

Впрочем, обо всем по порядку. Мы с вами будем различать **шрифтовое** оформление и **абзацное**. Не потому, что нам так хочется, а потому что Word считает их разными типами форматирования. Начнем со шрифтового.

Шрифтовое оформление

| Peterburg ▾ | Этот список всплывающая подсказка называет Шрифт. Здесь вы найдете все шрифты, установ- |

ленные в вашей системе. Если щелкнуть мышью по стрелочке справа, то список раскроется и вы сможете найти нужную гарнитуру, а щелкнув по ней – изменить шрифт в выделенном фрагменте. Имя гарнитуры в списке показывается именно ее шрифтом, что сильно облегчает нам подбор подходящего варианта.

Word 2007 облегчает подбор еще сильнее: он сразу показывает наш фрагмент оформленным тем шрифтом, на который мы указываем мышкой. Но до тех пор, пока мы не щелкнем мышкой по одной из гарнитур, все это будет просто демонстрация, предварительный просмотр.

| 10 ▾ |

Точно так же поведет себя новая версия Ворда, если мы раскроем список **Размер** и станем ездить по его строчкам – буквы во фрагменте примутся увеличиваться или уменьшаться.

Можете не выбирать кегль из имеющегося списка, а просто встать мышкой в окно **Размер** и ввести любое целое число в интервале от 1 (только в микроскоп и разглядишь такую буквочку) до 1638 (а такую – только в перевернутый). Разрешается вводить даже полуцелые значения: не 10, а 10,5 или 9,5.

| A˄ A˅ |

В Word 2007 есть также кнопочки для увеличения (левая) и уменьшения (правая) размера шрифта на единицу.

Следующие три кнопки позволят придать всему выделенному фрагменту одно из трех основных начертаний:

| **Ж** |

полужирное, bold (того же можно достичь, нажав **Ctrl-B**);

| **К** |

курсивное, italic (**Ctrl-i**);

| **Ч** |

подчеркнутое, underline (**Ctrl-U**).

| x^2 |

Отдельным начертанием считается также надстрочное (2^{10}). Задает его эта кнопка и комбинация Ctrl-Shift-=. В Word 2000 и более ранних версиях такой кнопки не было.

| x_2 |

А для подстрочного начертания ($a_i + b_{i+1}$) кнопки не было ни в одной версии, кроме 2007. Зато везде действует клавиатурная комбинация Ctrl-=.

Если нажать две, три или все четыре кнопки, то можно получить любые комбинации основных начертаний – например, *полужирный курсив* или надстрочное подчеркнутое (19^{30}).

Для отмены любого из начертаний достаточно, выделив фрагмент, отжать кнопку, соответствующую этому начертанию, или еще раз ввести его клавиатурную комбинацию.

Для отмены всех шрифтовых выделений и приведения фрагмента к стандартному виду нужно выделить текст и нажать комбинацию **Ctrl-пробел**.

В выделенном тексте мы можем изменить цвет букв (кнопкой-меню с буквой А – см. рис. 6.12), а также пометить фрагмент фоновым цветом (как бы фломастером или широким маркером) – кнопка-меню **Выделение цветом** (рис. 6.13).

Как ни странно, комбинация Ctrl-пробел, убирающая все нестандартные особенности шрифтового оформления, изменение цвета шрифта от-

Рис. 6.12. Назначаем цвет для
выделенного текста

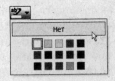

Рис. 6.13. Цвет фона

меняет, а «фломастер» нет. Может быть, потому, что он не считается шрифтовым оформлением (я уже фантазирую за корпорацию Microsoft). Чтобы стереть липучую эту маркировку, надо в списке цветов выбрать строку Нет и поводить фломастером по тексту. Или иначе: сперва выделить подкрашенный текст, а потом уже выбрать строку Нет.

Некоторые дополнительные возможности шрифтового оформления дает команда Шрифт в меню Формат (кнопочка со стрелочкой 🔲 в группе Главная ▸ Шрифт). Вызывается это окно также по Ctrl-D. Посмотрите его сами, если захотите.

Оформление абзаца

В отличие от шрифтового, абзацное оформление распространяется на все выделенные абзацы целиком, вне зависимости от того, захватили вы их полностью или частично. Если же вовсе ничего не выделено, то оформление распространяется на весь текущий абзац – тот, где стоит курсор.

По нажатию этой кнопки или по комбинации **Ctrl-L** (от слова left – левый) все строки абзаца выравниваются по левому краю страницы.

Этой кнопкой мы располагаем строки по центру страницы (**Ctrl-E**, center).

Этой – выравниваем по правому краю (**Ctrl-R**, right – правый).

А этой – по обоим краям (**Ctrl-J**, justified – выровненный). При таком расположении текста надо непременно попросить Word делать в нем переносы (см. главу «Переносы».)

Следующие две малопонятные кнопки при каждом нажатии сдвигают весь абзац:

вправо на полдюйма (1,27 см) – кнопка Увеличить отступ

и влево на полдюйма (кнопка Уменьшить отступ).

Кнопка-меню Междустрочный интервал[1] (рисунок 6.14) позволяет поменять расстояние между строками абзаца (интерлиньяж) с шагом в пол-строки. Можете выбрать что-то из списка или ввести число от руки, щелкнув по строке Больше. Тогда можно будет задать, например, множитель 1,15 или 0,93.

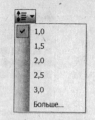

Рис. 6.14. Кнопка-меню Междустрочный интервал

Для отмены всего абзацного оформления пользуйтесь комбинацией Ctrl-Q.

Команда Абзац в меню Формат (или кнопочка со стрелочкой ▣ в группе Главная ▸ Абзац) дает дополнительные возможности форматирования (см. рис. 6.15).

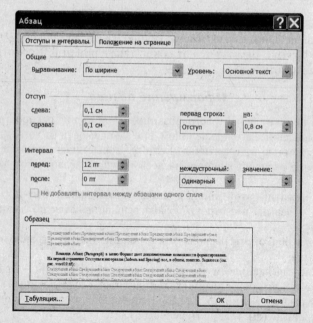

Рис. 6.15. Основные параметры абзацного оформления – отступы, выравнивание, красная строка

---

[1] Такой не было в Word 2000 и более ранних версиях.

Обратите внимание, что тут можно задать отступы от правого и левого края страницы не на стандартные полдюйма или дюйм, а на любую нужную нам величину.

То же касается и первой (красной) строки. Вдобавок, разрешается сделать первую строку не только с отступом от левого края, но и, наоборот, с выступом за край.

Можно тут сделать и еще одно полезное дело: добавить дополнительные пробелы сверху и снизу абзаца (секция Интервал, списки Перед и После). Например, в этой книжке, когда мне требуется создать пустую строку между абзацами, я просто добавляю интервал перед абзацем. Впрочем, для этого имеется и горячая клавиша Ctrl-0 (ноль).

В окошке Образец (Пример) нам сразу же показывают, как примерно будет располагаться на странице наш абзац.

Копирование оформления

Word позволяет скопировать оформление из одной части текста в другую. Я, например, довольно часто пользуюсь этой возможностью, когда работаю с документами сложного оформления.

Встаю в то место текста, которое послужит мне образцом, и жму на кнопку с кисточкой. Мышиный курсор принимает форму точно такой же кисточки. Теперь нахожу и выделяю фрагмент. В результате все символы в нем оформятся так же, как в образце.

Если мне требуется копировать не шрифтовое, а абзацное оформление, делаю все то же самое, только ничего не выделяю – просто щелкаю кисточкой по нужному абзацу.

Двойной щелчок по кисточке позволит скопировать оформление в несколько мест. Курсор будет оставаться в виде кисточки до тех пор, пока вы не нажмете Esc или не щелкнете еще раз по кнопке-кисточке.

Стили

Мы ничего не сказали еще о самом левом списке на панели форматирования всех версий Ворда, кроме 2007, в котором на рисунке 6.10 написано Обычный. Выбрав тут какую-нибудь строку, мы оформим весь выделенный фрагмент по одному из образцов, заготовленных для нас дизайнерами корпорации Microsoft. Образцы эти называются **стилями**. Есть среди них стили для обычного текста, для гиперссылки, для заголовков разных уровней[1].

---

[1] В принципе, стили можно менять, удалять, создавать новые по своему вкусу – командой Формат ▶ Стили и форматирование. Об этом читайте в полной версии самоучителя.

Раскрыв список стилей, вы увидите, каким шрифтом и какого размера, какими рамками, цветами, пульками, нумерацией и т. п. оформится весь ваш фрагмент, если вы ткнете мышкой в эту строку.

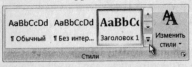

Рис. 6.16. Группа Стили на ленте Главная

Word 2007 по своему обыкновению будет показывать стилевое оформление налету – едва только вы подведете мышку к одному из квадратиков в группе Стили (лента Главная). На рисунке 6.16 стрелочка указывает на кнопку, которая разворачивает полный список стилей.

Стили делятся на абзацные и символьные. Первые разом меняют все оформление, а вторые – только шрифтовое. Чтобы мы не путались, абзацные стили помечены в списке значком Enter ¶, а символьные – значком **а**, кроме Word 2007, в котором помечаются только абзацные стили.

Для отмены стилевого оформления пользуйтесь клавиатурной комбинацией **Ctrl-Shift-N**: выделенному фрагменту будет присвоен стиль обычного текста (Обычный).

Координатная линейка

Задать сдвиги и отступы в выделенном фрагменте нам поможет координатная линейка. Посмотрите на рис. 6.17, на нем видно, что на горизонтальной линейке пара нижних движков задает отступ абзаца от левого и правого полей (точка ноль совпадает с левым полем), а верхний дви-

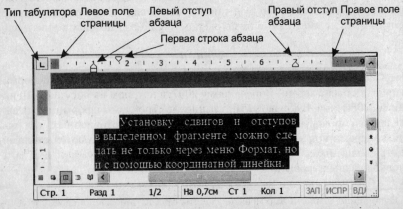

Рис. 6.17. Координатная линейка поможет быстро оформить абзац отступами и красной строкой

жок – положение первой (красной) строки. Устанавливаете эти движки, а текст тут же, на ваших глазах сдвигается, смещается, как вы и просили.

Серые полоски по краям линейки помогают установить поля, причем сразу для всего документа. А значит, здесь мы уже имеем дело не с абзацным оформлением, а с общими параметрами документа. Сдвиги абзацев отсчитываются именно от полей.

Слева вы видите вертикальную линейку. На ней движков нет, только серые полоски, задающие верхнее и нижнее поле страницы. Их, конечно, тоже можно двигать мышкой.

☞ Обе линейки видны только в режиме разметки страницы.

Таблицы

В главе «Набор текста» я уже упоминал о том, как с помощью этой кнопки создать таблицу. Но с ее помощью можно также преобразовать в таблицу выделенный фрагмент текста.

Всё одной кнопкой?

Да, и это вполне логично. Если в тексте ничего не выделено, вставляется пустая таблица: выбираете количество строк и столбцов – и готово (вспомните рис. 6.3). Если же был выбран некоторый текстовый фрагмент, то при нажатии этой кнопки он сразу преобразуется в таблицу.

А как Word узнает, где у нас кончается одна ячейка и начинается другая, где кончается строка и начинается следующая? По некоторому присутствующему в тексте символу – разделителю. Так, если в качестве разделителя используется знак конца абзаца, то каждый из выделенных абзацев попадет в отдельную строку таблицы. А если используется пробел, то каждое слово или число окажется в отдельной ячейке.

Частенько Word пытается использовать совсем не тот разделитель, который мы имели в виду, но это не беда. Отмените команду (Ctrl-Z), зайдите в меню Таблица ▸ Преобразовать и выберите там команду Преобразовать текст в таблицу. Думаю, именно из-за недостаточной догадливости этой команды автоматическое преобразование текста в таблицу в Word 2007 убрано. Тут мы сразу будем вызывать команду Вставка ▸ Таблица ▸ Преобразовать в таблицу.

В секции Разделитель (см. рис. 6.18) поставите точку в нужный вам кружок. Если выбрать Другой, то нужно будет ввести в окошечке, какой именно «другой» – точку, запятую и т. п. Выше сможете изменить количество столбцов таблицы – если без этого до программы никак не доходит, чего именно вы от нее хотите.

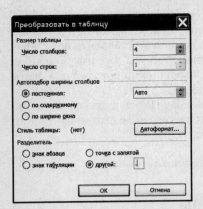

Рис. 6.18. Преобразование текста в таблицу: выбираем разделитель, задаем количество столбцов и

В том же подменю Преобразовать есть команда для обратного превращения – таблицы в текст[1].

По умолчанию Word создает таблицу шириной во все текстовое поле, задает для нее рамку толщиной 0,5 пункта (либо же делает ее вообще без рамки, с одной только пунктирной сеткой). Если вас все это не устраивает, можете заняться ее оформлением. Например, изменением размеров.

● **Чтобы поменять ширину ячейки**, надо ее сначала выделить, щелкнув мышкой внутри ее, возле левой границы. Курсор в момент щелчка должен быть примерно таким: ➔. Останется взяться мышью за правую или левую границу и подвинуть в нужную сторону. Ячейка подвинет соседей и увеличится (уменьшится).

● **Чтобы поменять ширину колонки**, надо взяться мышью за правую ее границу и отодвинуть на нужное расстояние. Если в этой колонке была выделена ячейка, то тащить границу можно в любом месте, кроме выделенной ячейки, иначе изменится только ее ширина (см. выше).

● **Чтобы поменять высоту строки**, надо взяться мышью за ее нижнюю границу и подвинуть вверх или вниз.

● **Чтобы изменить общую ширину таблицы**, тащите ее левую или правую границу.

☞ Нажав кнопку мыши над границей ячейки, не спешите ее тащить – подержите секундочку нажатой. Признаком того, что программа вас поняла, будет появление вертикальной (если меняете ширину ячейки или столбца) или горизонтальной (если меняете высоту строки) пунктирной линии. Только когда она появится, можно будет тащить.

Ширину и высоту можно менять и при помощи движков на координатной линейке. Поставьте курсор внутрь таблицы, и вы увидите, насколько преобразится координатная линейка!

Посмотрите также команду Свойства таблицы в контекстном меню пустого места в таблице. Там все эти параметры можно задать цифрами – с точностью до миллиметра.

---

[1] В 2007 команда обратного преобразования спрятана глубоко: лента Макет ▸ Данные ▸ Преобразовать в текст. Лента Макет появляется, только когда текстовый курсор стоит внутри таблицы.

У таблицы имеется два особых органа управления: пустой квадратик в правом нижнем углу и квадратик с крестиком в левом верхнем (см. рис. 6.19). Потащив за нижний квадратик, можно поменять ширину и высоту таблицы (если тащить с клавишей Shift, то пропорции таблицы сохраняются). А взявшись за

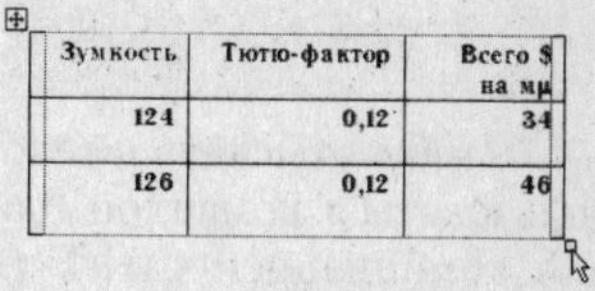

Зумкость.	Тютю-фактор	Всего $ на мл
124	0,12	34
126	0,12	46

Рис. 6.19. Меняем ширину таблицы

верхний квадратик, вы сможете перетаскивать таблицу по странице, меняя ее местоположение.

Для добавления в таблицу новых строк и столбцов служит подменю **Таблица ‣ Вставить**. Разрешается вставить столбец правее или левее данного, строку выше или ниже данной. Все просто и логично.

Вставляя ячейку (**Таблица ‣ Вставить ‣ Ячейку**), надо будет еще объяснить Ворду, куда подвинуть ячейку, в которой сейчас стоит курсор, чтобы освободить место для новой. Можно сдвинуть ее вправо или вниз, а можно вставить целую строку или столбец.

Команды для удаления строки, столбца, ячейки и всей таблицы вы найдете в подменю **Таблица ‣ Удалить**.

В Ворде 2007 кнопки добавления строк и столбцов, а также кнопка-меню для их удаления сидят в группе **Строки и столбцы** на ленте **Макет**.

Выделенные ячейки разрешается объединять в одну (**Таблица ‣ Объединить ячейки**) – и, наоборот, разбить каждую ячейку на заданное количество частей (**Разбить ячейку**). (Аналогичные команды в 2007 сидят в группе **Макет ‣ Объединить**.) Если вспомнить о возможности в индивидуальном порядке менять ширину ячейки и высоту строки, становится ясно, что Word позволяет создать таблицу самой прихотливой формы.

Об оформлении таблиц много говорить не буду. Можете выделить мышкой любую ячейку, строку (щелчок по ее левой границе), столбец (щелчок по его верхней границе) или всю таблицу сразу (Alt-Num5 или щелчок по спецквадратикам, показанным на рисунке 6.19) и изменить шрифт, фон, выравнивание и все прочее – о шрифтовом и абзацном оформлении сказано, я думаю, уже достаточно.

К тому же Word имеет неплохой набор стандартных вариантов оформления. Команда **Автоформат таблицы** позволит разом оформить всю таблицу по одному из образцов. Причем в отдельном окошечке вам покажут, как будет выглядеть таблица, оформленная по этому образцу. О ручной работе можно, кажется, уже и не думать.

В 2007 оформлением ведает секция **Стили таблиц** на ленте **Конструктор**. Там нет окошечка предварительного просмотра. Там этим окошечком является все рабочее поле программы...

Поиск

Чтобы отыскать в тексте нужное слово или выражение, можно воспользоваться командой Найти в меню Правка (Главная ▸ Редактирование) или комбинацией **Ctrl-F** (от слова find – найти). В окне поиска (см. рис. 6.20) задаете текст, который надо найти, и жмете на кнопку Найти далее столько раз, сколько нужно, чтобы просмотреть все интересующие вас фрагменты.

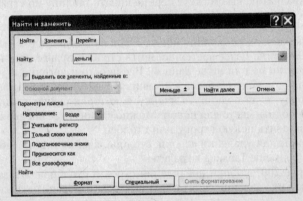

Рис. 6.20. Ищем деньги при помощи текстового редактора Microsoft Word

Даже выйдя из окна поиска и проделав какие-то другие операции, вы сохраняете возможность продолжить поиск, когда вам это вновь понадобится. Стоит нажать комбинацию **Shift-F4**, и Word найдет следующее (предыдущее) подходящее выражение. Комбинации **Ctrl-PgUp** и **Ctrl-PgDn** продолжают поиск вперед и, соответственно, назад.

Чтобы увидеть всю нижнюю половину окна (секцию Параметры поиска), надо нажать кнопку Больше, которая тут же превратится в кнопку Меньше, как на нашем рисунке.

Здесь мы можем выбрать направление поиска (вперед от положения курсора, назад или по всему тексту – Везде). Можем попросить Word учитывать либо не учитывать заглавные/строчные буквы (Учитывать регистр).

Можно искать только такие слова, которые в точности соответствуют вашему образцу (галочка в строке Только слово целиком). Если вас устроят и такие, в которые ваше слово входит как составная часть, галочку не ставьте.

Ну, и если потребуется произвести поиск по шаблону (с использованием значков * и ?), не забудьте пометить строку Подстановочные знаки.

Иногда, кроме обычного текста, требуется **отыскать невидимые значки** (вроде конца абзаца, табулятора или неразрывного пробела) или спецсимволы (мягкий перенос, неразрывный дефис, полиграфическое тире), вставленную в текст графику, сноску или примечание. Нажмите кнопку Специальный (имеется в виду специальный символ) и увидите большой список разного рода объектов, которые можно найти.

В Word XP впервые появилась строка Выделить все элементы, найденные в и список при ней, помогающий понять, где именно все это должно быть найдено – в основном тексте, в колонтитулах, сносках, подрисуночных подписях.

Благодаря этому мы сможем найти и **выделить все подходящие слова или фразы**. Можно разом изменить оформление всех этих фрагментов, скопировать или удалить их.

Замена

Щелчок по закладочке Заменить переводит нас на страницу замены (см. рис. 6.21). Это же окно появится по команде Заменить в меню Правка (Главная ▸ Редактирование) и по комбинации **Ctrl-H** (латинское «h», а не русское «н»).

Здесь, кроме строки Найти, к нашим услугам также строка Заменить на, куда мы будем вводить текст для замены.

Если вы не настолько уверены в том, что делаете, чтобы сразу, не думая, бабахнуть по кнопке Заменить все, то сперва все же нажмите кнопку Найти следующее, посмотрите, что там Word отыщет и надо ли найденное менять, и только тогда жмите на кнопку Заменить.

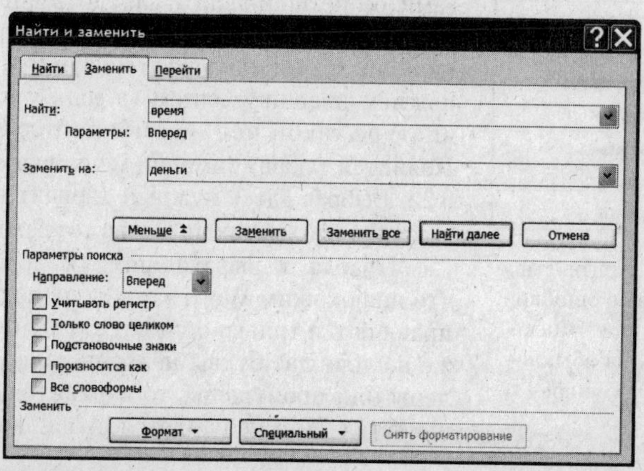

Рис. 6.21. Меняем время на деньги при помощи текстового редактора Microsoft Word

Когда нужно что-то из текста удалить, оставьте пустой строку Заменить на. Чаще всего такой заменой чего-то на ничто (или на пробел) пользуются для удаления спецзначков – символов конца абзаца, значков мягкого переноса и т. п.

А, скажем, для того, чтобы убрать лишние пробелы в тексте (они портят внешний облик строки тем, что расстояния между словами оказываются слишком большими), можно заменить два пробела на один (и, может быть, повторять эту операцию еще несколько раз – до тех пор, пока Word не напишет, что произвел 0 замен).

Проверяем правописание

В Ворде всех версий имеется встроенная программа проверки орфографии, а в русифицированных она умеет работать и с русским языком, хотя и не без маленьких глюков. Например, слова «треугольник» и «перекладина» проверяльщик наш понимает, а «треугольничек» и «перекладинка» нет. Самое удивительное, что спел-чекер Ворда[1] даже в новейших версиях не понимает своих собственных терминов: названия пунктов меню Автозамена и Автоформат для него абсолютно непонятны.

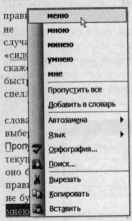

Рис. 6.22. Контекстное меню слова с ошибкой: таинственное «мнею» заменяем на обыкновенное «меню»

Зато он умеет сразу, по мере набора, находить незнакомые слова и подчеркивать их красной, а грамматические ошибки (предложения с лишними и пропущенными запятыми, отсутствие согласования слов, заглавной буквы в начале предложения) зеленой волнистой линией.

Увидев свою ошибку, мы можем даже сами ее не поправлять, предоставив это дело Ворду. Просто щелкнем по этому слову правой кнопкой мыши или встанем на него курсором и нажмем клавишу Context (а если у вас на клавиатуре такой нет – комбинацию Shift-F10). Появится такая примерно менюшка, как на рис. 6.22. Выбрав здесь нужный вариант написания, тыкаем в него мышкой. Слово тотчас исправится.

Правда, к выражениям уж совсем ни на что не похожим Word замены не подберет. Исправляются только ошибки в одну букву. Если же в слове две буквы неправильные, переставлены или пропущены, то вариантов замены не найдется. Или не найдется правильных.

---

[1] От английского spell check – проверка правописания, иногда говорят также «спеллер».

Если же подчеркнутое спеллером слово на самом деле правильное, то можно занести его в словарь (строка **Добавить в словарь**), и тогда оно всегда будет опознаваться. Но добавив в словарь, например, слово «Сидорчук», на слове «Сидорчуку» мы снова запнемся. В силу своей малой образованности Word не может определить, что такое «Сидорчук» – глагол, наречие или прапорщик, а потому не может правильно опознать и производные слова.

Если же слово правильное, но вносить его в словарь вы не хотите, выберите строку **Пропустить все**. В текущем сеансе работы оно будет считаться правильным[1]. А словарь не будет перегружен случайными «сидорчуками», что скажется на быстродействии спеллера.

Строкой **Автозамена** вы сможете пользоваться, когда решите, что эта опечатка случается слишком уж часто. Можно сказать, типовая. Раскройте тогда подменю **Автозамена** (см. рис. 6.23), выберите вариант замены, и Word внесет пару «ошибочное слово – правильное слово» в список автоматических замен. И теперь слово «полсе», возникавшее ранее на каждой странице по три раза минимум, никогда уже не появится в вашем изумительно грамотном тексте.

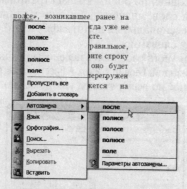

Рис. 6.23. Вносим ошибочное слово в список автоматической замены

Но если ошибка не однократная, а двойная, тройная или выше, то строки **Автозамена** в контекстном меню не окажется (или там не будет нужного варианта). Например, я иногда вместо слова «стандартный», летя со скоростью мысли, набираю что-то совсем невообразимое («стнадратный», «стандрантый» или чего похлеще). Для исправления таких мутантов ускоренный способ не подходит, приходится пользоваться

---

[1] Как учил Хармс, если тебе говорят: «У вас написано с ошибкою!» – ответствуй: «Так всегда выглядит в моем написании».

командой **Параметры автозамены** в меню **Сервис** (Office ▶ **Параметры Word** ▶ **Правописание** ▶ **Параметры автозамены**).

Эта команда (а также строка **Орфография** на рисунке 6.23) открывает основное окно спеллера, в котором список вариантов может быть гораздо длиннее.

 Вызывается спеллер также нажатием этой кнопки, клавиши **F7** или по команде **Правописание** в меню **Сервис** (лента **Рецензирование** ▶ кнопка **Правописание**). Если возникнет такая необходимость, посмотрите его сами.

☞ Хочу вас предостеречь от чрезмерного доверия к программам проверки ошибок: они не всесильны. Я, например, при наборе постоянно теряю вторую букву «п» в слове «попросят». В результате получается слово «поросят», которое спеллер совершенно справедливо не считает ошибкой. Так что если вы сами внимательно не перечитаете свой текст (за меня-то корректор старается!), то в нем может оказаться какая-нибудь смешная нелепица вроде: «после этого вас поросят...»

Переносы

Когда текст выровнен по обоим краям страницы, необходимо пользоваться переносами слов, иначе строки будут слишком жидкими (это не метафора, а профессиональный полиграфический термин), с большими пробелами между словами.

В русской версии Word расставить переносы никакого труда не составляет. Достаточно командой **Сервис** ▶ **Язык** ▶ **Расстановка переносов** разрешить автоматический перенос по всему тексту, как показано на рисунке 6.24.

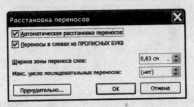

Рис. 6.24. Разрешение автоматической расстановки переносов в данном тексте

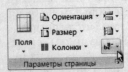

Рис. 6.25. Кнопка расстановки переносов

В Word 2007 расстановка переносов в выделенном фрагменте включается безымянной кнопкой, на которую указывает курсор на рисунке 6.25 (находится на ленте **Разметка страницы** в секции **Параметры страницы**). Даже не самой кнопкой, а командой **Авто**, которая найдется в ее меню.

Там же будет и команда **Нет**, запрещающая переносы.

Разрешение на расстановку переносов по всему тексту не помешает нам в случае необходимости запретить переносы в отдельных абзацах этого текста. Например, в русской полиграфической традиции не принято делать переносы в заголовках или стихотворном тексте. Чтобы отменить перенос выделенного абзаца или группы абзацев, надо в диалоговом окне Абзац (Формат ▸ Абзац или Главная ▸ Абзац) перейти на вкладку Положение на странице, отыскать там строку Запретить автоматический перенос слов и поставить в ней галочку. Этот запрет переносов распространяется только на выделенные абзацы или на текущий абзац.

Рисунки в тексте

Рисунки и фотографии вставляются в документ командой Вставка ▸ Рисунок ▸ Из файла (или Вставка ▸ Иллюстрации ▸ Рисунок). Вам предложат найти на диске подходящий графический файл и нажать кнопку Вставить.

Конечно же, разрешается вставлять рисунок в текст и через буфер обмена (Ctrl-V) и просто притаскивать мышкой из проводника в открытое окно Ворда.

Когда вы щелкаете по рисунку, он выделяется: в углах и на серединах сторон появляются узелки. Взявшись мышкой за эти узелки, можно растягивать и сжимать рисунок. **Чтобы увеличивать или уменьшать его, не меняя пропорций, тянуть надо за уголок.** Взявшись за середину, можете таскать рисунок по странице как вам угодно, даже перетаскивать на другую страницу.

В большинстве версий Ворда настройки изображения собраны в многостраничном диалоговом окне Формат рисунка, которое можно вызвать двойным щелчком по изображению или командой Формат рисунка в его контекстном меню.

На странице Положение (рис. 6.26) вы можете установить рисунок строго по центру, у левого или у правого края. Секция Обтекание задает, будет ли текст обтекать рисунок, а если да, то каким способом.

Изначально рисунок ставится прямо в текст, как некая огромная буква (кнопка В тексте). Что происходит с текстом от появления такой буквы, трудно даже описать. Во всяком случае, поставить его вправо или по центру будет невозможно.

Кнопка По контуру включает нормальное обтекание: рисунок лежит, как камень посреди ручья, а вода (текст) его обтекает. Вариант За текстом превращает картинку в некое фоновое изображение, лежащее под текстом (так сказать, подтекст).

Больше вариантов обтекания дает кнопка-меню Обтекание текстом, которую вы найдете на панели Рисование. Вдобавок ко всему, там будет вариант, при котором текст располагается сверху и снизу от рисунка (то есть обтекания нет), или вариант, при котором вам разрешат создать сложный многоугольный контур обтекания – таская мышкой за узелки красной пунктирной рамки вокруг изображения.

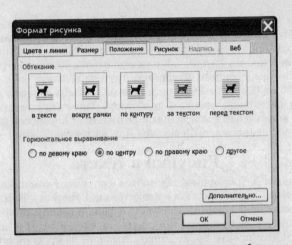

Рис. 6.26. Расположение текста на странице и обтекание

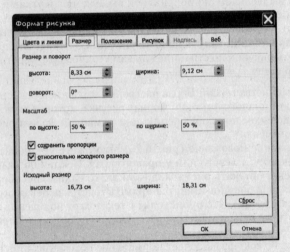

Рис. 6.27. Свойства рисунка, страница **Размер**

На странице **Размер** (см. рис. 6.27) можно задать точную высоту и ширину рисунка, с сохранением пропорций[1] или без оного. Можно поступить иначе: указать масштаб в процентах от исходного размера рисунка.

---

[1] Если задано сохранение пропорций, то вы меняете высоту, а Word сам меняет ширину. И наоборот.

Чтобы изменить яркость и контраст, обрезать рисунок (спрятав ненужные его части по бокам, сверху или снизу), зайдите на страницу Рисунок. Чтобы изобразить рамку вокруг рисунка, задать ее вид, цвет и толщину, зайдите на страницу Цвета и линии. И так далее.

В Word 2007 параметры изображения задаются на ленте Формат (появляется такая, только когда выделено изображение). Скажем, размеры и обрезку можно задать в меню кнопки Размер, показанном на рисунке 6.28, расположение рисунка на странице (выравнивание по горизонтали и вертикали) – в меню кнопки Положение, а обтекание текстом – в меню кнопки, естественно, Обтекание текстом.

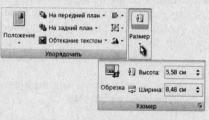

Кроме рисунков можно **вставлять в текст и иные объекты**. По команде Вставка ▸ Объект нам предлагают выбрать из списка тип вставляемого объекта. Это могут быть диаграммы из электронных таблиц Excel, автофигуры (линии, стрелки, выноски и прочие картинки встроенного графического

Рис. 6.28. Меняем размеры рисунка

редактора Ворда[1]), фигурный текст Word Art, звуковой файл, видеоклип – короче, любой тип документов, который знают ваши винды.

В 2007 в секции Иллюстрации на ленте Вставка есть отдельные кнопки для добавления в документ объектов всех этих типов.

Если к рисунку надо добавить подпись, воспользуйтесь командой Вставка ▸ Ссылка ▸ Название (Ссылки ▸ Вставить название).

Нумерация страниц

Чтобы пронумеровать страницы нашего, уже вполне готового текста, мы влезем в меню Вставка и отыщем там команду Номера страниц (Page Number) (см. рис. 6.29). Здесь выбираем, вверху или внизу страницы будет стоять номер (список Положение), будет ли он стоять по центру, справа или слева, у наружного или внутреннего края (список Выравнивание) и нужно ли его помещать на первой странице. В окошке Образец все тут же будет проиллюстрировано.

Нумерация выполняется автоматически. Если вы добавили десяток страниц к своему тексту или выкинули пяток, о правильности номеров беспокоиться не придется.

---

[1] О нем подробно рассказано в полной версии самоучителя.

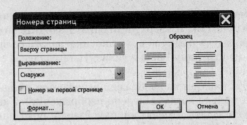

Рис. 6.29. Номера могут быть помещены у наружного и внутреннего края
страницы, снизу и сверху

Не стоит беспокоиться и в том случае, если вы не видите номеров
в обычном режиме просмотра. Просто перейдите в режим разметки страниц, тогда и увидите внизу или вверху страницы бледный такой, серень-
кий номерок. Номера видны также в окне предварительного просмотра
перед печатью.

☞ Вы не сможете видеть номеров и в том случае, если спрятали верхние и ниж-
ние поля командой Убрать пробелы, как было описано на стр. 249.

Чтобы удалить нумерацию, надо дважды щелкнуть по номеру на
любой странице. Вас перебросят в специальное окошко колонтитулов.
Там же будет и номер, заключенный в отдельную рамочку. Просто выделите этот номер мышкой и удалите (Del)[1]. В результате исчезнет не только данный конкретный номерок, но и все остальные.

В Ворде 2007 команда Номер страницы ожидает вас на ленте Вставка
в группе Колонтитулы. Она представляет собой выпадающее меню, в котором будут строки (точнее, подменю): Вверху страницы, Внизу страницы
и На полях страницы, а уж в них в весьма наглядном виде можно будет выбрать положение номера по горизонтали. Там же найдется и команда для
удаления нумерации (наконец-то не придется с этим делом мудрить!).

Параметры страницы

Ну вот, текст отредактировали, оформили. Что нам осталось сделать перед тем, как переходить к печати? Выбрать формат страницы, на
которой мы будем печатать, и задать поля сверху, снизу и по бокам.

Установки полей быстрее всего задавать серыми движками на коор-
динатных линейках. Речь не о тех движках, которыми мы устанавливали
красную строку и сдвиги абзаца, а о серых полосках (посмотрите снова

---

[1] В некоторых версиях Ворда требуется удалить саму эту рамочку.

на рис. 6.17), задающих общие поля страницы вне зависимости от того, в каком абзаце вы стоите.

Но в серьезных случаях надо задавать эти параметры точно, цифрами. Тогда нам понадобится команда **Параметры страницы** в меню **Файл** (**Разметка страницы ▶ Параметры страницы**). На первой странице, которая называется **Поля** (см. рис. 6.30), задаем расстояния текста от верхнего, нижнего и боковых краев страницы, а также дополнительное поле для переплета (если документ предполагается сшивать). Здесь же, как видите, можно сменить ориентацию бумаги с вертикальной (книжной) на горизонтальную (альбомную). В рамке **Образец** сразу видно, как будет выглядеть поставленный таким образом на странице текст.

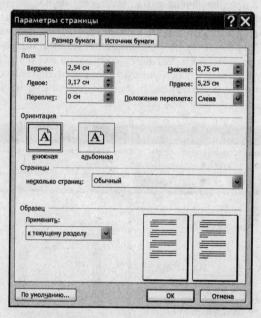

Рис. 6.30. Поля и ориентация страницы

Альбомная (горизонтальная) ориентация листа вовсе не означает, что бумага полезет из принтера боком. Полезет она как прежде, но текст на ней будет повернут на 90° и расположен вдоль длинной стороны листа. Чаще всего такой возможностью пользуются при печати широких таблиц, а также при размещении двух страниц на одном листе (настройка для этого будет в диалоговом окне печати – см. рис. 6.32).

А что делать, если мы хотим печатать брошюру или курсовой проект на обеих сторонах листа? Ведь расположение текста на странице не обязательно симметричное, внутреннее поле (под сшивку) может отличаться от внешнего, и тогда тексты на разных сторонах окажутся смещены друг относительно друга. Как быть? Да очень просто: раскрыть список Несколько страниц, вместо Обычный выбрать Зеркальные поля и больше никогда об этом не думать.

Печать

Перед печатью очень рекомендуется внимательно просмотреть весь документ, что называется, с высоты птичьего полета. Небольшая задержка приведет к большой экономии нервов, бумаги, картриджа вашего принтера и, в конечном счете, времени.

Для этого предназначена команда Предварительный просмотр в меню Файл и одноименная кнопка на панели инструментов Стандартная (или команда Office ▸ Печать ▸ Предварительный просмотр). Как видите (рис. 6.31), режим очень наглядный, позволяет хорошо разглядеть, правильно ли разделился текст на страницы, на месте ли картинки, не оторвался ли заголовок от основного текста, не слишком ли пустая последняя страница и не залезают ли какие-то элементы на поля. Вообще оценить дизайн страницы или разворота.

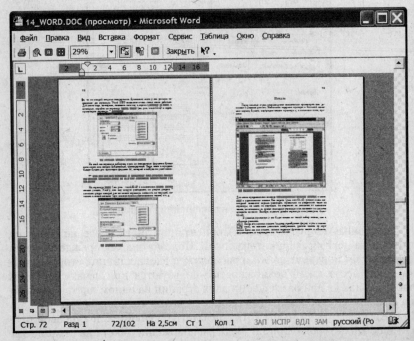

Рис. 6.31. Предварительный просмотр (preview)

В режиме просмотра у вас будет совсем не такой набор кнопок, как в обычных режимах.

Когда нажата кнопка Увеличение (курсор приобретает форму лупы с плюсиком), вы сможете, щелкая мышью по страничке, увеличить изображение. Если ее отжать, то к вам вернется возможность выделять, редактировать и форматировать текст.

Кроме того, в режиме просмотра можно изменять оформление текста с помощью движков координатной линейки.

То есть у нас с вами здесь не только и не столько режим просмотра, сколько особый режим редактирования, ориентированный не на мелкое оформление (абзац, слово), а на форматирование страниц и текста в целом.

Эти кнопки называются Одна страница и Несколько страниц. Книги, брошюры и иные документы весьма полезно просматривать разворотами. Хоть поймешь, правильно ли расположил картинки, колонтитулы и номера страниц.

Этой кнопкой запускается очень, в принципе, полезная команда Подгонка страниц. Она так-сяк помухлюет с параметрами текста, ради того, чтобы убрать маленький хвостик, заехавший на последнюю страницу (считается, что это некрасиво). Но способы, которыми действует программа при подгонке, нам неподвластны. Собственно, способ один: сделать чуть помельче шрифты, которые используются в тексте, и соответственно поменять межстрочный интервал.

Не могу сказать, что это лучшее решение вопроса, но когда нет времени сидеть и вгонять текст вручную, скажешь спасибо и за это.

Всё просмотрели и отправляйте на печать – первой слева кнопочкой с принтерчиком. Эта же кнопка стоит и на стандартной панели инструментов. Word ни о чем не спрашивая, выдает документ на печать. И печатает все подряд!

Если вам не нужно подряд, воспользуйтесь командой Печать в меню Файл (Office) или введите комбинацию **Ctrl-P** (от слова print – напечатать). В диалоговом окне печати (см. рис. 6.32) можно задать, чтобы печатались все страницы, только текущая (та, где стоит курсор), только выделенный фрагмент или выборочно.

Если вам нужно напечатать **отдельные страницы**, можете указать их номера через запятую, а если нужны несколько страниц подряд – через черточку. Все это можно задать одной командой, например, так: 1-3,12-15,55,99.

Здесь же мы сможем задать **количество копий** и порядок их вывода на печать. Если стоит галочка в строке Разобрать по копиям (Копии в подбор), то печатается сперва весь первый экземпляр, потом весь второй, а если нет галочки, то сначала все первые страницы, потом все вторые и т. д.

Word позволяет нам напечатать документ **на двух сторонах листа**, даже если наш принтер этого не умеет. Для этого в списке Включить (Вывести на печать) вместо Все страницы диапазона надо выбрать Нечетные. Напечатав их, вы перевернете пачку страниц и опять вложите их в лоток своего принтера, чтобы отпечатать еще и четные. Возможно, придется еще нажать кнопку Параметры и поставить галочку в строке Обратный порядок (печать от последней страницы к первой). Благодаря такой настройке вам не придется перед печатью второй стороны пересортировывать вручную всю пачку бумаги.

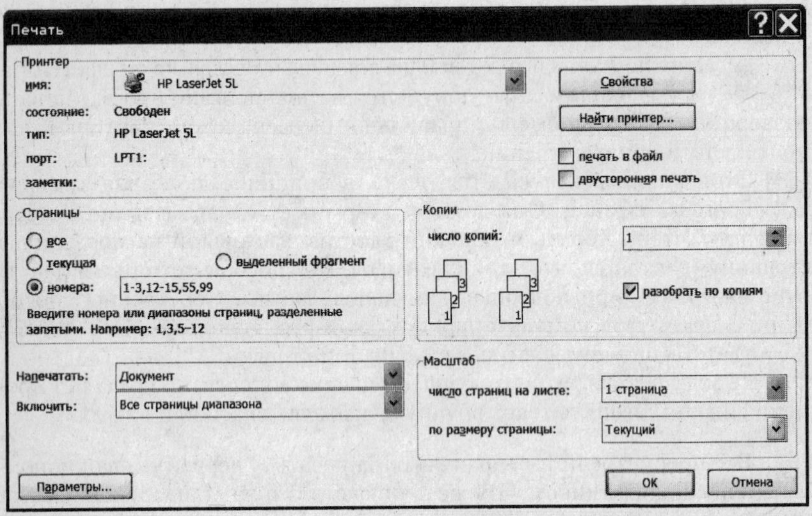

Рис. 6.32. Окно печати

Качество печати (разрешение), черно-белая/цветная печать и некоторые другие существенные параметры задаются в многостраничном окне свойств принтера, куда вы попадете, нажав кнопку Свойства. Картинка, которую вам там предъявят, зависит от модели вашего принтера.

☞ Если принтер не печатает вовсе или печатает пресловутые козюбрики и квадратики вместо текста (а на экране все выглядит нормально!), то это может означать, что у вас установлен неверный драйвер принтера – найдите на дискетах или в интернете «родной» драйвер и установите его. А может быть, текст у вас оформлен каким-нибудь дефектным пиратским шрифтом, отчего и пошли печататься не те символы. Или с операционной системой какие-то неполадки. В справочной системе Windows есть целый раздел, посвященный устранению проблем с печатью.

7. ПРОГУЛКИ ПО ИНТЕРНЕТУ

Нэ трэба мяне 'гуляти
у етим интернети.
Мяне бы працювати
у Любы у кровати.

Из материалов шестой фольклорной экспедиции
Алексия Красносельского-внука в Заинтернетье

Что такое интернет и как с ним бороться

До сих пор мы говорили только о персональном компьютере, суще-
ствующем отдельно от других – персональном в самом прямом смысле.
Но уже много лет назад делались попытки связывать вычислительные
машины друг с другом – для совместной работы, для пересылки файлов
и передачи сообщений – делались очень давно, еще в те времена, когда
компьютер по размерам и внешнему виду напоминал отдел шкафов
и сервантов в крупном мебельном магазине. Сперва машины соединяли
попарно, потом по нескольку, разрабатывали технические устройства
для такого подключения, программы, правила обмена данными (протоколы). Так появились компьютерные сети.

Сегодня на многих крупных, средних и даже небольших предпри-
ятиях компьютеры объединяют в локальные (местные) сети. Но есть
и сеть более высокого уровня, сеть сетей, к которой могут быть подключены и локальные сети предприятий, и маленькие домашние сети на два
компьютера, и отдельные компьютеры. Называется она, как вы, конечно,
знаете, интернетом (по-английски Internet – слово inter в пояснениях не
нуждается, а net означает «сеть»).

Интернет – это возможность общения и передачи информации между любыми компьютерами по всему миру, вне зависимости от того, какие это компьютеры – скромные домашние «персоналки», мощные серверы предприятий или какие-нибудь суперкомпьютеры вроде тех гигантов мысли, которые постоянно обыгрывают чемпионов мира по шахматам – и ведь не в крестики-нолики!..

В интернете множество полезной информации: электронные энциклопедии и библиотеки, прогноз погоды на завтра и курс доллара на сегодня, цены и ассортимент товаров, спорт, кино, программы телепередач, газеты и журналы, дискуссионные клубы по любым вопросам, знакомства и общение, литература и музыка, летающие тарелки, мистика и политика.

В интернете множество бесполезной, поверхностной и даже прямо лживой информации: навязчивая реклама, вздорные измышления, плохие литература и музыка, летающие тарелки, мистика и политика, просто глупость и тщеславие в бесконечных размерах и количествах.

Здесь перед нами встает проблема выбора. И каждый решает ее сам: находит то, что ему нужно, и отбрасывает ненужное.

Главное, что теперь есть из чего выбирать.

Основа интернета – стандартный для всех сетей протокол TCP/IP (Transmission Control Protocol/Internet Protocol – протокол управления пересылками/протокол интернета) и работающая на его основе всемирная паутина World Wide Web (сокращенно Web, веб, www, «вэ-вэ-вэ», «три дабл-ю»). Эта-то паутина и есть самое для нас интересное, то, о чем мы будем говорить в этом разделе.

Существуют и другие важные для нас протоколы: например, протокол пересылки файлов FTP (File Transfer Protocol) или почтовый протокол POP (Post Office Protocol). В детали их устройства мы вдаваться не будем, но как ими пользоваться – разберемся.

Самое главное, что сегодня существует универсальное средство передвижения по сетям, с помощью которого мы с вами получим доступ ко всем ресурсам интернета, будь то хранилища файлов, веб-странички, базы данных или какие-то еще более сложные штуки. Средство это называется обозревателем или браузером (от английского browser – «посетитель магазина, рассматривающий товары, перелистывающий книги», как трактует это слово англо-русский словарь под ред. Ю. Апресяна). С помощью браузера мы получаем доступ ко всем ресурсам интернета.

В середине 90-х годов прошлого века в книгах и журналах писали «броузер» (не знали, как правильно). Потом часть авторов книг и компьютерных журналов стала вводить в обиход более правильную форму «браузер». Поразмыслив, я примкнул к тем, кто прав. Тем более что слово «браузер» звучит лучше, энергичнее: нечто среднее между маузером и браунингом.

Та же проблема и со словом «интернет». Сначала его писали по-английски – Internet. Потом стали переводить на русский, но не склоняли и писали непременно с заглавной буквы: «Адрес нашей странички в Интернет». Но русский язык (как известно, великий и могучий) берет свое, и вскоре уже повсюду говорили и писали «в Интернете», «по Интернету». Теперь это слово уже не только склоняют, но и пишут с маленькой буквы – вроде как явление полностью приватизировано, приручено и одомашнено...

Вот тут у нас с корпорацией Microsoft вышло глубокое идеологическое разногласие. Масса людей (и я в их числе) считает слово интернет именем нарицательным – как слова телефон, телевидение, газета или радио. А в русских версиях Windows пишут с большой буквы, как будто это имя собственное. Но мы тут люди упрямые, сами знаим как русски езык гаварить нада.

Так что в этой книжке мы будем писать слово интернет со строчной буквы, как бы на нас ни давила всем своим авторитетом корпорация Microsoft.

Что нужно для подключения к интернету

К интернету подключаются либо по специальному цифровому каналу связи (это называется **выделенная линия**), либо **по обычной телефонной линии с помощью модема**. Конечно, выделенная линия работает намного качественнее и быстрее, чем наша родная аналоговая телефонная линия – с шипом, треском и шорохами космического происхождения. Но провести ее к себе домой удастся далеко не в любом городе, районе и населенном пункте. Да и подороже выйдет.

Существует еще один способ подключения к сети через обычную телефонную линию – с асимметричной передачей данных, технология **ADSL** (есть такая штука «Стрим» – это как раз оно самое). Асимметрия состоит в том, что передача информации из интернета к нам в дома идет очень быстро, а в обратную сторону – заметно медленнее. Но ведь основная масса данных как раз и перемещается из всемирной сети в наши компьютеры! Обычный «прогульщик по интернету» скачивает веб-странички с сайтов, рефераты, книги, музыку в формате MP3, фильмы, мультики. А в обратную сторону (в сеть) что-то отправляет редко и понемногу.

Очень важно, что ADSL позволяет нам сидеть в интернете, оставляя телефон свободным, тогда как при обычном подключении через телефонную линию с модемом телефон будет занят до тех самых пор, пока вы не вылезете из «инета».

Есть и другие способы подключения – через спутниковую тарелку, через тарелку для наземной связи (это называется радио-Ethernet), через кабельное телевидение, через охранно-пожарную сигнализацию, через мобильный телефон. Но все это либо не очень удобные, либо дорогие, либо экзотические виды подключения.

Зато все чаще практикуется групповое подключение к интернету **через локальную сеть**. В одном доме, а чаще – в группе соседних домов, в районе, в небольшом городе прокладывают локальную сеть, и все участники этой сети, помимо того, что могут общаться друг с другом, получают неограниченный круглосуточный доступ в интернет. При достаточно большом количестве подключенных домов выходит недорого, а скорость связи может быть очень приличной.

Если у вас в институте, школе или на фирме действует локальная сеть с подключением к интернету, считайте, что вам крупно повезло: получите удовольствие бесплатно.

А вот людям не слишком богатым и катастрофически лишенным халявы, у которых, к тому же, поблизости не оказалось энергичных ребят, готовых включить их дом в свою «сетку», а «Стрим» и прочий ADSL до них еще не докатился, – всем им стоит, пересчитав деньги, купить себе модем и подыскать фирму-провайдера, которая подключит их к интернету по обычной телефонной линии.

У многих новичков существует представление, что для подключения к интернету требуется какой-то особенно мощный и дорогой компьютер. Почему-то им кажется, что в интернет выйти – это как туристом в космос полететь: сложно и очень дорого. На самом деле, компьютер может быть абсолютно любой. Конечно, желательно, чтобы в нем была установлена операционная система Windows, но сгодится даже MS-DOS: существуют браузеры и для этой системы, и говорят, вполне приличные (я не проверял). Ну и модем надо купить нормальный, работоспособный, но совсем не обязательно дорогой.

А вы говорите в космос!..

Выбор и подключение модема

Современные модемы рассчитаны на прием и передачу данных со скоростью 33,6 или 56 Кб/с (килобит в секунду). Больше уже не бывает – это предел для обычной связи через телефонный канал (коммутируемый канал, как это по науке называется). Покупать, пусть и очень дешево, модем на меньшую скорость не стоит, вместо удовольствия от интернета будет сплошное мучение. А вот купить подержанный модем на те же 33,6 или 56 Кб/с вполне можно: у этого устройства нет вращающихся и трущихся частей, так что там и портиться нечему («Что тут может болеть – кость!», как говорил герой анекдота, стуча себя по лбу).

Но если не хотите проблем с подключением модема, обязательно потребуйте у продавца диск с драйвером. Покупая модем солидной фирмы, можно надеяться на то, что драйвер для нее найдется и в комплекте Windows но лучше все-таки иметь оригинальный диск.

Для подключения по телефонной линии с асимметричным доступом потребуется модем особого типа – ADSL-модем. Такие устройства в два-три раза дороже обычных модемов. Но тут самодеятельности никакой не нужно: когда вы найдете фирму – поставщика интернет-доступа, которая сможет работать с вашей телефонной станцией по технологии ADSL, она вам скажет, какой ADSL-модем устроит фирму, какие еще детали потребуется приобрести и как вообще все это осуществить.

Подключение ADSL должны производить специалисты из фирмы-поставщика. Сами вы тут ничего сделать не сможете.

Это же касается и подключения по выделенной линии к местной сети. Тут, как мы понимаем, модем не требуется, вместо него нужно будет купить сетевую карту – предмет совсем уж недорогой и в установке несложный (к тому же, на многих «мамках» имеется встроенная сетевая карта). «Сетевухи» бывают производительностью 10 Мб/с (мегабит в секунду), 100 Мб/с и даже выше. Брать можно, в общем, любую – лишь бы установилась нормально.

Выбор провайдера

Фирма-провайдер (иногда говорят, интернет-провайдер или даже интернет-сервис-провайдер[1]) должна обеспечить вам доступ в интернет по протоколу TCP/IP, доставку и хранение вашей электронной почты (почта чаще всего входит в общую стоимость услуг). Ее сотрудники должны дать вам полные подробные инструкции по настройке системы. У многих провайдеров есть горячая телефонная линия, по которой вы можете позвонить и спросить, почему у вас что-то не выходит.

Чтобы попасть в интернет при помощи модема, надо сперва дозвониться до узла сети (до сервера вашего провайдера), а уж потом гулять по миру. А значит, не должно возникать проблем с дозвоном до провайдера. Провайдер должен иметь у себя на входе многоканальный номер (и желательно, с большим числом входных линий) или, на худой конец, много-много одноканальных.

На словах у продавца всегда все хорошо, а как в действительности обстоит дело с дозвоном, выяснится только потом, когда вы, заплатив некоторую сумму, начнете связываться с сервером. Особенно большие сложности с доступом в часы пик (все пришли домой, поели, посмотрели телек и полезли в сеть...). Схожая ситуация, кстати, и у тех, кто подключается через индивидуальный кабель и локальную сеть: как все пользователи «сетки» сядут после ужина за компьютеры, как примутся из инета и друг у друга файлы скачивать в огромном количестве, так скорость работы и сползает до минимума...

Короче, начнете работать, увидите. Не понравится, найдете себе другого провайдера.

В кратком самоучителе (в отличие от полной версии и от самоучителя по Windows Vista и XP), увы, нет места для рассказа о настройке интернета. У провайдера вам должны дать все необходимые данные и инструкции (иногда в виде текстового файла, иногда на бумажке, иногда устно). Требуйте подробностей, все записывайте: они там все шибко умные, снизойти до уровня новичка им тяжело. Если у вас ничего не выходит, звоните по телефонам горячей линии. Не стесняйтесь, если чего-то

---

[1] В переводе с английского «поставщик услуг интернета». То есть провайдер на самом деле – просто поставщик, все равно чего. Но мы будем говорить просто «провайдер». Слова вообще часто меняют свое значение при переходе в другой язык. Уж в русский-то точно!

не понимаете: вы не обязаны все знать и во всем разбираться сами, сервис подобного рода входит в стоимость услуг интернет-провайдера.

Важно понять одно: как только вы настроите подключение по локальной сети, компьютер сразу же окажется подключен к интернету.

А вот при модемном подключении надо будет еще дозвониться. В папке Сетевые подключения[1] (есть такая в папке Панель управления Windows XP и 2000) окажется значок **соединения**. Соединение будет настроено так, чтобы, дважды по нему щелкнув, вы запустили дозвон к провайдеру.

Обычно после настройки значок соединения (точнее, его ярлычок) попадает также на рабочий стол. Если вы сами или тот, кто вам настраивал интернет, этого не сделал, сможете залезть в указанную папку и вытащить ярлычок на рабочий стол или посадить в панель быстрого запуска, чтобы запускать дозвон одним щелчком мыши.

В Windows Vista запускать дозвон можно через главное меню Windows, командой Подключение. В появившемся окошке и будет поджидать вас строка или несколько строк для дозвона.

Кроме того, в области уведомления Висты постоянно сидит значок сетевых подключений в виде пары компьютерчиков и глобуса, в контекстном меню которого также найдется команда для подключения.

При настройке дозвона важно учесть способ набора номера. По умолчанию звонилка Windows производит набор в тональном режиме, который понятен далеко не всем российским АТС. Так что при настройке надо будет обязательно выбрать вместо тонального набора импульсный, а если требуется набирать 0, 8 или 9 для выхода на городской номер, об этом тоже надо позаботиться заранее – на этапе настройки.

Обо всем этом подробно расспросите провайдера или почитайте полную версию самоучителя.

Подключаемся

На рисунке 7.1 показано окно программы-звонилки Windows XP. Здесь уже введено имя пользователя (login), телефон, по которому я со-

---

[1] В системах 9x – в папке Удаленный доступ к сети. Проще всего в нее попасть из главного меню: Пуск ▸ Настройка ▸ Сеть и удаленный доступ к сети, но можно и из панели управления.

бираюсь дозваниваться (можно здесь же его изменить и позвонить на
другой модемный вход сервера, если этот вечно занят). Будьте внимательны, вводя пароль: буквы не видны, заменятся звездочками. С одной
стороны, это хорошо: вражеский шпион из-за спины не подглядит, а с
другой – плохо: если вы забыли переключиться с русского языка на английский или просто промахнулись по клавише, сервер пароля не примет
и попросит ввести еще раз.

Рис. 7.1. Программа-звонилка готова к набору номера

Может быть, стоит поставить галочку в квадратике Сохранять имя
пользователя и пароль, тогда в следующий раз даже пароль вводить вручную не придется[1].

Нажав кнопку Установить связь, вы услышите, как модем начнет набирать номер. Потом, когда он дозвонится, из динамика модема пойдут
характерные шумы: свист, шипение, экстатические вопли – это модем

---

[1] Эта возможность не всегда доступна.

с модемом говорит, как звезда со звездою, – на языке, понятном только им одним.

Завершением этого процесса будет либо отключение, если имя-пароль ошибочные или денег на вашем счету не осталось, либо вход в сеть. В области уведомления появляется значок индикатора сети.

В момент входа в интернет индикатор этот сообщает нам, как в комиксе, имя соединения и скорость (рис. 7.2). Желтенькая табличка эта постоит несколько секунд и пропадает.

Рис. 7.2. Система сообщает об успешной установке связи

Чтобы отключиться от сети, когда это понадобится, вы щелкнете по этому значку правой кнопкой мыши и выберете строку Отключить.

Но это еще не скоро. А сейчас – время вступить браузеру.

Ваш первый выход в свет

В состав операционной системы Windows XP включается браузер Internet Explorer (проводник по интернету) шестой версии, а в Vista – следующей, седьмой. На сайте Microsoft программу раздают бесплатно, так что вы вполне можете скачать и установить и на Windows XP седьмую версию браузера. Более того, она может скачаться автоматически, как обновление Windows.

Но первое же, что захочет сделать инсталлятор IE, это проверить подлинность вашей операционной системы. И если увидит, что система ваша не была приобретена легально (а значит, была приобретена нелегально, подпольно, тайно, скрытно и противозаконно), то устанавливаться откажется. Так что придется вам пользоваться старой, шестой версией программы.

На рисунке 7.3 показано окно версии 6 – примерно такое, каким оно будет у вас при первом же запуске. Корпорация Microsoft захочет вовлечь вас в дальнейшее сотрудничество, а потому отведет на заглавную страничку одного из самых больших своих сайтов – msn.com. А на рисунке 7.4 вы видите то же сайт, открытый в окне IE7.

Давайте приглядимся к устройству браузера. Вверху, как водится, заголовок с именем загруженной страницы, ниже – строка меню, панель инструментов, адресная строка. В самом низу окна находится строка состояния.

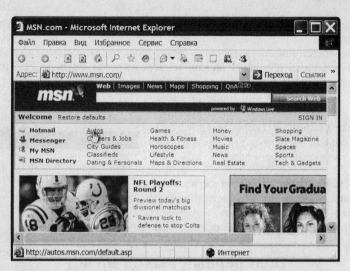

Рис. 7.3. Смотрим сайт msn.com в браузере Internet Explorer 6

А теперь взгляните на текст в окне «Икс-плорера». Обратите внимание: на страничке может находиться просто текст и текст подчеркнутый. Или такой, который становится подчеркнутым, едва мы подведем к нему мышку. Над таким текстом стрелочка курсора превращается в мелкую такую ручонку, готовую ткнуть пальчиком в соответствующий раздел.

Сразу вспоминается справочная система Windows, верно? Там тоже были подчеркнутые или выделенные цветом слова и предложения. Щелкая по ним таким же точно пальчиком, мы переходили в другие, связанные документы. Такие документы мы называли гипертекстом.

Так вот: **всемирная паутина World Wide Web состоит сплошь из гипертекстов!** Практически на каждой из миллионов веб-страничек есть ссылки на другие. Просто тыкая мышкой по ссылкам, можно преспокойно путешествовать по сети, попадая в места, расположенные за тысячи километров и от вас, и от того компьютера, на котором вы только что побывали.

Как это все устроено? Довольно просто. Каждая веб-страничка представляет собой обычный текстовый файл, специальным образом размеченный. Разработчик ставит метки, поясняя браузеру, где тут заголовок, где простой текст, где ссылка, а где картинка[1]. Все это называется

---

[1] Картинка, в отличие от Ворда, в текст не вставляется – она лежит отдельно, а в тексте лишь указано, как называется ее файл, где его взять и куда на экране поместить.

языком гипертекстовой разметки – **HTML** (Hyper Text Markup Language).

Рис. 7.4. Тот же сайт в браузере Internet Explorer 7

Браузер сперва перекачивает к вам в компьютер основной файл (его расширение чаще всего htm или html, например index.html), а потом и все остальные. Ему остается только, в соответствии с разметкой, собрать все это на экране.

☞ Важно понять одну простую вещь: в тот момент, когда вы рассматриваете страничку, она находится уже в вашем компьютере, на жестком диске в особой кэш-директории. То есть вы не сидите непосредственно на американском или австралийском компьютере, а по мере необходимости скачиваете оттуда файлы. Для просмотра вы берете их из кэш-директории. Впрочем, сути дела это не меняет.

Все рисунки, фотографии, ползающие, вращающиеся, мигающие и подмигивающие объекты, размещенные на веб-страничках, тоже могут содержать гиперссылки, но они чаще всего никак специально не выделены. **Если над изображением курсор мыши принимает форму руки, то перед нами ссылка, можно по ней немедленно щелкнуть. Если же курсор остался стрелочкой, то это просто картинка.**

А кстати: можно ли узнать, куда хочет нас отослать данная ссылка?

Запросто. Когда мы указываем мышью на ссылку, в строке состояния всегда написан пункт назначения. Правда, глядя на адрес, понять, что это за место и чем нас там порадуют, удается далеко не всегда. А иногда адрес перехода формируется на ходу специальной программой на сервере (скриптом), и тогда в строке состояния вообще ничего внятного не будет.

Браузер вполне может поначалу не показывать такой полезный элемент, как строка состояния. Но вы всегда сможете вытащить ее оттуда, где она прячется, – командой Вид ▶ Строка состояния.

Internet Explorer 7 изначально прячет даже строку меню, предлагая обходиться без нее. Но **если нажать и отпустить клавишу Alt**, то строка меню появится. Запустите нужную команду, а потом она пропадет, чтобы лишнего места не занимать.

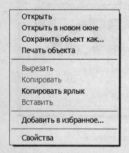

Рис. 7.5. Контекстное меню гиперссылки

По ссылкам разрешается щелкать не только левой кнопкой мыши, но и правой. Тогда вам будет предъявлено контекстное меню этой ссылки (рис. 7.5). Если выбрать вторую команду из этого списка (Открыть в новом окне), то новая веб-страница появится в точно таком же окне браузера, но предыдущее окно тоже останется, и вы сможете переходить из одного окна в другое по Alt-Tab.

Того же можно добиться без привлечения контекстного меню – щелкнув по ссылке левой кнопкой с нажатой клавишей Shift.

В ИЕ7 на втором месте будет другая команда – Открыть в новой вкладке (а уж на третьем – Открыть в новом окне). Тогда программа не станет открывать новую свою копию, а покажет заказанную вами веб-страницу на новой вкладке – отдельной страничке внутри данного окна. Чтобы увидеть эту страницу, надо будет щелкнуть вверху по закладочке с ее названием или перейти туда по комбинации Ctrl-Tab.

Что все это нам дает? Во-первых, дожидаясь, пока полностью выведется на экран одна страница (при модемном соединении это происходит, иной раз, через полминуты или минуту), можно пока читать другую.

Во-вторых, часто так поступают, если на одной странице есть некий список – например, список веб-страниц, найденных поисковой машиной по вашему запросу, – и вы хотите пройтись по строкам этого списка, не теряя в то же время из виду его самого. Вот вы и смотрите каждую страничку в новом окне, а потом возвращаетесь в список и ищете следующую.

Или вы читаете статью, в тексте которой имеется интересная ссылка на другой сайт, но вам не хочется и с этой странички уходить. Тогда вы откроете ссылку в новом окне или на новой вкладке, и пока она будет открываться, загружаться и все прочее, продолжите чтение.

У гиперссылки в виде рисунка или фотографии контекстное меню будет выглядеть несколько иначе (рис. 7.6). Верхняя секция такая же, как у простой ссылки, а ниже есть команды для сохранения рисунка на диск в виде графического файла, для копирования в карман, печати, отправки по электронной почте.

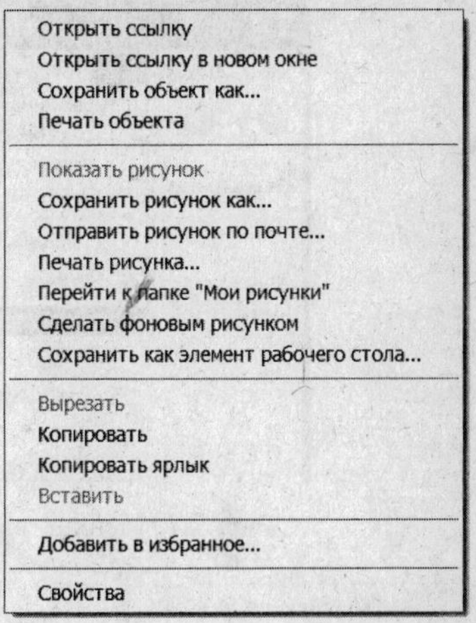

Открыть ссылку
Открыть ссылку в новом окне
Сохранить объект как...
Печать объекта

Показать рисунок
Сохранить рисунок как...
Отправить рисунок по почте...
Печать рисунка...
Перейти к папке "Мои рисунки"
Сделать фоновым рисунком
Сохранить как элемент рабочего стола...

Вырезать
Копировать
Копировать ярлык
Вставить

Добавить в избранное...

Свойства

Рис. 7.6. Контекстное меню гиперссылки-рисунка

Можете даже назначить его фоновым рисунком своего рабочего стола, если эта неодетая тётенька поразила вас в самое сердце и вы желаете лицезреть ее ежедневно.

Размер имеет значение

...как выражаются голливудские воротилы кинобизнеса. И правда, «Титаник» должен быть большим, иначе какой он, к черту, «Титаник». А шрифт на веб-странице должен быть крупным, чтобы вы могли спокойно читать текст, не залезая для этого носом в самый экран. Иначе, зачем вообще этот текст?

В шестом интернет-эксплорере размером букв на экране браузера заведует группа команд Размер шрифта в меню Вид (см. рис. 7.7), в седьмом – в меню кнопки Страница.

Это позволит нам выбирать такой размер экранного шрифта, при котором и читать будет легко, и верстка страницы не слишком сломается.

Те, у кого мышка снабжена колесиком, могут пользоваться удобными клавиатурно-мышиными комбинациями: **Ctrl-колесо вперед** (увеличение шрифта) и **Ctrl-колесо назад** (уменьшение).

Понятно, что надписи на веб-страницах, которые на самом деле – рисунки, таким образом увеличить не удастся...

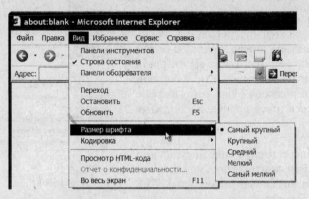

Рис. 7.7. Меняем размеры шрифта на веб-страницах

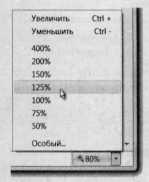

Рис. 7.8. IE7 позволяет изменять масштаб изображения

...Но только не в седьмой версии программы! Тут комбинации Ctrl-колесико делают нечто другое. Они меняют не размер экранного шрифта, а **масштаб изображения**, включая шрифты и графику.

В правом нижнем углу окна ИЕ7 есть выпадающий список, который позволит выбрать масштаб изображения мышкой (см. рис. 7.8). Ну и заготовлена пара клавиатурных комбинаций, аналогичных «мышиным» — Ctrl-плюс для увеличения и Ctrl-минус для уменьшения.

Быстро и с комфортом

Основная проблема у web-путешественника, который соединяется со всемирной сетью не по скоростным цифровым линиям, а через модем и дряхлый телефонный кабель, – долгое ожидание вывода очередной страницы, медленная загрузка картинок. Скорость зависит не столько от скорости вашего модема, сколько от качества телефонной линии. Влияет на скорость также пропускная способность узла сети (сервера), на котором страница располагается, а также количество желающих именно сейчас посмотреть ту же страничку, которую смотрите вы (особенно если это сайт не крупной компании с мощными компьютерами и скоростным каналом связи, а небольшой фирмы или организации).

Но есть еще одно обстоятельство, влияющее на скорость загрузки страничек. Это величина перекачиваемой страницы, количество картинок в ней. Ведь текстовые составляющие страниц невелики, скачиваются быстро, а вот изображения, которые гораздо объемнее, ползут долго.

Обращайте внимание на значок соединения, появляющийся в системном лотке, – он может помаргивать и подмигивать, указывая на то, что страничка скачивается, работа идет. Но он может и перестать подавать признаки жизни, а значит, никто уже никуда не идет. Двойной щелчок по значку позволит посмотреть, сколько вы уже находитесь на связи, много ли получили данных и много ли передали. Если цифры эти долго не меняются (минуту и более), значит, и вправду связь повисла.

Можно попытаться «протолкнуть» веб-страничку, нажав кнопку **Обновить** (или клавишу **F5**), чтобы дать приказ заново ее загрузить в Explorer. Иногда это помогает, но редко. В такой ситуации, возможно, лучше разорвать связь и установить ее снова.

Этой кнопкой чаще пользуются, чтобы обновить содержимое странички, которая как-то «криво» загрузилась. Или могла измениться с момента загрузки – есть такие стремительно изменяемые страницы.

Может быть, связь и не повисла, но идет туговато, а разрывать ее вы не хотите (к некоторым провайдерам бывает трудно дозвониться,

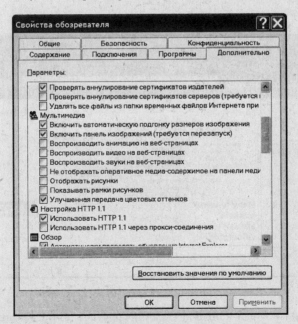

Рис. 7.9. Отключаем показ картинок, анимации и другого «тяжелого» содержимого веб-страниц

особенно в часы пик), тогда для ускорения имеет смысл взять да и **отменить вывод картинок** – на время или даже насовсем, если у вас такая «тугая» связь постоянно.

На странице Сервис ▸ Свойства обозревателя ▸ Дополнительно находится большой список параметров браузера, в котором нас сейчас интересует только группа настроек Мультимедиа (рис. 7.9). Уберите галочки из строк Отображать рисунки, Воспроизводить анимацию, Воспроизводить видео, Воспроизводить звуки и получите большой выигрыш в скорости. При большой потере качества.

Вы увидите примерно такую картину, как на рисунке 7.10: вместо кнопочки, рисунка или фотографии – рамка и в ней квадратик, а иногда и надпись, заменяющая картинку и поясняющая то, чего вы не видите. Любой нужный вам рисунок вы сможете посмотреть, щелкнув по нему правой кнопкой мыши и выбрав в контекстном меню команду Показать рисунок.

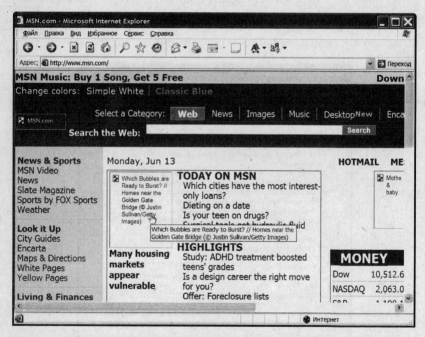

Рис. 7.10. Картинки отключены. Но все и так понятно!

Но даже не показанный на странице рисунок по-прежнему работает как ссылка: щелкая мышкой по пустому квадратику, вы отправляетесь на ту же страницу, на которую отправила бы вас и сама картинка.

Есть, правда, одно исключение – так называемая **карта ссылок** (image map). Язык HTML позволяет на одно изображение навесить не одну, а несколько гиперссылок. Скажем, левый верхний угол ведет в раздел «Мои фотографии», правый – в раздел «Моя собака», левый нижний – в раздел «Мои друзья» и т. д. Я сам подобным образом сделал титульную страничку своего сайта (правда, там нет моей собаки, зато есть мой «Французский кролик»).

Так вот, когда рисунки отключены, с картой ссылок возникают сложности. Вы не видите изображения и не понимаете, куда щелкать. Единственная ваша надежда на то, что у рисунка сделаны всплывающие подсказки, которые и помогут найти раздел, который вам нужен. Опытные веб-мастера обязательно делают на своих веб-страницах всплывающие подсказки. Я тоже сделал, хоть я и не опытный веб-мастер.

Но попав на такую страницу (например, зайдя в гости ко мне на сайт levin.rinet.ru), не стоит мучиться, лучше сразу попросить браузер показать этот самый важный рисунок: щелкнуть по нему правой кнопкой мыши и выбрать команду Показать рисунок. Все остальные останутся не видны, а карта проявится!

Для повышения комфорта в меню Вид (в ИЕ7 – также в меню кнопки Сервис) есть команда Во весь экран. Она позволяет убрать с экрана все лишнее, включая даже панель задач Windows, и тем самым значительно увеличить поле обзора. Она же возвращает экран к исходному виду.

Есть и удобная горячая клавиша – **F11**, которая делает то же самое.

В ИЕ6 от всего виндоузовского и интернетовского оборудования на экране останется только узенькая кнопочная панелька. ИЕ7 спрячет даже ее. Но когда вы подведете курсор мышки к верхнему краю экрана, эта версия программы выдвинет вам и кнопочную панель, и адресную строку.

Вопросы языкознания

Кроме размера шрифта очень важна также **кодировка**, в которой на веб-странице представлен текст. Если ваш браузер настроен на одну (скажем, Западноевропейскую (Windows)), а на странице используется другая (скажем, Кириллица (Windows)), то увидите вы нечто такое, как на рисунке 7.11.

Вообще, браузеры должны автоматически определять кодировку. Но в интернете всякое бывает – иной раз и путают. Как же поступать, встретив такую картину? Сменить кодировку вручную! Ведает этими делами подменю Вид ▸ Кодировка (см. рис. 7.12). Зайдете и выберете там строку Кириллица (Windows).

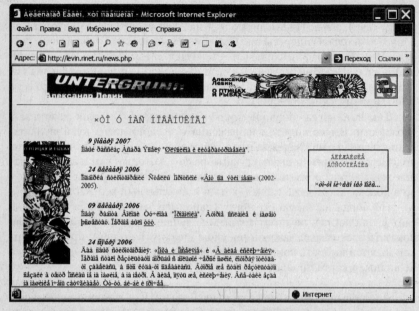

Рис. 7.11. Браузер показывает страницу в неверной кодировке

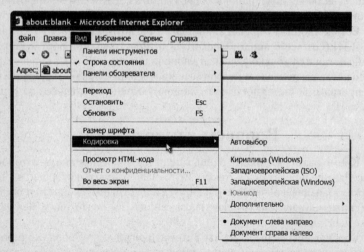

Рис. 7.12. Группа команд для смены кодировки

А если путаница станет повторяться слишком часто, снова зайдете в меню **Кодировка**, уберете точку из строки **Автовыбор** (не умеешь, не берись!), а в строке Кириллица (Windows), наоборот, поставите. Для большинства русскоязычных сайтов этого окажется достаточно.

А если на русскоязычном сайте используется другая кодировка (например, Юникод, как в русском разделе сайта корпорации Microsoft), то, скорее всего, где-то внутри страницы, в ее невидимом нам с вами коде эта кодировка обозначена, так что браузер сможет на нее переключиться и без кривовато работающего автоматического определителя.

Но что это вообще за кодировки какие-то, возникающие там и сям и доставляющие столько хлопот?

Каждый символ в компьютере имеет свой код (проще говоря, порядковый номер). Нажимая клавишу, вы вводите именно этот номер. А потом по какой-то своей кодовой таблице компьютер смотрит, что именно ему надо нарисовать на экране. Размер этой таблицы – 255 символов. Так вот, начало таблицы с номерами от 32 до 127 отдано буквам латинского алфавита. А на места со 128 по 255 претендуют символы национальных алфавитов: западноевропейских языков, балтийских, греческого, турецкого, китайского, вьетнамского и других – в том числе и русского.

Дело осложняется тем, что кроме основной кодировки русского языка – **Кириллица (Windows)**, есть и другие: Кириллица (KOI8-R), которая в недавнем прошлом достаточно широко применялась в русской части интернета, а также Кириллица (ISO), Кириллица (DOS). Но постепенно всех вытеснил один кукушонок: кодировка Windows[1]. И, как говорится, слава богу, потому что единая кодировка всех русскоязычных сайтов в интересах, прежде всего, читателей этих сайтов, которым не приходится думать о переключении с КОИ8 на Windows и обратно.

А вот универсальная многоязычная кодировка **Юникод** стараниями Microsoft никуда не пропала. Одно время у Internet Explorer были большие проблемы с отображением русских разделов сайта Microsoft. Сейчас, кажется, все устаканилось. Я, во всяком случае, давно уже не видел каракулей на месте русского текста в кодировке Юникод.

Перекачка файлов и сохранение веб-страниц

Щелкнув мышкой по ссылке, адрес которой указывает не на веб-страницу, а на файл архива (zip или rar), на установщик программы – файл с расширением exe, на видеофайл или mp3, мы получим возможность этот

---

[1] Хотя в электронной почте до сих пор стандартом считается русская кодировка КОИ8.

файл **перекачать с сайта к себе в компьютер**. Браузер испросит подтверждения наших намерений – напишет имя файла, который мы собираемся скачать, и адрес сайта (рис. 7.13). Нажимаем кнопку Сохранить. Теперь просят указать папку, в которую надо положить файл (по умолчанию все наваливается кучей в папку Мои документы), а потом начнется перекачка.

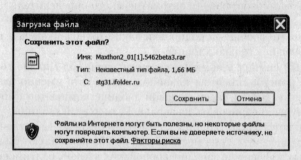

Рис. 7.13. Сохранение файла, тип которого системе неизвестен

Если ссылка ведет на файл, тип которого вашей операционной системе известен, в окошке Загрузка файла могут оказаться также кнопочки Открыть или Выполнить (если речь об ехе-файлах). Щелкнув по такой кнопке, вы, во-первых, запускаете копирование, а во-вторых, даете команду браузеру по окончании загрузки сразу же запустить программу или открыть zip-архив.

Я бы, однако, не советовал этими кнопочками пользоваться. Особенно если у вас не включен антивирус – хорошая, надежная, работающая в режиме непрерывного контроля программа, причем такая, у которой антивирусная база была обновлена совсем недавно – вот буквально сегодня, час назад. В скачиваемом файле ведь может оказаться *не совсем* то, что о нем было написано на сайте. Или даже *совсем не то...*

По этой же причине современные версии браузеров, прежде чем показать нам окошко загрузки, пожелают убедиться, что мы понимаем, что именно сейчас собрались сделать. Мы же все тупые, как валенок, нас все время надо переспрашивать... Под адресной строкой и строкой кнопок выдается такая табличка, как на рисунке 7.14. Чтобы преодолеть блокировку, щелкните мышкой по табличке и выберите строку Загрузка файла.

На многих сайтах с бесплатными программами, музыкой и т. п. ссылки типа Загрузить файл, Скачать файл или Download File часто оказываются не прямыми, то есть ведут не к самому файлу, а на некоторую промежуточную страничку. Скажем, на ней вам будут несколько секунд показывать рекламу (владельцы сайта получат свою денежку от рекламодателя), а потом загрузка начнется автоматически. Или, если она паче чаяния не начнется, щелкнете еще по одной ссылке типа Загрузить файл или Download Now (загрузить сейчас). Иногда таких промежуточных страниц оказывается несколько.

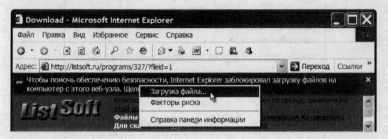

Рис. 7.14. Ой, хозяин, ты чо, файл хочешь скачать?!! Да ты чо, хозяин?!!
Это же ФАЙЛ!!

Другая ситуация: ссылка для загрузки также ведет на другую страницу, откуда и предлагается скачать файл. Но это какой-то совсем другой сайт. Так часто бывает, когда автор программы или небольшая программистская фирма не тратит деньги на установку мощного файлового сервера, который бы позволил множеству людей без помех скачивать себе программу, а отдает свои файлы на известные сайты с бесплатными и условно (временно) бесплатными программами, вроде Download.com или Tucows.com.

Если в процессе перекачки рвется связь с интернетом, то вам, скорее всего, придется начинать этот процесс сначала, даже если к этому моменту скачалось 99,9 % файла. Разработаны специализированные программы – «качалки», которые спокойно продолжают скачивание файлов после обрыва связи – восстановили связь и продолжили перекачку с того же места, где она остановилась.

К тому же, они умеют качать файлы в несколько параллельных потоков, обеспечивая более эффектное использование вашего интернетовского канала связи и, соответственно, более быстрое скачивание. Подробнее об этом читайте в разделе «Как нам обустроить интернет» в «полезных программах».

Когда файл полностью перекачается, окошко примет такой вид, как на рисунке 7.15. Можете немедленно запустить программу или архив (кнопка Открыть), можете зайти в папку, куда сохранили файл (кнопка

Открыть папку), или просто закрыть это окно. Еще раз напоминаю про осторожность и необходимость пользоваться антивирусом.

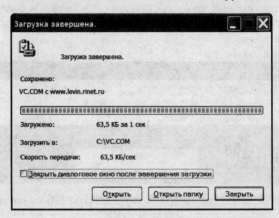

Рис. 7.15. Файл скачался. Запустить? Перейти в папку, где он лежит? Просто закрыть окно?

Если поставить галочку в строке Закрыть диалоговое окно после завершения загрузки, то по окончании перекачки никакого диалога вам не покажут. Как будто вы уже нажали кнопку Закрыть.

Когда вы щелкаете мышкой **по мультимедийному файлу** – MP3, видео или мультику, браузер вполне может вместо перекачки попытаться запустить воспроизведение этого файла с помощью проигрывателя Windows Media или любого другого, который у вас установлен по умолчанию для данного типа файлов. Кое-какие типы файлов он даже сможет воспроизвести сам – показать в своем окне.

Если вам этого не надо, вы хотите именно к себе в компьютер скачать файлы, а потом уж смотреть, вспомните о том, что у гиперссылки есть контекстное меню, в котором всегда найдется команда Сохранить объект как. Вот она и запускает процесс перекачки. Причем окошко, подобное показанному на рисунке 7.13, даже не выдают – сразу просят указать местоположение для сохраняемого файла.

С помощью такой же команды контекстного меню вы сможете сохранить и любой другой файл, на который ведет ссылка, в том числе и **веб-страницу**.

А вот **текущую веб-страничку** (ту, которая в настоящий момент показана в окне браузера) вы можете **сохранить на диск** по команде Сохранить как (в меню Файл или в меню кнопки Страница – ИЕ7). В зависимости от выбранного типа файла (см. рис. 7.16) в указанном месте появится у вас файл с расширением htm (html), mht или txt.

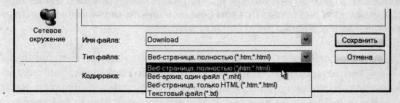

Рис. 7.16. Выбираем формат для сохранения веб-страницы

Мы с вами говорили о том, что веб-страница – это текстовый файл с особой разметкой, а картинки, анимация и прочие элементы оформления лежат отдельно. Но Internet Explorer сумеет сохранить страницу вместе с рисунками и прочими файлами, чтобы эту страницу можно было потом нормально просматривать у себя в компьютере. Рядом с html-файлом он создает вложенную папочку, куда и копирует все нужное. Имя папки всегда такое же, как имя html-файла.

В нашем распоряжении четыре способа сохранения интернетовских страничек:

- **веб-страница полностью** – получаете веб-страницу и папку картинок;
- **веб-страница, только HTML** – получаете веб-страницу без картинок;
- **текстовый файл** – получаете txt-файл без оформления;
- **веб-архив (*.mht)** – веб-страница вместе со всеми своими рисунками, анимашками, скриптами и прочим оформлением помещается в один файл. Очень удобный формат: не только хранить удобно, но и письмом пересылать.

Еще четыреста сравнительно честных способов путешествий по интернету

Итак, простейший вид путешествий по интернету – щелчок по гипертекстовой ссылке – вам уже известен, а может быть даже применен на практике. Второй способ перемещения по Web состоит в использовании кнопок Назад и Вперед.

Кнопка Назад (Back) вернет вас на предыдущую страничку. Ей соответствуют горячие клавиши **Alt-←** и **Backspace**. Нажимая несколько раз кнопку Назад, вы можете пройти по своему сегодняшнему маршруту от конца к началу.

☞ Когда вы возвращаетесь назад, цвет ссылки меняется. Была, скажем, синяя, стала серенькая или лиловая. Это поможет вам не запутаться, где вы уже побывали, а где еще нет. Интересно, что теперь любая ссылка с тем же адресом, даже если она встретится вам совсем в другом месте (хоть в электронном письме!), все равно будет серая или лиловая[1].

Кнопка **Вперед (Forward)** перенесет вас на следующую страницу. Ей соответствуют комбинации **Alt-→** и **Shift-Backspace**. Доступна команда только тогда, когда вы уже откуда-то вернулись по команде Назад.

Назад и Вперед не просто кнопки, но кнопки-списки, где хранится перечень ранее посещенных мест. Вы сможете раскрыть список, выбрать любую из строк и сразу вернуться, куда вам надо, перепрыгнув разом через несколько ступенек. По-моему, очень разумное решение.

В ИЕ7 вместо двух разных списков у кнопочек переходов будет один общий (точно так же, как это сделано в проводнике – вспоминаем рисунок 2.52 во втором разделе). Жирным шрифтом будет обозначено название текущей страницы, все что выше – это переходы вперед, ниже – назад.

Бывает, что ткнешь в какую-то ссылку не подумав. В какую-нибудь рекламную картинку, например. А потом возьмешь да задумаешься: и чего мне там надо!.. Тут-то и понадобится кнопка с крестиком (Остановить) или клавиша **Esc**, которые прекратят загрузку новой страницы.

Чем еще хороша эта кнопка и эта клавиша: они прекращают всяческое мельтешение на странице: анимированные рисуночки и баннеры, перестают дергаться, вертеться, подмигивать и по иному мешать вам читать текст. Правда, это касается только простых анимашек (анимированных файлов формата GIF). Особенно здоровые и особенно наглые выпрыгивающие картинки (флэш-баннеры) таким способом не остановишь. Правда, иногда на них имеется кнопочка-крестик, которая эту картинку закрывает. Но чаще нет никакой кнопочки-крестика.

Те, кого раздражает бесконечная реклама на сайтах, должны непременно попробовать браузер Opera, имеющий гораздо более эффективные средства борьбы с вылетающими рекламными окнами и всяческой назойливой анимацией. А если и не попробовать, то хотя бы почитать о ней в «Самоучителе полезных программ».

Еще один способ путешествий: **ввести адрес** того места, куда вы собрались отправиться. Во многих журналах и книгах указывают адреса

---

[1] Правда, стилевая разметка CSS позволяет веб-дизайнеру сделать цвет ссылки одинаковым для посещенных и непосещенных страниц. И некоторые этой возможностью пользуются. О чем только думают?!

полезных и просто интересных страничек. В рекламах фирм указываются их интернетовские адреса. Называются все эти адреса **URL** (Uniform resource locator – стандартный адрес ресурса). В приложении к самоучителю (таблица 2) тоже указаны адреса кое-каких полезных мест.

Надо просто встать в адресную строку, ввести адрес и нажать Enter или щелкнуть по кнопке Переход, расположенной правее адресной строки.

При вводе этих «урловых адресов» можно не писать префикс http://, а вот с остальной частью адреса будьте очень внимательны: малейшая ошибка (например, строчная буква вместо заглавной) – и вы либо попадете не туда, куда собирались, либо вовсе никуда не попадете: машина надолго задумается, а потом скажет, что места такого на свете нету.

Избранные адреса

Хочу порекомендовать вам еще один инструмент для быстрого доступа к интересным сайтам – **список избранных адресов**. Чтобы занести адрес просматриваемой страницы в избранное (создать **закладку**, как часто говорят), можете воспользоваться комбинацией **Ctrl-D**. IE6 молча занесет адрес странички в список. Открыв меню Избранное, вы увидите в нем название сайта и, щелкнув по нему мышкой, сможете немедленно туда перейти.

IE7 по Ctrl-D выдаст отдельное окошечко, в котором вы сможете сами ввести название странички. Имена, которые заносятся автоматически, оказываются иной раз совершенно негодными – неинформативными или слишком длинными, так что можно сразу же вмешаться. Кроме того, тут можно будет выбрать местоположение закладки: будет ли она сидеть в основном меню избранного или в одном из подменю (будет для этого списочек всех имеющихся подменю). Сможете даже создать новое подменю (будет для этого специальная кнопка).

В IE6 такие удобные вещи тоже возможны, только для этого надо добавлять адрес через меню – командой Добавить в избранное, которая всегда стоит самой первой в меню избранных адресов.

Увидев на странице интересную ссылку, вы имеете возможность добавить ее в избранное, даже не посещая. Для этого предназначена команда Добавить в избранное в контекстном меню гиперссылки.

В седьмой версии, где, как мы с вами уже говорили, внутри одного окна браузера можно открыть много страниц-вкладок, разрешается **поставить закладки сразу на все страницы, открытые на вкладках**.

В меню Избранное, а также в меню, которое открывается щелчком по кнопке со звездочкой и плюсиком, есть команда Добавить группу вкладок в избранное. Вас попросят дать имя сохраняемой группе, а потом будет создана папка (подменю) с этими именем, в которую и попадут закладки всех открытых веб-страниц.

Например, вы открыли на вкладках страницы информационных агентств и новостных сайтов и сохранили разом в подменю Новости. Потом открыли спортивные сайты, сохранили в подменю Спорт, потом компьютерные, потом еще какие-то...

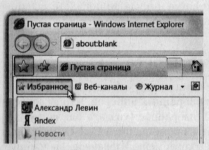

Рис. 7.17. Панель избранных адресов
в Internet Explorer 7

В седьмой версии интернет-проводника предлагается вместо меню Избранное пользоваться боковой панелькой с таким же названием. Щелкнув по кнопке со звездочкой, мы эту панель откроем, останется выбрать одну из трех вложенных панелек, как показано на рисунке 7.17.

Две другие – тоже небесполезные. Панель Журнал будет вам показывать список сайтов, посещенных сегодня, вчера или неделю назад. А панель Веб-каналы позволит подписываться на обновления сайтов (подробности читайте в самоучителе по Windows XP и Vista или в справке по IE7).

Управление вкладками

Расположение просматриваемых страниц на вкладках, появившееся в IE7, удобно не только тем, что все странички окажутся под единой крышей браузера, но и тем, что для управления ими предусмотрено немало удобных команд.

• Новая пустая вкладка создается комбинацией Ctrl-T или щелчком мышки по кнопке, которая всегда располагается в строке вкладок правее самой последней из них (см. рис. 7.4).

• Вместо того чтобы открывать пустую вкладку и потом каким-то образом загружать туда страничку, можно оба дела совместить: создать вкладку и сразу загрузить туда нужную нам страницу. Для этого надо на веб-странице щелкать по ссылке не просто так, а нажав предварительно клавишу Ctrl.

Вместо этого клавиатурно-мышиного способа можно использовать чисто мышиный – щелчок по ссылке колесиком мышки. Ну, и можно, конечно, сделать это через контекстное меню ссылки.

☞ Если вместо «контроля» нажать «шифт», страница откроется не на вкладке, а в новом окне браузера. Не спутайте.

Что особенно удобно, новая страница не выскакивает на передний план – перед вашими глазами остается та же страница, которую вы читали. Скажем, в статье нашлась интересная ссылка. Щелкаете по ней с «контролем» и продолжаете читать. А где-то там, на новой вкладке для вас загружается запрошенная страница. Потом эту закроете и перейдете на ту.

• Однако иногда требуется открыть новую вкладку именно на переднем плане. Тогда щелкать по ссылке надо при двух нажатых клавишах: Ctrl и Shift.

• При работе с панелями избранного и истории тоже возможен подобный фокус: щелкнули по строке с клавишами Ctrl или Ctrl-Shift и получили сайт на новой вкладке. А вот со списком закладок, расположенным не на левой панели, а в меню Избранное, фокус почему-то не удается. Видимо, факир был пьян.

Ну вот, о создании вкладок все. Теперь о переходах и прочих операциях.

• Чтобы перейти на нужную страницу, достаточно будет щелкнуть мышкой по ее вкладке. Можно пользоваться и клавиатурными комбинациями Ctrl-T и Shift-Ctrl-T, чтобы последовательно переходить с одной вкладки на другую – вперед и назад.

• Когда вкладок открыто достаточно много и все они на панели уже не помещаются, программа показывает новые кнопочки для их пролистывания. Слева от первой вкладки и справа от последней будут у вас кнопки с двойными стрелками для листания вперед и назад.

• Нажав комбинацию Ctrl-Q или щелкнув по третьей слева кнопке на рисунке 7.18, вы увидите внизу эскизы всех открытых в браузере веб-страниц. Щелчок по эскизу – и вы там. Средство это (именуемое почему-то «быстрыми вкладками») будет вполне удобно в ситуации, когда вкладок открыто множество и разобраться в этом множестве становится нелегко.

• Другое средство от этой беды – маленькая кнопочка-треугольничек (▼) – на рисунке 7.18 она четвертая слева. Эта кнопка покажет вам простой текстовый список открытых страниц. И конечно, можно будет немедленно на нужную страницу перейти.

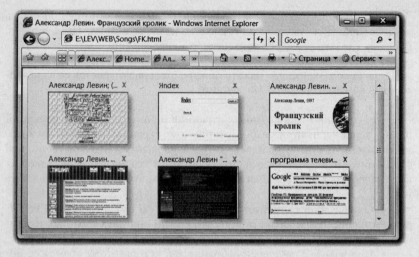

Рис. 7.18. Все страницы показаны в виде эскизов

● Ненужную страницу можно закрыть комбинациями Ctrl-W или Ctrl-F4. Закрывается именно активная страница – та, которая выдвинута на передний план.

● Любую (не обязательно активную) страницу можно закрыть, щелкнув мышкой по крестику на ее вкладке. Есть и еще один удобный вариант: щелчок по ненужной вкладке колесиком мыши.

● Полезная команда Закрыть другие вкладки поджидает вас в контекстном меню вкладки. Все закроются, данная останется.

Найти и не сдаваться!

Интернет огромен и необозрим. Некоторые люди не в силах найти то, что им нужно, и находя вместо этого какой-то мусор, впадают в глубокий пессимизм и мрачно называют сеть всемирной свалкой. Мнение это поспешное и поверхностное. Интернет настолько же свалка, насколько свалка – вся наша жизнь.

Чтобы не заблудиться и не сделаться такими буками, надо решить две задачи: найти нужные данные в сети, а потом найти нужные данные на конкретной странице.

Начнем с конца. Последняя задача решается элементарно, Ватсон: достаточно нажать знакомую вам по Ворду комбинацию **Ctrl-F** и можно будет ввести слово, которое наш интернет-проводник отыщет на страничке и перенесет нас к нему.

– Но, Холмс, неужто так трудно найти нужное слово на веб-странице?!

– Иногда очень и очень трудно! Встречаются весьма длинные веб-страницы, вроде романов или сетевых обсуждений чего-то животрепещущего. Бывают также сильно навороченные страницы, где информация расположена в несколько колонок, с кучей рисунков и мелких надписей, от которых рябит в глазах.

Некоторые узлы сети снабжены собственными поисковыми системами **для поиска на данном сервере** (узле сети). Так, в коллекциях бесплатных программ, в электронных библиотеках, в каких-то периодических и справочных изданиях, электронных словарях и энциклопедиях без локальных поисковых средств просто не обойтись.

Но тут все тоже не слишком сложно. Вводишь ключевое слово и жмешь кнопочку Find, Search или Найти. Получаешь все, что на данном сервере есть подходящего. Обычно – в виде гипертекстового списка, что позволит мгновенно отправиться туда, куда нам нужно, или же прямо из этого списка начать перекачку нужного файла.

А теперь о **поиске в интернете**.

Чтобы найти страницу с нужным содержанием на сотнях тысяч и миллионах сайтов, на десятках и сотнях миллионов страниц, необходимо обратиться к одному из специализированных поисковых серверов интернета. Поисковых систем на свете масса, но на самом деле масса никому не нужна. Пользуясь одной-двумя самыми развитыми поисковыми системами, находишь обычно все, что тебе нужно. Если, конечно, правильно сформулируешь, что именно хочешь отыскать.

Конечно же, поисковая система не лезет по вашему запросу просматривать весь интернет. Если бы дело обстояло так, вы бы сутками дожидались результатов каждого поиска. Поиск производится по базе данных, составленной заранее. По всему мировому интернету тихо и незаметно ползают поисковые роботы – программы, считывающие подряд все страницы со всех компьютеров сети, отправляющиеся по любым ссылкам, обрабатывающие все полученные сведения по своим собственным алгоритмам и укладывающие их в огромные, очень хитро устроенные базы данных, с которыми мы с вами и имеем дело, когда нам захочется найти расписание авиарейсов на Улан-Удэ или курс рубля на завтра.

Интернетовские системы поиска делятся на международные и национальные. Международные занимаются интернетом в целом, невзирая на язык, на котором написана веб-страница, и страну, в которой зарегистрирован сайт. Национальные интересуются только своей зоной интернета – страничками, расположенными в своей стране, а если и в других странах, то, по крайней мере, на своем языке.

Лучшая на сегодня международная система поиска это **Google**, из отечественных можно назвать **Яндекс** и **Рамблер**. Активно развивает свою собственную систему **Live Search** и корпорация Microsoft, обещая превзойти Google по качеству работы и разнообразию сервисов, но пока до этого далековато.

Понятно, что базы данных у международных систем оказываются в десятки раз больше, чем у национальных. Крупнейшая в мире международная поисковая система Google содержит данные о миллиардах веб-страниц в разных странах и на разных языках. Тогда как в отечественных системах Яндекс и Рамблер их на порядок меньше. Но зато все русские.

Существует два способа запустить поиск в интернете:
• зайти на один из поисковых сайтов, введя его адрес в адресной строке браузера или применив закладочку в избранном. Останется только ввести ключевые слова в строке поиска и нажать Enter (или щелкнуть по кнопочке Найти, Search или какой-то иной, которая располагается обычно возле строки поиска);
• ввести ключевые слова прямо в браузере, никуда специально не отправляясь, тогда Internet Explorer сам отправит эти слова поисковику и сразу откроет нам страницу с результатами поиска.

Самая простая возможность что-то найти с помощью IE – это ввести ключевые слова **прямо в адресной строке** и нажать на Enter. Поиск происходит в майкрософтовской системе Live Search. Результат будет показан в виде списка подходящих веб-страниц (рис. 7.19).

Каждая найденная веб-страница будет снабжена кратким описанием или фрагментом, взятым с самой страницы, а ключеые слова будут выделены жирным шрифтом. Чтобы на страницу попасть, надо щелкнуть по подчеркнутой строке с названием этой страницы. Как вы понимаете, щелкать лучше с «шифтом» (в ИЕ6) или «контролем» (ИЕ7).

Полистав до конца страницу с первыми десятью результатами поиска, внизу вы увидите какую-то надпись, предлагающую посмотреть следующие десять. Например, там будут стоять номера: 1 2 3 4 5 ▸, щелкая по ним вы и будете переходить вперед или возвращаться назад по списку найденных веб-страниц. Что-то подобное будет и у других поисковиков.

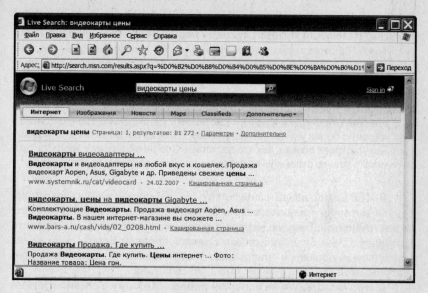

Рис. 7.19. Результаты поиска по ключевым словам «видеокарты цены» в поисковой системе Live Search

Если вместо кнопки Интернет нажать соседнюю — Изображения, то вам покажут список картинок (фотографий и рисунков), в названии которых или в тексте по соседству есть эти ключевые слова.

Два важных момента. Когда вы впервые попадете на страницу Live Search, все надписи на ней будут на английском языке. На моей картинке (рис. 7.19) почти все по-русски. Как я этого добился?

Щелкнул по ссылке Параметры, которая тогда еще называлась Options, и попал на страницу индивидуальных настроек поиска. В самом верхнем списке (Display this site in) вместо English выбрал Russian и нажал расположенную поблизости кнопочку Save (сохранить). Все тотчас же перевелось на русский.

Второе. В исходном варианте поиск идет по сайтам на всех языках. Поисковик Microsoft умеет даже переводить ключевые слова на английский, так что иногда вы будете получать такие страницы, которых и не чаяли найти – на иностранных языках. Поэтому стоит зайти в те же Параметры (Options) и попросить систему выполнять поиск только среди русскоязычных веб-страниц – пометить строку Искать страницы только на следующих языках, а потом в писке языков пометить Русский. И не забыть нажать кнопочку Сохранить.

Но если в качестве ключевых слов вы введете Walt Disney, Air France, Deutsche Telekom или Microsoft, самыми первыми в списке найденных будут стоять официальные сайты именно этих компаний – на английском или ином языке, а не русские странички, где эти названия упоминаются.

☞ Все, что я здесь рассказываю о поисковой системе Live Search, в той или иной степени относится и к другим системам: оформление страниц поиска у всех устроено более или менее одинаково. И у всех есть ссылка для индивидуальных настроек поиска, так что заставить Google общаться с нами по-русски и искать только страницы на русском языке не составит особого труда.

В ИЕ6 можно вводить поисковые слова в специальной строке поиска, которую извлекает на свет божий кнопка с лупой Поиск на панели инструментов. Браузер разделит свое окно на две части, как он часто поступает. Слева будет поисковая строка с кнопкой Искать, сюда же, на левую панель попадет и список найденных страниц. А содержимое просматриваемой страницы будет выводиться справа.

Честно сказать, это не слишком удобно. Поэтому в седьмой версии браузера поисковая строка появилась прямо на панели инструментов – правее адресной строки. Можете вводить в адресной строке, а можете в поисковой.

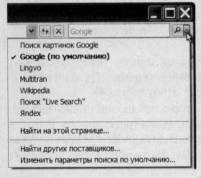

Рис. 7.20. Выбор поисковых систем в Internet Explorer 7

Но у поисковой есть еще одна ценная особенность: она на самом деле представляет собой выпадающий список – поисковое меню (см. рис. 7.20). Можно ввести ключевые слова в строке и выбрать в списке другой поисковик. Сразу же получите результаты поиска на другой машине.

Но самое важное то, что в меню этом не обязаны находиться одни только поисковые машины! Если на каком-то интересном для вас сайте (сайте-словаре, сайте-энциклопедии, интернет-магазине) есть своя строка ввода (ввод слова для перевода, ввод слова для поиска в энциклопедии, поиск товара в магазине), ее можно добавить в этот список. Что я и сделал, как видите, внеся в список, кроме изначально там находившейся Live Search, также Google и Яндекс, а также поиск по свободной энциклопедии Wikipedia, перевод иностранных слова на сайтах Lingvo.ru и Multitran.ru и так далее.

Как я этого добился? Раскрыл меню поиска и щелкнул по строке **Найти других поставщиков**. С сайта Microsoft приехала ко мне такая страница, как на рисунке 7.21[1]. Стоит теперь щелкнуть по названию любого из девяти поисковиков в этом списке, и он добавится в меню поиска – разрешение на это будет у нас испрошено.

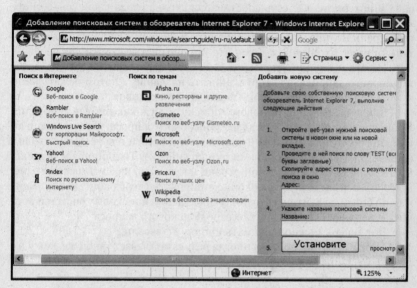

Рис. 7.21. Добавление поисковых систем в Internet Explorer 7

В том же окошке запроса будет и строка **Сделать поставщиком поиска по умолчанию**, которую можно будет пометить. Немедленно этим воспользовался – сделал поисковиком по умолчанию Google.

К сожалению, не все поисковики из списка, предоставленного корпорацией Microsoft, у меня заработали. Поиск погоды по узлу Gismeteo заканчивался одинаково – сообщением о том, что ничего не найдено. Что бы я ни вводил – название города или дату. А поиск по крупнейшему российскому интернет-магазину Ozon получался, только когда я вводил название товара на английском языке. При вводе названия по-русски я всякий раз получал загадочный ответ типа такого: **По запросу: "С C,РёPSPi" ничего не найдено.**

---

[1] Если в Microsoft передумают, содержание странички вполне может поменяться. Такое происходило не раз со страницами, на которые нас выкидывает Internet Explorer.

Может, конечно, выйдет какой-нибудь патч или сервис-пак и всю эту кривизну поправит. Может быть, у вас, в вашем интернет-проводнике все это уже будет исправно... Тогда вам везет.

Вы можете и **сами создать средство поиска**, взяв за основу любой сайт в интернете, где есть собственная строка ввода (поисковая система). Если вернуться к рисунку 7.21 и посмотреть на правую часть веб-страницы, предлагающей добавить поисковые системы в обозреватель Internet Explorer 7, вы увидите там две пустые строки для ввода некого текста и кнопку Установите. В первую строку надо вставить **адрес поискового запроса**, во вторую вписать **название**, а потом нажать кнопку – и получить новую строку в списке поисковиков.

Какое название дать новому поиску мы уж как-нибудь сообразим. Вопрос в том, откуда взять адрес поискового запроса. Предлагается такой способ: отправиться на нужный сайт и ввести в качестве ключевых слов TEST (большими буквами, по-английски). То длинное и непонятное, что появится в адресной строке после того, как мы нажмем Enter, предлагается выделить мышкой, скопировать (через контекстное меню или по Ctrl-C), перейти на страницу добавления поисковых систем и вставить в верхнюю строку – в качестве поискового запроса.

Вот теперь можно нажимать кнопку Установите.

Метод простой, но, увы, иногда результат бывает такой же, как у интернет-магазина Ozon.

8. ЭЛЕКТРОННАЯ ПОЧТА

Это он, это он,
электронный почтальон!

Электронная почта – удобное и надежное средство общения, при котором письмо в любой конец света доходит за несколько минут. Настолько удобное и настолько надежное, что в некоторых странах обычная почта хиреет не по дням, а по часам.

А устроено все довольно просто (для нас, пользователей, конечно). Запускаем почтовую программу, пишем письмо в окошке, напоминающем окно простенького текстового редактора, указываем в заголовке адрес получателя и отсылаем. Письмо попадает на почтовый сервер нашего провайдера, так называемый SMTP-сервер (Simple Message Transfer Protocol – протокол передачи простых сообщений). Тот находит в сети узел, к которому приписан адресат, и переправляет ему письмо, а уж там его передадут по назначению.

Когда же приходит письмо для нас, то другой сервер нашего провайдера – POP-сервер (Post Office Protocol – почтовый протокол) – принимает сообщение и хранит его на своем жестком диске до тех пор, пока мы его не прочтем. Как только оно скачано к нам в компьютер, сервер его стирает со своего жесткого диска.

Что приятно, нам не надо помнить, какому из почтовых серверов посылать письмо, а у какого спрашивать письма, пришедшие для нас: один раз настроив своего «почтальона», мы можем вообще позабыть о каких-то там протоколах и серверах: послал письмо – получил письмо. Все.

Есть другой способ работы с электронной почтой, при котором специальная почтовая программа не требуется. Если вы сходили на один из интернетовских сайтов, где на халяву раздают адреса электронной почты (mail.ru, pochta.ru, mail.yandex.ru, rambler.ru, gmail.com, hotmail.com и т. п.), зарегистрировались там, получили адрес и пароль, то принимать письма и отсылать их вы сможете с помощью браузера – через так называемый веб-интерфейс. Проще говоря, на веб-страничке особого типа, где будут кнопочки для написания и отправки писем, для удаления ненужных – и все остальные, какие требуются при работе с почтой.

Между этими способами есть важные отличия. Я не имею ввиду расположение на экране кнопочек получения или отправки письма и прочий *интерфейс*. Я имею в виду, что...

...Обычная почтовая программа доставляет письма к вам домой, они хранятся на вашем компьютере, в базе данных, откуда можно будет их доставать и читать, даже если у вас выключен интернет.

...Веб-почтой можно пользоваться с любого компьютера – с компьютера приятеля, из интернет-кафе, из другого города и другой страны. Пока функционирует сервер, на котором хранятся ваши письма, они всегда в вашем распоряжении – читайте, пишите, отправляйте. Тогда как обычную почтовую программу с собой не возьмешь[1]...

...Адрес обычной почты, которую выдают нам провайдеры, меняется, когда мы меняем провайдера. Только, бывало, друзьям разошлешь свой адрес, только они его запомнят и в адресные книжки внесут, как надо уже новый рассылать. А вот адрес веб-почты остается неизменным, даже если мы перейдем с модемного доступа у фирмы «Сыкино Телеком», на ADSL у провайдера «Лыкино Стрим», а потом пересядем на выделенную линию у компании «Сыкино-Лыкино Интернэшнл».

На самом деле, можно и объединить оба способа работы: пользоваться адресом на халявном сайте, чтобы быть независимым от провайдера, а письма держать дома.

Такой комбинированный способ кажется мне самым гибким и удобным. Даже если вы завели себе десяток почтовых адресов на разных серверах бесплатной почты, почтовая программа привезет их к вам домой сама, не придется заходить на все десять серверов, на каждом вводить пароль и разбираться, где тут новые письма, а где старые. Не придется и заводить десять адресных книжек с электронными адресами друзей и знакомых.

С другой стороны, в поездке, когда домашний компьютер недоступен, всегда можно для экстренной связи обратиться к одному из своих почтовых ящиков. Только бы пароль не забыть!..

---

[1] Есть, кстати, такие почтовые программы, которые можно брать с собой! Некоторые из них умеют работать с карточки флэш-памяти и на ней же держат базу писем. Такова, например, программа The Bat Voyager.

Внешний вид почтовой программы

В комплекте с Windows XP приходит почтовая программа Outlook Express[1], версия 6, а в состав Windows Vista включена программа под названием Почта Windows (Windows Mail). На самом деле это, в общем, одна и та же программа, отличия минимальны. А нам это на руку! Не придется два раза одним и тем же вещам обучаться!

В верхней части меню Пуск (в левой колонке) будет у вас сидеть значок с конвертиком, запускающий Outlook Express. Или значок со стопкой конвертиков, запускающий Почту Windows. Этот же значок найдется и в меню Пуск ▶ Все программы.

Рис. 8.1. Outlook Express

Окно Outlook Express разделено на четыре части (см. рис. 8.1):

• на широкой панели вверху располагается список писем;

• на широкой панели внизу показывается содержание выбранного письма. Если письмо в непонятно какой кодировке, текст не читается, лезете в меню Вид ▶ Кодировка ▶ Дополнительно и выбираете, к примеру, Кириллица (Windows). Но большинство писем будет приходить в стандартной русской кодировке Кириллица (KOI8-R);

---

[1] В примерном переводе – «быстрый взгляд» или «быстрая перспектива».

• на узкой панели вверху (слева) – папки с письмами. Щелкните по папке и сразу же увидите, как изменится список справа;

• а внизу – адресная книжка. Двойной щелчок по адресу – и можете писать письмо данному гражданину или гражданке.

В Почте Windows все то же самое, за исключением одного: убрана зачем-то панелька с адресами, штука довольно удобная, особенно для тех, у кого список адресатов не слишком велик.

Границы между панелями подвижны, любую из панелек можно сделать побольше или поменьше – взяться за границу мышкой и потащить. Когда письмо читаешь, хочется нижнюю панель расширить. А когда ищешь в списке нужное письмо – верхнюю.

Обратите внимание на то, что заголовки третьего и четвертого письма на нашем рисунке набраны жирным шрифтом и помечены не раскрытым, а запечатанным конвертиком. Это означает, что письма еще не прочитаны. Рядом с названием папки Входящие стоит в скобках цифра 2, показывающая, сколько в этой папке непрочитанных писем. А в строке состояния всегда пишется, сколько всего в папке писем и сколько прочитанных.

Стоит вам ткнуть мышкой непрочитанное письмо (внизу появится его содержимое) и секунд пять его почитать, как шрифт сменится с жирного на простой, конвертик откроется, а число непрочитанных писем уменьшится на единицу.

Письма, на которые вы ответили, помечаются маленькой стрелочкой, как первое и второе письмо на нашем рисунке. А неотвеченные и неохваченные остаются такими же девственно чистыми, как пятое письмо.

Ненужное письмо можно выкинуть – встать на его строчку в списке и нажать клавишу Del (или кнопку-крестик Удалить на панели инструментов). При этом письмо сразу не стирается, а просто переносится в папку Удаленные. И только удалив его оттуда (например, по команде Очистить папку "Удаленные" в контекстном меню папки), вы совсем сотрете письмо.

Полная аналогия с корзиной Windows, верно?

Кроме папки Удаленные есть у нас еще несколько. Пришедшие к нам письма лежат в папке Входящие, которую мы и наблюдали на рисунке 8.1. Написанные нами, но пока не отправленные письма попадают в папку Исходящие. А в папке Отправленные мы можем почитать собственные письма, вспомнить, что писали в том роковом письме, на которое так рассердился наш адресат...

Есть еще папка Черновики, куда можно складывать недописанные письма – те, которые отправлять еще нельзя, а выбрасывать уже жалко.

В Почте Windows добавлена папка Нежелательная почта, куда программа будет помещать письма с рекламой и всякими иными подозрительными письмами. Если она в чем ошибется (а это бывает довольно часто, особенно поначалу), мы ее поправим. Но об этом будет отдельная глава.

Если вам мало пяти папок, то вы всегда сможете добавить в этот список тематические или персональные папки («Письма от Маши», «Письма от Гоши», «Письма о любви», «Письма 2007 года»), щелкнув правой кнопкой мышки по любой стандартной папке (кроме папки Удаленные) и запустив команду Создать папку. Потом мышкой перетащите туда все подходящие по смыслу письма.

Вложенные папки всегда создаются внутри той папки, по которой вы щелкали своим верным мышом. А если захочется создать папку на одном уровне со стандартными (рядом с ними, а не внутри), щелкать надо будет по строке Локальные папки.

Переименовать папку также можно через контекстное меню. Кроме того, ее можно взять мышкой и оттащить внутрь другой папки. Или, наоборот, вытащить из нее наружу.

Папку вместе со всем ее содержимым, если она более не нужна, можно взять мышкой и утащить в папку Удаленные. Правда, стандартные папки (Входящие, Исходящие, Отправленные, Черновики и Удаленные) удалять, переименовывать и перетаскивать нельзя.

Создание и настройка почтового ящика

Любая программа-почтальон при первом своем запуске требует от нас сообщить как минимум четыре весьма ее интересующие вещи: указать **адрес сервера входящей почты**, **сервера исходящей почты**, **имя** и **пароль**. Все это вместе составляет **учетную запись (account)**, или **почтовый ящик**, как часто говорят.

В Outlook Express настройкой связи ведает специальный мастер, задача которого – создать учетную запись.

При первом же запуске почтовой программы запустится мастер создания учтенных записей, который и попросит вас сообщить все эти совершенно необходимые сведения. Кроме того, мастер попросит вас сообщить и некоторые другие вещи – необязательные, но весьма полезные.

• На первом шаге мастер спрашивает, под каким именем вы хотите фигурировать в собственных письмах (это имя будет попадать в поле От). Вводить свое настоящее имя необязательно, тут может стоять любой понравившийся вам псевдоним – «ник», как говорят интернетчики (от английского nickname – прозвище).

• Далее мастер просит ввести адрес вашей электронной почты. Адрес желательно написать правильный – это в ваших же интересах.

Почему? Дело в том, что во всех почтовых программах есть команда, которая называется **Ответить**, **Reply** или как-то вроде этого. Она позволяет не набирать адрес получателя руками, а автоматически переносить его из полученного письма – одним щелчком по кнопке ответа. Практически все люди, которых я знаю, и, думаю, большинство тех, кого я не знаю, достаточно ленивы, чтобы пользоваться именно ею. Так вот, если ваш адрес указан в письме с ошибкой, то ответ к вам не дойдет!

И кому это надо? – писать письма, как в космос братьям по разуму: ни ответа, ни привета, ни даже простого дружеского «пошел ты!..» Так что адрес вводите внимательно.

• Но самый важный шаг – третий (рис. 8.2). Надо ввести адреса серверов входящей и исходящей почты. Где их взять? Если вы настраиваете почтовый ящик, полученный у своего провайдера, то у него получите и адреса. А если это ящик на каком-то из серверов бесплатной почты, поищите на сайте ссылку **Справка** и найдите раздел, посвященный настройке почтовых программ по протоколу POP/SMTP, там обязательно значатся эти адреса.

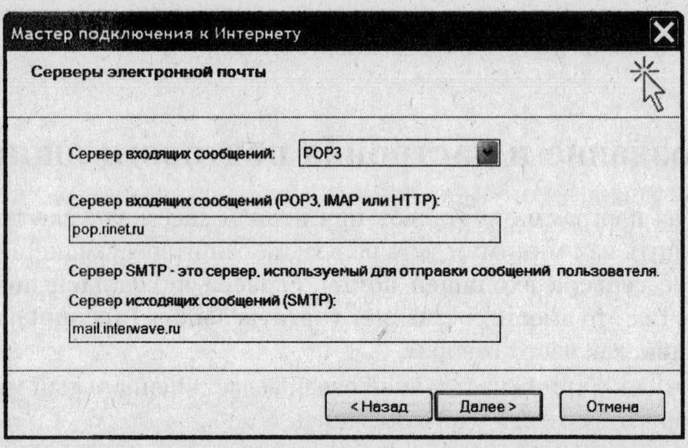

Рис. 8.2. Вводим адреса почтовых серверов

В принципе, можно даже и не читать справки: вариантов тут не так уж много. Обычно серверы входящей почты, работающие по почтовому протоколу (POP), имеют адреса типа smtp.адрес, например: pop.mail.ru (почта Mail.ru), pop.yandex.ru (почта Yandex.ru), pop.gmail.com (почта Google).

То же касается и адресов исходящей почты, отправляемой по протоколу SMTP. Чаще всего серверы имеют адреса smtp.адрес, например: smpt.mail.ru, smtp.yandex.ru, smtp.gmail.com.

• Следующий шаг тоже очень важен: надо будет ввести имя и пароль. Постарайтесь не ошибиться, особенно при вводе пароля, а не то почтовая программа ваша будет получать от почтового сервера отказ при любой попытке прочитать письма.

Если вы делите свой компьютер с другими людьми и хотите, чтобы никто кроме вас не мог получать письма из этого почтового ящика, уберите галочку из строки Запомнить пароль – будете вводить пароль руками при получении почты[1].

Проделав эту не слишком замысловатую процедуру, вы получите учетную запись почты – свой первый почтовый ящик.

Если нужно, процедуру создания ящика можно будет повторить – создать еще один, два – сколько потребуется. Вопрос только, как это сделать – ведь при следующем запуске почтовой программы мастер выскакивать уже не будет.

Зайдите в меню Сервис и запустите там команду Учетные записи. На вкладке Почта вы получите список всех своих почтовых ящиков – в таком окошке, как на рисунке 8.3. Вот кнопка Добавить и позволит нам снова запустить мастера создания учетных записей для почты.

А кнопка Свойства позволит **изменить параметры существующей учетной записи**. У записи на самом деле еще много настроек, о которых мастер нас не спросил.

Так, почта Google (gmail.com), которая соединяется со своими клиентами по защищенному методу SSL (с шифрованием передаваемых сообщений[2]), работать у вас не будет до тех пор, пока вы не откроете свойства учетной записи, не перейдете там на страницу Дополнительно и не поставите галочку в строке Подключаться через безопасное соединение (SSL).

---

[1] Правильнее поступить иначе: завести для каждого пользователя свою учетную запись для входа в Windows. Каждый будет при включении компьютера вводить свое имя и пароль. Тогда и почта у каждого будет своя, а чужую он читать не сможет. Занимается этим утилита Учетные записи пользователей в Панели управления Windows (подробности читайте в самоучителе по Windows Vista и XP).

[2] На почтовом сервере его смогут перехватить, но не смогут прочесть.

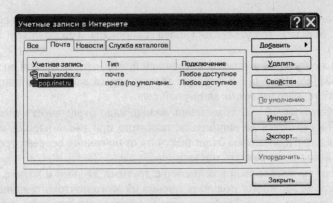

Рис. 8.3. Учетные записи почты

Те, кто читает почту из разных мест – с работы и из дома, с настольного компьютера и с ноутбука, смогут здесь же, на странице Дополнительно **отменить удаление писем с сервера** при их доставке (строка называется Оставлять копии сообщений на сервере). Тогда у вас появится возможность брать почту повторно. Например, прочитав письма на работе, вы вернетесь домой и возьмете их еще раз, в домашний компьютер. Это позволит вам избежать путаницы и потери важной корреспонденции.

Заметьте, дома и на работе учетную запись можно настроить по-разному: на работе ваш почтальон будет настроен так, чтобы оставлять письма на сервере, а домашний компьютер будет забирать письма, что называется, с концами.

Письмо самому себе

Вы недавно подключились к интернету и еще не получали и не посылали писем? Тогда имеет смысл отправить тестовое послание самому себе. Так вы разом проверите обе составляющие почтовой системы – отправку писем и их прием.

Нажмите кнопку – Создать сообщение (Создать почтовое сообщение). Появится окно **редактора писем** (рис. 8.4). В поле Кому введите свой e-mail (потому что пишете себе!), а в поле Тема, скажем, «Проверка связи».

Написав письмо, нажимаете кнопку Отправить. Письмо уйдет, и через минуту-другую вы сможете его получить.

А пока оно идет, скажу еще одну вещь: письмо, которое вы не успели дописать, а пора уже выключать компьютер и уходить домой (или ло-

житься спать) или которое просто требует серьезных раздумий, можно
будет отправить из редактора в папку **Черновики**. Просто закройте окно
редактора писем, щелкнув по крестику в правом верхнем углу. Вы получите стандартный для всех редакторов вопрос: надо ли сохранить не-
оконченное письмо или можно его, как говорится, похерить. Если разрешите сохранение, то оно как раз и попадет в папку черновиков.

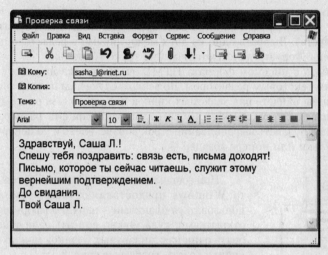

Рис. 8.4. Пишем письмо самому себе

Для продолжения работы над своей «эпистолой» зайдете в папку
Черновики и дважды щелкнете по строке письма в списке. В отличие от
папок **Входящие**, **Отправленные** и других, где двойной щелчок вызывает
окно просмотра писем, в этой папке запускается именно редактор.

Допишете, отошлете, и папка черновиков опустеет.

Ну вот, пара минут, которую мы отпустили серверу на то, чтобы он
успел переадресовать наше письмо с выхода (SMTP) на вход (POP),
прошла. Попытаемся его теперь получить.

Понажимайте кнопку **Доставить почту** или клавишу **F5**, пока не
увидите, что почтальон что-то интересненькое для вас привез.
В информационной строке напишется **Новых сообщений 1**.

Остается перейти в папку **Входящие** и выбрать строку с письмом. Заголовок письма читается? Основной текст читается? Русский текст не
пострадал от пересылки? **Значит, с почтой все в порядке.**

А если при попытке связаться с почтовым сервером выдано сообщение об ошибке или просто нет письма ни через пару минут, ни через

час – ищите ошибку. Еще раз проверьте настройки, посмотрите в папке **Отправленные**, верно ли ввели свой адрес в заголовке. В конце концов, позвоните провайдеру!

Письмо «не себе»

Нам разрешены два формата письма – обычный текст и HTML-формат (со шрифтовыми штучками-дрючками и прочим форматированием текста). Выбрать одно из двух можно прямо в редакторе писем – в его меню **Формат**, где имеются именно такие команды.

Работа с письмом формата HTML очень похожа на работу с простеньким текстовым редактором. Во всяком случае, на панели форматирования вы найдете ряд знакомых кнопок и списков (см. рис. 8.4 в прошлой главе). Тут вы сможете выбрать гарнитуру шрифта, размер, начертание и цвет, задать выравнивание строк вправо, влево и по центру, вставить пульки или номера абзацев.

При составлении писем Outlook Express и Почта Windows предоставляют нам возможность пользоваться **бланками** – нарядно оформленными открытками, куда можно вписать свой текст. Выбрать один из стандартных бланков можно в меню кнопки **Создать сообщение** (рис. 8.5).

Строка **Выбор бланка** покажет еще несколько бланков, а главное, даст возможность увидеть, как выглядит тот или иной бланк.

Строка **Web-страница** позволит использовать для оформления любую страничку, которая вам понравилась в интернете. Скопируете ее адрес в адресной строке и вставите в ту строку, которую вам

Рис. 8.5. Выбираем бланк для письма

покажет команда **Web-страница**. Нажмете **OK** и получите в своем письме, фактически, копию той страницы, поверх которой и пойдет ваш текст.

Если вам надо **послать письмо по нескольким адресам**, то в строке **Кому** вводите электронные адреса через точку с запятой. Можно вписать другого адресата (или нескольких) также в строке **Копия**.

В поле **Тема** обычно кратко излагают суть сообщения, чтобы можно было по одной только этой строке догадаться о его содержимом.

Некоторых новичков смущает тот факт, что, послав письмо, они никак не могут узнать, дошло оно или нет. Специально для таких беспокойных людей предназначена команда **Запросить уведомление о прочтении** в меню **Сервис** редактора писем.

Тогда ваш адресат, впервые открывая для прочтения ваше письмо, получит запрос от Аутлука, можно ли выслать подтверждение. Если адресат это позволит, то к вам придет очень короткое письмо, где будет сказано, что ваше письмо получено. Если же он не позволит (а он не обязан!), тогда ничего вы не узнаете.

Многие люди вставляют в письма адреса веб-страниц или электронной почты. Когда вы будете читать такое письмо, почтовая программа покажет адрес как гиперссылку – синеньким и подчеркнутым. Вы щелкаете мышкой по адресу «мыла», и открывается окно нового письма, в котором уже заполнено поле Кому. Или щелкаете по адресу веб-странички, и тогда запускается Internet Explorer и грузит из сети указанный документ.

Не исключено, что вы тоже захотите вставлять в письма адреса e-mail или веб-страниц – например, сообщая друзьям об интересных местах и людях. И тут вас настигает полная и безграничная автоматизация. Не успеете вы ввести с клавиатуры что-то напоминающее адрес, как Outlook Express преобразует его в гиперссылку. Так же он поступит, когда вы вставите адрес из кармана.

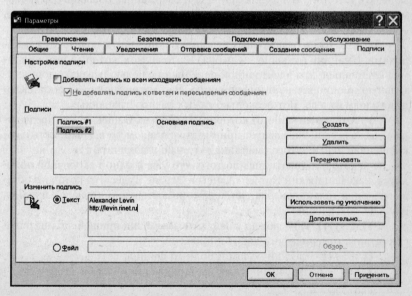

Рис. 8.6. Создаю две подписи – на русском и латиницей

Команда Вставка ▸ Подпись позволит вам вставлять в конце письма свои имя-фамилию, титулы и звания, адрес вашей веб-страницы и даже любимую мудрую мысль, вроде «Спартак-чемпион!!!» или «Sic transit gloria mundi»[1].

Можно создать две подписи или более и выбирать нужную из списка, который на этой кнопочке имеется (на одной «Вася», на другой «Люся»). Я, например, создал себе две, но не потому, что я виртуальный трансвестит. Вторую подпись я использую тогда, когда адресат мой находится заграницей, пишет мне письма latinitsej, а значит, его система русских букв не показывает. Я тоже pishu emu latinitsej, такую же вставляю и подпись.

Создается подпись в параметрах почты на странице Подписи (рисунок 8.6) – кнопкой Создать. Здесь же можно попросить программу автоматически вставлять подпись в конец каждого создаваемого письма, но не вставлять в пересылаемое письмо или в ответ (верхняя секция).

Правила политеса

В электронной переписке сложились некоторые общепринятые нормы, которым стоит следовать. Ну, и об обычной человеческой вежливости забывать не стоит. Будьте лаконичны и сдержанны, общаясь с незнакомыми и малознакомыми людьми. Никому неизвестно, как какой-нибудь обидчивый человек воспримет те или иные ваши слова.

Для страховки от подобных недоразумений многие пользуются смайликами. Смайлик (от smile – улыбка) – это значок, который был придуман специально для электронной переписки с целью передать дополнительную эмоциональную информацию. Рассматривают смайлики, склонив голову налево. Вот несколько самых распространенных.

:-) – тот самый smile, от которого все пошло. Означает, что предыдущее высказывание не следует принимать слишком уж всерьез. Есть и сокращенная версия этого смайлика – только глазки и рот **:)**

А некоторые докатились до того, что уже и одной скобочкой обходятся, как Чеширский Кот из «Алисы в Стране Чудес», от которого оставалась одна только улыбка, когда сам он постепенно пропадал из виду.

:-(– огорчение;

:-)) и **:-)))))))))** – рот до ушей, хоть завязочки пришей, полны радости штаны, гомерический хохот и проч.;

:-((и **:-(((** – легкий облом и полный финиш;

;-) и **;-(** – подмигивание: как бы пошутил или как бы огорчился.

---

[1] Так проходит земная слава (лат.).

На самом деле смайликов десятки, большая часть из них не несет особой информации – это просто забавные рисунки, упражнения в остроумии и мастерстве псевдографики.

Злоупотреблять смайликами не следует. Если собеседник с вами хорошо знаком, он и без подсказок поймет, когда вы шутите, а когда нет.

Проверка правописания

Грамматические ошибки проверяются по клавише **F7** – той же самой, что и в Ворде. Спеллер поочередно сравнивает каждое слово из письма с содержимым своих словарей, и если какого-то слова не находит, останавливается и показывает, какого именно слова нет в словаре (см. рис. 8.7).

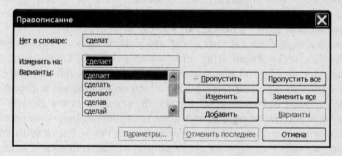

Рис. 8.7. Найдено слово с ошибкой

Можно выбрать один из предложенных вариантов и дважды по нему щелкнуть. А можно поправить слово прямо в строке Изменить на и нажать кнопочку Изменить. Ну, и конечно, разрешается добавить слово в словарь, пропустить единожды или по всему письму.

Можно поступить еще проще – задать в параметрах почтальона, чтобы исходящие сообщения проверялись всегда, независимо от нашего желания. Для этого надо пометить строку Всегда проверять правописание перед отправкой на странице Сервис ▶ Параметры ▶ Правописание. Тогда запускать проверку за вас будет «почтальон» – после того, как вы нажмете кнопку Отправить.

Но если вы не хотите, чтобы ваше письмо ушло с опечатками, сначала выделите весь текст (Ctrl-A), а уж потом отправляйте. Потому что без этого наш строгий, но рассеянный проверяльщик орфографии иной раз обращает внимание только на текст ниже курсора. Все остальное преспокойненько улетает без проверки. Такое бывает не всегда – проверьте свою программу на этот счет, может быть, у вас все работает исправно и эти меры предосторожности окажутся излишними.

Надо, кстати, убедиться, что на странице Правописание в строке Язык (Language) выбран Русский. При этом английские слова проверяться не будут. Но можно выбрать Английский, и тогда не будут проверяться русские слова.

Если вы не пользуетесь Вордом, Экселем и другими программами из пакета Microsoft Office, да и самого пакета Microsoft Office у вас в компьютере нет, то спеллер в Outlook Express работать не будет – соответствующая команда будет недоступна. В параметрах программы даже не окажется страницы Правописание: нет у вас нашего лучшего, нашего любимого офисного пакета, так на что вам правописание?!

И в завершение – пара новостей о Почте Windows из комплекта Windows Vista. Как водится, одна хорошая, другая так себе. Хорошая состоит в том, что проверка ошибок тут уже не зависит от Офиса. Страница Правописание будет изначально – бери да пользуйся.

А новость похуже состоит в том, что в числе языков, которые можно отыскать в списке Языки, я не обнаружил русского. Очень хочется верить, что все дело в той предварительной, недостаточно окончательной и не вполне еще официальной русской версии виндов, по которой я знакомился с этой операционной системой. Очень хочется верить также в то, что во вполне официальной и уж совершенно окончательной русской версии, которая поступит в продажу уже после сдачи этой книжки в печать, в списке языков на подобающем месте окажется и наш длинный, но веселый русский язык.

Даже если вам не удалось заставить свою почту проверять ошибки, это вовсе не значит, что соблюдать правописание для вас необязательно. Вы не поверите, но среди пишущих по-русски есть и грамотные люди! И прочитав послание «скучей ашибок», они могут как-нибудь неправильно отнестись к его автору. В конце концов, можно же таскать письма в Word (через буфер), там проверять, а потом возвращаться! Или поставить себе отдельную программу проверки орфографии – от другого производителя.

Ответ и пересылка

Поговорим о такой выдающейся возможности электронной почты, как ответ на письмо. Встаете на строку нужного письма и нажимаете кнопку Ответить (Reply). Почтальон создает новое письмо и сразу же заполняет его заголовок: в строку Кому ставит адрес человека, на чье письмо вы отвечаете, а в строку Тема – копирует тему исходного письма, добавив к нему спереди «Re:» или «На:». Получается так: «Re: Проверка связи».

В поле текста исходное письмо будет перенесено целиком, вместе со своим заголовком, но каждая строка будет начинаться с галочки вправо (знак больше >). В письмах в формате HTML исходный текст будет помечен не галочкой, а вертикальной чертой.

Зачем это сделано?

Правая галочка и вертикальная черта – это признак **цитаты**. Когда надо ответить на конкретные вопросы или замечания своего корреспондента, оставьте соответствующий фрагмент его письма с галочками, а ниже пишите свой ответ, чтобы он сразу понял, о чем вы говорите. Но слишком длинные цитаты, а тем более полное воспроизведение исходного текста (если он длинный) делают письмо неудобочитаемым. Так поступают только люди неопытные или суперзанятые, вынужденные ежедневно отвечать на десятки писем.

Вот если вы не частную переписку ведете, а пишете, скажем, в какую-нибудь «службу технической поддержки штанов», тогда оставляйте предыдущее письмо целиком. Оставляйте в тексте и свои предыдущие письма, и то, что вам тогда ответили, – короче, всю историю вопроса. Вчера вам один сотрудник отвечал, сегодня на его месте уже другой сидит, а писем тысячи...

Прежде чем отсылать письмо, вы можете в редакторе писем зайти в выпадающее меню Формат ▸ Вид кодировки (Encoding) и убедиться, что там выбрана строка Кириллица (KOI8-R).

Стоит, кстати, воспользоваться кнопкой Ответить, чтобы проверить, дойдет ли «**ответ самому себе**». Если вы получили такой ответ, значит, данные о своем электронном адресе были при настройке введены вами без ошибки. Тогда и ответы других людей на ваши письма тоже, скорее всего, дойдут нормально. Если же вы получаете сообщение от неведомого Mail Delivery Subsystem (подсистема доставки писем) о том, что такого адреса нет – значит, надо ввести свой адрес еще раз, более внимательно. Типовая ошибка: новички вместо точки иногда попадают пальцем по запятой. На вид адрес почти неотличим, а сервер замечает и страшно ругается!

Эта же самая Mail Delivery Subsystem будет присылать вам назад письма с ошибками в адресе. Или ответы на письма с неверным обратным адресом. Или же тогда, когда адрес не существует (ликвидирована фирма-провайдер, или ваш адресат перестал платить за интернет, отчего его адрес и... того... секвестрировали).

Кнопкой **Переслать** (**Переслать сообщение**) пользуются те, кто хочет показать полученное письмо приятелю. Создается такое же письмо, как при ответе, только поле адреса будет пустым, надо будет вписать адрес самому или взять из адресной книжки (о чем – ниже), а тема исходного письма скопируется с приставкой Fw: (от слова forward, вперед). Можете добавить и свои комментарии, типа: «Вот какое странное письмо прислал мне наш общий знакомый Миша В.!» и отправить.

Пересылка файлов

Люди посылают друг другу не только текстовые сообщения, но и файлы – фотографии, веб-страницы, музыку, вордовские документы, экселевские таблицы, презентации и т. п., и чаще всего они это делают именно с помощью электронной почты. Ведь почтовый протокол позволяет вместе с письмами пересылать и файлы – в виде этакой посылочки, вложения (attachment).

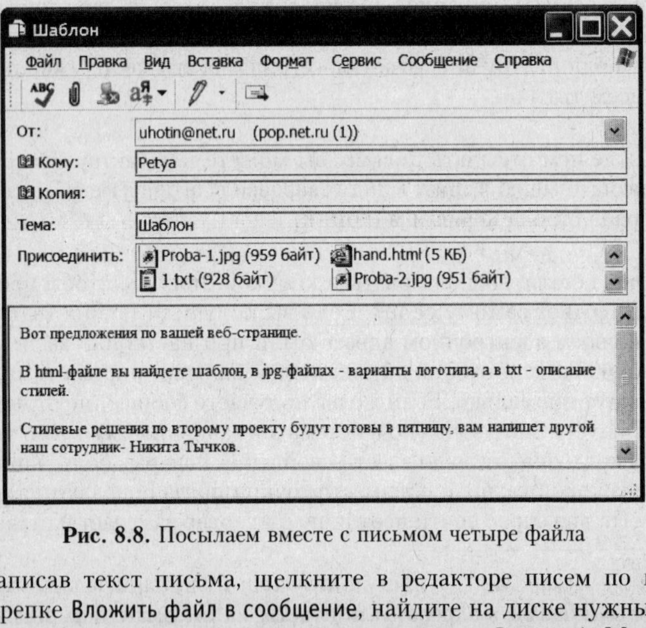

Рис. 8.8. Посылаем вместе с письмом четыре файла

Написав текст письма, щелкните в редакторе писем по кнопке-скрепке **Вложить файл в сообщение**, найдите на диске нужный файл и дважды по нему щелкните (или нажмите кнопку **Вложить**). Можно выбрать разом несколько файлов и все их подцепить к письму. А можно нажимать кнопку-скрепку несколько раз. Результат будет один и тот же: под строкой Тема появится дополнительная строчка Присоединить, в которой вы и увидите все файлы, подготовленные к пересылке (см. рис. 8.8).

Файлы, попавшие в эту строку по ошибке, можно оттуда убрать: выбрать мышкой и нажать Del.

Останется только отправить письмо и дождаться, пока оно вместе со своими вложенными файлами уедет по указанному адресу.

☞ Пока письмо не отправлено, присоединяемый файл не следует перемещать из той папки, где он лежал, переименовывать или удалять. А не то уйдет письмо без вложения.

При отправке HTML-файла со вставленными рисунками не забывайте, что графические файлы хранятся отдельно от самого HTML-файла, в котором указан лишь путь к ним. Все дополнительные файлы надо по одному включить в посылку. Именно поэтому удобнее всего для пересылки формат веб-архив mht (см. главу «Перекачка файлов и сохранение веб-страниц»).

Когда **письмо с вложением приходит к вам**, в списке входящих письмо с посылкой будет помечено слева маленькой скрепкой. Если же вы щелкнете по большой скрепке, расположенной в заголовке письма (см. рис. 8.9), – то увидите и название, и тип, и размер присланных файлов.

В этом списке есть строка Сохранить вложения, которая позволит разом сохранить на диске все вложенные файлы. Останется только указать, в какую папку эти файлы положить. По умолчанию они попадают в Мои документы.

Чтобы сохранить на диск только один из приложенных к письму файлов, щелкните мышью по его строке в списке. Кроме сохранения, вам будет предоставлена возможность немедленно открыть файл, то есть просмотреть его в соответствующей программе-редакторе (если это текст или картинка), открыть в проводнике (если это zip-архив) или загрузить в программу-архиватор (если это архив формата RAR или иного неизвестного системе типа). А если это exe-, com-, cmd-, scr-, msi-, vbs-, vbe-, js-файл или иной *запускаемый* файл, то он вот именно что запустится. Будьте внимательны с этим!

☞ Если почтовик не позволяет вам сохранить вложение – оно серенькое и щелкнуть по нему не удается, – это означает, что у вас запрещена работа с потенциально опасными вложениями, каковыми считаются не только запускаемые файлы, но также вордовские документы и некоторые другие типы файлов. Зайдите в настройках на страницу Безопасность и уберите галочку из строки «Не разрешать сохранение или открытие вложений, которые могут содержать вирусы». Кроме того, доступ к вложению может перекрыть антивирус, обнаруживший в письме заразу.

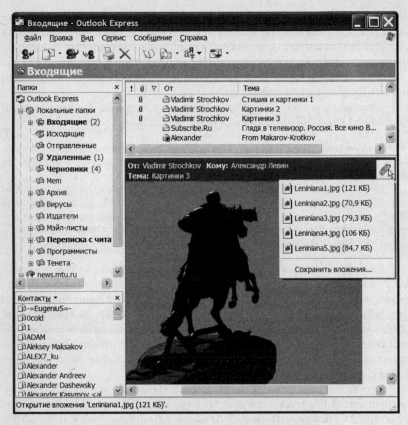

Рис. 8.9. Извлекаем из письма вложенные файлы

Скорее всего, ваш провайдер и провайдер получателя ограничивают размеры почтовых ящиков своих клиентов какой-то разумной с их точки зрения цифрой (обычно от 1 до 10 МБ) – все, что превышает этот объем, либо требует дополнительной оплаты, либо просто удаляется. Кроме того, провайдеры ограничивают размеры исходящего письма. Если вы решите послать приятелю в виде вложения какую-то очень нужную, но крупногабаритную вещь (например, программку размером в десяток МБ), SMTP-сервер возьмет да и удалит ваше письмо!..

Что же делать?

Прежде всего нужно упаковать файлы в zip-архив. Если этого недостаточно, придется архивировать по нескольку файлов и посылать такие частичные архивы. Принята первая часть (а значит, почтовый ящик получателя опустел) – шлете вторую и т. д. Это, конечно, канительно, долго. Зато никаких неожиданностей!

А если файл один, но очень большой – надо сархивировать его, разрезав архив на кусочки (это называется «многотомный архив»). Как это делается, читайте в разделе про архиваторы полной версии самоучителя или «Самоучителя полезных программ».

Кстати, большие файлы удобно пересылать с помощью веб-пейджеров, таких как ICQ.

☞ Посылать большие файлы, **не спросив на то дозволения у получателя**, вряд ли правильно. Кого обрадует необходимость в течение часа дожидаться получения «клёвой картинки» или «классного мультика», если он их не просил и вообще в гробу видал! Да еще оплачивать эту медвежью услугу из своего (ну, пусть даже папиного) кармана... Большими можно считать все вложения, превышающие 500–700 КБ, а если ваш абонент сидит на модемной связи, то и более 200.

Адресная книжка

Когда пишешь ответ на чье-то письмо, помнить адрес отправителя необязательно – он попадет в поле Кому автоматически. А когда решаешь написать сам, нажав кнопку Создать сообщение, то вводить его все же приходится. Только брать его лучше не из такого ненадежного хранилища, как человеческая память, а из такого места, где все учтено, записано и никогда ничего не пропадает. Я имею в виду программу, которая в Windows XP называется Адресной книгой Windows, а в Висте – программой Контакты.

Адреса попадают в эту программу либо автоматически, при ответе на письмо (если задан такой режим на странице Отправка сообщений в параметрах программы), либо тогда, когда мы сами их туда помещаем. Проще всего **добавить отправителя в адресную книжку**, щелкнув правой кнопкой мыши по письму и выбрав там команду, которая называется, естественно, Добавить отправителя в адресную книжку.

В Outlook Express можно также взять письмо мышкой и оттащить на нижнюю левую панель (панель контактов). Письмо само никуда не переместится, зато к списку адресов добавится еще один. Чтобы создать новое письмо, в котором будет сразу заполнено поле Кому, в Outlook Express достаточно будет двойного щелчка по имени человека на панели Контакты.

А когда вы начинаете в редакторе писем вводить адрес, уже занесенный в адресную книжку, почтовик подсказывает вам его завершение, которое ищет там же – в адресной книжке.

Рис. 8.10. Подвели мышку, и надпись оказалась кнопкой

Есть еще один способ ввести адрес, не набирая его руками, – щелкнуть мышкой в редакторе писем по надписи Кому (см. рис. 8.10), которая при ближайшем рассмотрении оказывается не плоской надписью, а самой настоящей кнопкой (как и надпись Копия). Щелчок по ней выводит список адресов из нашей адресной книжки (рис. 8.11).

Щелкаем мышкой по строке слева (или выбираем несколько – с «шифтом», с «контролем»), а потом щелкаем по кнопке Кому: ->. Все выбранные адреса будут перенесены направо, в окошко Получатели сообщения. Если надо, можно также выбрать адресатов для копий. Когда вы нажмете OK, все эти адреса попадут в соответствующие поля в создаваемом письме.

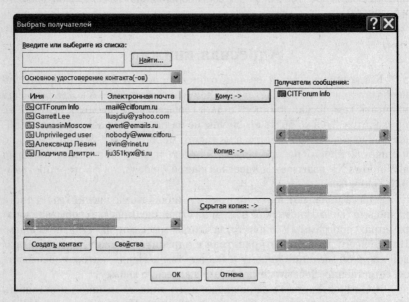

Рис. 8.11. Выбираем получателей нашего письма

Кроме обычной копии можно послать еще и особую – Скрытую копию. Она настолько скрытая, что в редакторе письма соответствующая строка даже не показывается, а получившие такую копию не знают, что ее получили другие. Для чего это надо, я, честно сказать, не понимаю. Наверно, для того, чтобы делать какие-нибудь гадости. Но как? И главное, зачем?..

Фильтрация нежелательных писем в Почте Windows

В новую версию почтовика встроено средство, помогающее нам бороться с навязчивой почтой – спамом, а также рассылкой небезопасных писем разного рода. Возможны четыре уровня защиты, которые задаются на странице Сервис ▶ Параметры нежелательной почты ▶ Параметры.

• Низкий уровень защиты применяется, когда нежелательной почты приходит немного, строгости особые ни к чему и блокировать нужно только самые явно и недвусмысленно рекламные письма. Все они отправляются в папку Нежелательная почта.

• Высокий уровень стоит выбирать, когда спама становится уже многовато. Но надо понимать, что с увеличением строгости защиты увеличивается и риск посчитать спамом совершенно нормальное письмо. Поэтому надо периодически просматривать письма в папке нежелательной почты (собственно, это следует делать при любом уровне защиты, даже самом низком).

Наткнувшись в папке Нежелательная почта на письмо, которое попало туда по ошибке, щелкаете по нему правой кнопкой мышки и выбираете команду Пометить как нужное. Оно тут же будет возвращено на свое законное место – в папку Входящие.

В контекстном меню письма (подменю Нежелательная почта) будет и более сильное средство от такой ошибки – команда Добавить отправителя в список надежных отправителей (рис. 8.12). Тогда письмо не только уйдет из папки спама в папку входящих, но и попадет в «белый список» программы. Все письма от этого отправителя в дальнейшем будут считаться «желательными».

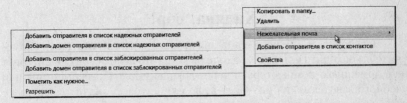

Рис. 8.12. Подменю Нежелательная почта в контекстном меню письма

• Самый строгий уровень защиты называется Только список надежных адресатов. Принимаются письма только из «белого списка», все остальные – в отвал. Для суперосторожных, суперопасливых и суперзамкнутых людей, которым никогда не пишут посторонние.

Можно, кстати, завести отдельный приватный почтовый ящик – только для друзей и родных, применив к нему самую строгую защиту.

А другой свой адрес оставить для писем от всех прочих людей, малознакомых и совсем посторонних.

- Ну, и разрешено вовсе отключить автоматику, пометив строку **Нет автоматической фильтрации**. Тогда будут проходить любые письма, кроме тех, которые вы сами добавите в список заблокированных адресов и доменов.

Сегодня спам стал серьезной проблемой во всем мире. По статистике чуть ли не восемь или даже девять писем из десяти, которые прокачиваются по всемирной сети, это спам. В связи с этим в моду вошли разнообразные утилиты для удаления спама. Некоторые из них хвастают тем, что удаляют письма со спамом прямо с почтового сервера, вам даже не приходится его перекачивать.

Но спамеры хитрят и всячески маскируют свои письма, поэтому авторы антиспамных утилит тоже пытаются хитрить. А в результате иной раз вместо спама удаляются обычные нормальные письма, причем письмо удаляется с сервера, без возможности исправить роковую ошибку!

Я думаю, лучше лишний раз нажать на кнопку Del, удаляя спам вручную, чем горевать по поводу упущенного предложения хорошей работы или письма от интернет-магазина, в котором вы попытались заказать книжку или новый винчестер.

Во всяком случае, выбирая программку такого рода, следует отдавать предпочтение программам безопасным – таким, которые просто отправляют спам в отдельную папку на вашем компьютере. Если даже программка ошиблась, вы достанете письмо из мусорной корзинки, отряхнете его от налипших фантиков и яичной скорлупы и пустите в дело.

Халява, сэр!

Некоторая, и думаю, весьма значительная часть читателей «Самоучителя» заходит (или будет заходить, когда это дело освоит) в интернет не с домашнего компьютера, а через локальную сеть своей фирмы или учебного заведения, из интернет-кафе или клуба. А значит, воспользоваться почтовым ящиком, полученным у своего провайдера, им не удастся – по причине отсутствия «своего провайдера».

Но дело это поправимое. Специально для таких позабытых-позаброшенных предназначены многочисленные, там и сям расположенные халявы – серверы, где всем желающим дают бесплатный почтовый ящик. В таблице 2 в приложении вы найдете адреса некоторых из них, а также адреса веб- страничек со списками такого рода сайтов и кратким их описанием.

Выбирая сервер, которому вы решитесь доверить почтовое обслуживание себя любимого, стоит принимать во внимание несколько факторов. Все, конечно, обращают внимание на размер почтового ящика и максимальный разрешенный размер письма (обычно не более 10 МБ), на удобство адреса (адрес имя@mail.ru, конечно же, приятнее, чем имя@derevjaginozalesom.ru или имя@dfgsatvdm.com). Стоит проверить также, насколько быстро работает сервер, учитывая и скорость доступа к нему, и время, которое требуется ему для отправки и получения писем. Можете грубо протестировать его, посылая письма самому себе.

Надо бы принять во внимание и надежность работы: если сервер часто «падает», оказывается недоступен, пользоваться им будет неудобно, да и рискованно: в результате такого «падения» могут пропадать письма. Конечно, нет другого способа проверить, насколько качественно работает почта, кроме как попробовать. Поставить эксперимент на себе.

Ряд почтовых серверов ввел у себя такие полезные дополнительные услуги: как проверка приходящих писем антивирусом, а также фильтрация рекламных писем (спама).

Ну, как таких не полюбить? Как не доверить им свое самое дорогое – личную переписку?..

Регистрация и вход

На рисунке 8.13 показана стартовая страница самого, пожалуй, популярного в России сервера бесплатной почты Mail.Ru. На странице этой много всякой информации – новости, погода, реклама, телепрограмма, поисковая система, но нас интересует тот уголок, где находится все, что имеет отношение к почте.

Те, кто не зарегистрирован и не имеет своего почтового адреса в этой системе, щелкают по строчке Регистрация в почте, а зарегистрированные вводят тут свое имя и пароль.

Обратите внимание на список, который на нашем рисунке раскрыт мышкой. Mail.ru может по выбору выдавать вам адреса в четырех доменах: mail.ru, inbox.ru, bk.ru, list.ru. Некоторые сайты дают адреса только в одном домене (почта Рамблер, Gmail.com), некоторые в двух (Яndex), в шести (Z-Mail), в семи (E-Mail.ru) и даже в одиннадцати (Pochta.ru). Это значит не только то, что вы сможете выбрать более короткий, более эффектный или легко запоминаемый почтовый адрес, но и повышает ваши шансы на то, чтобы выбрать подходящее имя.

Ведь двух одинаковых почтовых имен быть просто не может – письма доходить перестанут. Так что если имя, которое вы пожелаете выбрать, уже кем-то занято, в регистрации вам откажут: кто первый встал,

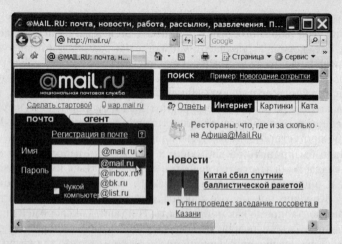

Рис. 8.13. Mail.ru – вход на почтовый сайт

того и тапки. Вместо этого имени служба регистрации предложит вам другие похожие, которые пока свободны. Так, вместо занятого каким-то другим Ивановым имени ivanov предложат, например, ivanov-7, ivanov_7 или ivanov007. Можете согласиться или придумать свой вариант, более оригинальный.

Но, по крайней мере, на почте Gmail.com, где один-единственный домен[1], разрешен всего один ivanov, а на Mail.ru – их может быть четыре. И четыре ivanov1, ivanov01, ivanov2, ivanov-1992 и так далее.

При регистрации надо будет также ввести пароль (кириллица не разрешена), желательно не короче 5–6 символов и не слишком простой, чтобы нехорошему человеку трудно было догадаться и подобрать ваш пароль.

На случай, если вдруг когда-нибудь забудете пароль (а это с людьми случается даже и без попадания в автокатастрофу с тяжелой травмой головы, полной потерей памяти и еще пятьюдесятью сериями приключений), вас просят выбрать некий секретный вопрос. Вопросы обычно более или менее стандартные, например: девичья фамилия матери, имя вашей собаки или номер паспорта. Тут же надо будет и вписать правильный ответ на него. Тогда, забыв пароль, вы пойдете на сайт почты, щелкнете по ссылке **Забыли пароль?** и ответите там на свой секретный вопрос. Вам тут же дадут новый пароль, который позволит вам спокойно работать с почтой. До тех самых пор, пока вы опять что-нибудь не забудете.

---

[1] Gmail.com – это почта компании Google.

Бывает, кстати, и другой способ исправления человеческой забывчивости: при регистрации вас просят указать другой почтовый адрес и на него в случае чего пошлют ваш новый пароль. Но годится этот способ только для тех, у кого уже есть другой адрес...

Вполне возможно также, что вам покажут картиночку с циферками и буковками – надо будет написать (без ошибок!), что именно вы на картиночке увидели. А вот программа (робот, как их называют), которую некие нехорошие люди используют для захвата почтовых адресов, ввести буковки и циферки не сможет: у нее глаз нету! Адреса эти нехорошие люди используют потом для того, чтобы с них миллионами экземпляров рассылать рекламу (спам).

Приличные почтовые службы со спамерами борются.

Короче говоря, зарегистрировались, получили адрес. Теперь, приходя на почтовый сайт, будете вводить имя и пароль и проходить к своим письмам.

Читаем письма

Теперь посмотрим, как может выглядеть веб-интерфейс. На рисунке 8.14 показана страница Mail.Ru, в которую пользователь попадает, введя имя и пароль. Легко заметить, что веб-интерфейс во многом напоминает интерфейс обычного почтальона – и кнопки знакомые (Написать,

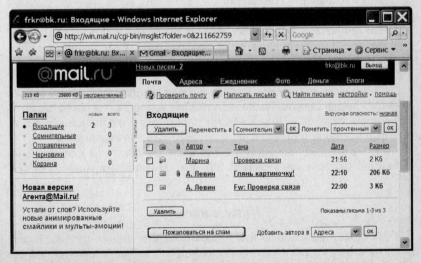

Рис. 8.14. Почта Mail.ru: в папке входящих писем три послания

Переслать, Удалить), и папки (Входящие, Отправленные, Удаленные). Здесь же обычно имеется и папка для спама или сомнительных писем.

Понятно, что в других местах выглядеть это все может иначе. Например, вместо папки для спама может быть кнопочка Спам, объявляющая нежелательными помеченные письма (обратите внимание на квадратики слева от писем, в которых можно расставить галочки для пометки). Вместо списка папок кое-где попадается выпадающий список с названиями папок. Но суть от этого не меняется: операции с письмами возможны примерно те же, что и в виндоузовской почте.

Правда, в отличие от OE и WM (Windows Mail) на веб-странице прямое перетаскивание писем мышкой невозможно. Надо пометить письмо галочкой, потом выбрать из списка Переместить в папку (справа на нашем рисунке), куда именно вы хотите письмецо переложить, и нажать OK.

Можно также нажать кнопку Удалить или кнопку Пожаловаться на спам, добавить адресата в адресную книгу или, наоборот, в черный список (Добавить автора в). Вверху вы видите ссылки Проверить почту (чтобы вновь пришедшие письма появились в списке), Написать письмо (открывается редактор писем) и т. п.

Важно только не спутать ссылки, ведающие какими-то почтовыми операциями, со ссылками, которые ведают совершенно посторонними делами или просто рекламой. А таких на сайтах бесплатной почты бывает немало. Как-то же должны окупаться все эти мощные компьютеры, мощные линии связи, работа программистов, дизайнеров, менеджеров?

За все платит рекламодатель.

Чтобы прочесть пришедшее письмо, просто щелкаете по нему мышкой, читаете, смотрите вложенные изображения. Если возникают проблемы с кодировкой, возле окошка с текстом чаще всего есть ссылки для выбора другой кодировки.

Чтобы скачать вложенный файл к себе в компьютер, на сайте Mail.ru имеется ссылка Скачать. На почте Gmail аналогичная ссылка называется Загрузить, а, скажем, у Яндекса будут просто ссылки с именами вложенных файлов, по которым и надо будет щелкать для скачивания.

Рядом непременно найдутся и ссылки для ответа на письмо, пересылки письма другому адресату, для его удаления, отправки на печать и т. п.

Пишем письма

На странице, которую нам показывают при чтении письма, может оказаться окошко для ввода текста и кнопка Ответить. Эта услуга обычно зовется быстрым ответом. То есть ответ можно сочинить и отправить прямо из окна чтения письма. Правда, без особых удобств: ни шрифтового оформления, ни проверки ошибок тут нет.

А вот при обычном ответе на письмо (ссылка чаще всего называется **Ответить**) или при написании нового письма (ссылка **Написать письмо** вверху рисунка 8.14) все это у нас будет.

Посмотрим, как писать письма на сайте почтовой службы Mail.ru (рис. 8.15). Для разнообразия – в окне седьмой версии Internet Explorer для Windows Vista.

Рис. 8.15. Редактор писем на сайте Mail.ru. Текст со шрифтовым оформлением. К письму прикреплены два файла под 3 МБ каждый

Выбираете простой текст или (как на нашем рисунке) с форматированием. Пишете. Оформляете. Проверяете ошибки. Все тут более или менее знакомо.

Если на страничке где-то есть список или несколько ссылок для выбора кодировки, обязательно выберите KOI8-R, чтобы у адресата не возникало проблем с чтением. Впрочем, грамотные почтовые службы вопросов насчет кодировки отправляемых писем не задают – сами все понимают.

Если к письму надо приложить файлы, нажимаете кнопку Обзор и находите на своих дисках нужные тексты, картинки, музыку, программы, архивы – или что там еще люди друг другу посылают? Останется нажать кнопку Прикрепить, чтобы подтвердить свой выбор.

Вводите тему и адрес. Можете воспользоваться адресной книжкой (ссылочки Адреса правее строк Кому, Копия, Скрытая).

Нажимаете кнопку Отправить (а может быть, В черновики, если письмо предстоит еще дописывать), и письмо, наконец, уйдет.

Кончено, вы понимаете, что на других сайтах все будет устроено немного иначе. Не всегда будет именно такой спектр услуг. Не всегда будет проверка антивирусом и проверка на спам, я уж не говорю о проверке орфографии на разных языках и переводе на разные языки.

И все же, в основных чертах все почтовые сайты, как и почтовые программы, сходны. Потому что работают с одними и теми же вещами – письмами, и по одним и тем же правилам.

Вместо заключения

Книга наша подошла к концу. Надеюсь, вы не жалеете о потраченном на нее времени. Конечно, много важных вещей осталось за бортом, но все-таки вы поглотили и, возможно, даже освоили очень большой объем принципиально важной информации. Впрочем, помните: не применяя полученные знания на практике, вы забудете все, что знали, и перестанете понимать все, в чем разобрались, гораздо скорее, чем сами ожидаете.

Если же вам пришлось-таки начать работать на компьютере и вы попытались воспользоваться моими советами и даже найти в них неточности[1], то вы на правильном пути, и я твердо верю в вашу способность в дальнейшем действовать осознанно и самостоятельно. А только это и было моей целью.

Теперь, надеюсь, вы точно согласитесь со мной:

КОМПЬЮТЕР – ЭТО ОЧЕНЬ ПРОСТО!

---

[1] О всех замеченных опечатках и неточностях можете сообщить по адресу sasha_l@ rinet.ru. Однако если вы сумеете это сделать и письмо ваше дойдет, это может означать, что вы не зря потратили время на «Самоучитель»!

ПРИЛОЖЕНИЕ

Таблица 1. Некоторые клавиатурные комбинации Windows

Клавиатурные комбинации, помеченные звездочкой (*), действуют независимо от того, в какой программе вы в данный момент работаете.

Клавиатурные комбинации, помеченные двумя звездочками (**), действуют только в Windows Vista.

Комбинация	Действие
Alt-Tab* Shift-Alt-Tab*	Переход в следующую (предыдущую) активную задачу
Ctrl-Alt-Tab**	Переключение между запущенными программами с помощью мышки или стрелок
Ctrl-Esc* Windows*	Вход в главное меню
Ctrl-Shift-Esc*	Вызов Диспетчера задач
Ctrl-Alt-Del*	Блокировка компьютера в Vista или XP (если компьютер включен в домен). До старта Windows (на черном экране) — перезагрузка
Alt-пробел*	Вход в системное меню окна
Alt-подчеркнутая буква меню*	Вход в тот пункт меню, в котором подчеркнута соответствующая буква. Или выполнение команды меню, у которой подчеркнута соответствующая буква
Буква	На рабочем столе или в папке: переход к следующему значку, имя которого начинается на эту букву
Несколько букв без перерыва	На рабочем столе или в папке: переход к следующему значку, имя которого начинается этим сочетанием букв

Комбинация	Действие
Alt-Enter	Свойства выделенного объекта.
	Перевод интерпретатора команд (CMD) из оконного в полноэкранный режим и обратно
Ctrl-стрелки, Home, End, PgUp, PgDown	Переходы между значками в папке без выделения объекта
Ctrl-A	Выделить все
Ctrl-X	Вырезать выделенные объекты
Ctrl-C	Копировать выделенные объекты
Ctrl-V	Вставить
Ctrl-Z	Отмена последней команды
Ctrl-Y**	Повтор команды
Del	Удаление в корзину
Shift-Del	Удаление мимо корзины
Вставляя компакт-диск, удерживать Shift	Запрет автоматического запуска компакт-диска
F1	На рабочем столе или в любой из папок вызывается общая справка по системе Windows
F2	Переименовать значок или папку
F3, Ctrl-F	Вызывается программа поиска файлов для текущей папки
F4	Переход в адресную строку проводника. Открывается выпадающий список адресной строки
Alt-F4*	Закрывается текущее окно или программа
Ctrl-F4	Закрывается текущая вкладка в программе с многостраничным интерфейсом
Ctrl-Tab Shift-Ctrl-Tab	Переход на следующую вкладку или в следующую страницу диалогового окна
F5	Обновление окна. Заново считывается содержимое окна, снимается выделение со всех значков
F6	Циклическое переключение между элементами проводника или рабочего стола (кнопка Пуск ▶ панель быстрого запуска ▶ панель задач ▶ область уведомлений ▶ рабочий стол)
F10, Ctrl-F10 Alt	Активизируется меню
Shift-F10 Context	Вызывается контекстно-зависимое меню выделенного объекта
Alt-← и Alt-→	Переходы назад и вперед
Alt-↑** Backspace	Выход из папки на один уровень вверх

Комбинация	Действие
КОМБИНАЦИИ С ДОПОЛНИТЕЛЬНОЙ КЛАВИШЕЙ WINDOWS (START)	
Windows	Вызывает главное меню
Windows-E	Запускает проводник
Windows-F	Запускает поиск файлов
ghtWindows-Ctrl-F	Запускает Поиск компьютера в локальной сети
Windows-L	Быстрая смена пользователя (если компьютер не подключен к сетевому домену) или блокировка компьютера (если компьютер подключен к сетевому домену)
Windows-C	Открывает панель управления
IWindows-D	Сворачивает и разворачивает все окна
Windows-M	Сворачивает все окна
Windows-Shift-M	Разворачивает все ранее свернутые окна
Windows-R	Вызывает окно Выполнить (командную строку)
Windows-F1	Запускает справку Windows из любой программы
Windows-Break	Запускает утилиту Система
Windows-T**	Переход по кнопкам запущенных программ на панели задач
Windows-Tab	Переходит на следующую кнопку (активную программу) на панели задач. Чтобы войти в окно этой программы, надо нажать Enter
Windows-Tab**	Переключение между запущенными программами в трехмерном режиме Flip 3-D
Ctrl-Windows-Tab**	Переключение между запущенными программами с помощью мышки или стрелок в режиме Flip 3-D
Windows-пробел**	Показать боковую панель Windows Vista
Windows-G**	Переход по мини-приложениям на боковой панели Windows Vista
В ДИАЛОГОВЫХ ОКНАХ	
Tab, Shift-Tab	Переход по параметрам диалогового окна
Ctrl-Tab, Shift-Ctrl-Tab	Переход по вкладкам многостраничного диалогового окна
Пробел	Снять/установить галочку выключателя
Стрелки вверх и вниз	Переставить точку в переключателе, открыть список, выбрать следующее значение в списке
F4	Раскрыть/закрыть выбранный список
Enter	Нажатие выбранной кнопки, подтверждение выбора в списке
Esc	Отмена
КОМБИНАЦИИ ДЛЯ ЛЮДЕЙ С ОГРАНИЧЕННЫМИ ВОЗМОЖНОСТЯМИ	
лев.Alt - лев.Shift - Print Screen	Включение и отключение режима высокой контрастности экрана (для слабовидящих)

Комбинация	Действие
лев. Alt - лев. Shift - Num Lock	Включение и отключение управления курсором мышки с помощью цифровой клавиатуры
Нажмите клавишу Shift пять раз	Включение и отключение залипания клавиш для ввода клавиатурных комбинаций одной рукой
Подержите нажатой правую клавишу Shift в течение восьми секунд	Включение и отключение фильтрации ввода, при которой система не обращает внимания на кратковременные случайные нажатия клавиш и, наоборот, слишком длинные
Подержите нажатой клавишу Num Lock в течение пяти секунд	Предупреждающий сигнал при нажатии клавиш Caps Lock, Num Lock или Scroll Lock.
Windows-U	Открытие Центра специальных возможностей

Таблица 2. Некоторые полезные адреса в интернете[1]

URL	Содержимое сайта
ПРОГРАММЫ КОРПОРАЦИИ MICROSOFT	
http://microsoft.com http:// microsoft.com/rus	Сайт корпорации Microsoft Русская версия сайта Microsoft
http://microsoft.com/rus/windows	Windows
http://microsoft.com/Windows/ie_intl/ru	Internet Explorer 7
http://microsoft.com/windows/windowsmedia/ru	Проигрыватель Windows Media
http://office.microsoft.com/ru-ru	Microsoft Office
http://russianamerica.com/misc/russify/ Windows-russification.php3	Пакет русификации Windows 98 и 2000
ДОПОЛНИТЕЛЬНОЕ ОФОРМЛЕНИЕ ДЛЯ WINDOWS	
http://www.kiarchive.ru/pub/windows/icons http://ico.brush.ru http://iconbazaar.com	Коллекция значков для Windows
http://screen-savers.narod.ru http://listsoft.ru/not_internet/decoration/ screensavers http://download.ru/russian/programs/ 139_12.htm	Коллекции экранных заставок для Windows
http://themeworld.com http://themes.winall.ru/themes.shtml	Темы рабочего стола

[1] Автор гарантирует только то, что все приведенные в таблице сайты действительно существовали в интернете в феврале 2007 г.

URL	Содержимое сайта
http://oboi.fatal.ru/ http://wallpapers.ru/box/packs http://espot.ru http://eyla.net http://wallpapers.org	Обои (фоновые картинки для оформления рабочего стола)
ПРОГРАММЫ	
http://picasa.google.com	Бесплатная программа-фотоальбом Picasa
http://docs.google.com	Онлайновый текстовый и табличный редактор Google
http://rarlab.com	Архиватор WinRAR
http://7-zip.org/ru	Бесплатный архиватор 7-ZIP
http://icq.com	ICQ
http://icq.rambler.ru	Русская версия
http://driver.ru http://drivers.ru http://nix.ru/support	Коллекции драйверов с возможностью поиска по типам устройств и производителям
http://listsoft.ru http://freeware.ru http://download.ru http://softportal.ru	Бесплатные и условно-бесплатные программы на российских серверах
АНТИВИРУСЫ	
http://avast.ru http://www.avast.com/i_kat_207.php?lang=rus	Бесплатный антивирус avast! Страница регистрации (на русском)
http://www.free-av.com	Бесплатный антивирус Avira Antivir
http://free.grisoft.com	Бесплатный антивирус AVG Free и бесплатная антишпионская программа AVG Anti-Spyware Free
КОМПЬЮТЕРНЫЕ НОВОСТИ	
http://zdnet.ru	Информационный сервер ZDNet
http://upweek.ru	Журнал «Upgrade»
http://computery.ru/upgrade	Старый сайт
http://xakep.ru	Журнал «Хакер»
http://hardnsoft.ru	Журнал «Hard'n'Soft»
http://dz.yandex.ru/dz	dz online: компьютерные новости
http://ixbt.com	iXBT — компьютерные новости, обзоры «железа», «барахолка»
ПЛЕЕРЫ, КОДЕКИ, КОНВЕРТЕРЫ	
http://codecguide.com/download_kl.htm	Пакет кодеков K-Lite Codec Pack
http://codecguide.com/download_other.htm#wmlite	Бесплатный проигрыватель Windows Media Lite — замена стандартному плееру

URL	Содержимое сайта
http://apple.com/quicktime/download/win.html	Бесплатный проигрыватель QucikTime для файлов формата MOV (с поддержкой работы с iTunes)
http://winamp.com	Проигрыватель Winamp
http://codecguide.com/download_real.htm	Проигрыватель Real Alternative для прослушивания интернет-радио и музыки формата Real Audio
ПОИСК В ИНТЕРНЕТЕ	
http://yandex.ru http://rambler.ru	Российские поисковые системы
http://google.com http://live.com	Международные поисковые системы
http://web.archive.org	Архив интернета с 1996 года
MP3 И ИНТЕРНЕТ-РАДИО	
http://mp3search.ru	Поисковая система файлов в MP3 и коллекция музыки
http://mp3.com http://mp3.ru http://rmp.ru http://zvuki.ru	Архивы файлов mp3
http://audio.rambler.ru	Прямые трансляции радиостанций с возможностью выбора скорости, архив передач, спортивные репортажи
http://last.fm	Онлайновое радио, подстраивающееся под слушателя
http://classical.music.ru	Классическая музыка в формате RealAudio
http://apple.com/itunes	Apple iTunes
БЕСПЛАТНАЯ ПОЧТА	
http://mail-ru.ru http://emailaddresses.com	Описания серверов бесплатной почты (русских и иностранных)
http://mail.ru http://mail.yandex.ru http://mail.rambler.ru http://pochta.ru http://e-mail.ru	Отечественные серверы бесплатной почты
http://gmail.com http://hotmail.com http://netaddress.usa.net	Бесплатная почта на зарубежных серверах
БЕСПЛАТНОЕ РАЗМЕЩЕНИЕ САЙТОВ	
http://internethosting.ru/hosting	Список серверов бесплатного хостинга (места под веб-страницу)

URL	Содержимое сайта
http://narod.ru http://boom.ru http://westhost.ru http://holm.ru http://by.ru http://alfaspace.net	Бесплатный хостинг на российских серверах
http://geocities.yahoo.com http://tripod.lycos.com	Бесплатный хостинг на зарубежных серверах
БЕСПЛАТНОЕ РАЗМЕЩЕНИЕ ФАЙЛОВ	
http://ifolder.ru http://rapidshara.ru	Серверы временного хранения файлов
http://flickr.com http://photoshare.ru http://photolens.ru	Бесплатное размещение и свободный просмотр фотографий
http://youtube.com http://rutube.ru http://video.rambler.ru http://video.google.com	Бесплатное размещение и свободный просмотр видеофайлов
http://music.lib.ru	Музыкальный самиздат – бесплатное размещение и свободное прослушивание MP3
ОНЛАЙНОВЫЕ ДНЕВНИКИ (БЛОГИ)	
http://livejournal.com	Живой Журнал
http://liveinternet.ru	Live Internet – дневники, размещение фотографий, mp3
http://diary.ru	Дневники
ОНЛАЙНОВЫЕ СЕРВИСЫ	
http://multitran.ru http://lingvo.ru/lingvo/common http://translate.ru	Перевод слов с английского, немецкого, французского, испанского, итальянского, японского и других языков (онлайновые словари)
http://maps.google.com	Подробные карты всего мира, с точностью до дома
http://antivir.ru/main.phtml?/online_check http://kaspersky.ru/remoteviruschk.html	Проверьте файл антивирусами
СЛОВАРИ И ЭНЦИКЛОПЕДИИ	
http://wikipedia.org http://ru.wikipedia.org	Свободная энциклопедия Wikipedia и ее русский раздел
http://encycl.yandex.ru	Поиск Яндекса по справочникам, словарям и энциклопедиям
http://rubricon.com http://krugosvet.ru http://mega.km.ru	Онлайновые энциклопедии и словари

URL	Содержимое сайта
ИЗОБРАЗИТЕЛЬНОЕ ИСКУССТВО	
http://hermitage.ru	Эрмитаж
http://museum.ru/gmii	Музей им. Пушкина
http://museum.ru/tretyakov/	Третьяковская галерея
http://louvre.fr	Лувр
http://www.uffizi.it	Галерея Уфицци
http://spanisharts.com/prado/prado.htm	Галерея Прадо
http://metmuseum.org	Музей Метрополитэн
http://moma.org	Музей современного искусства (Нью-Йорк)
СОВРЕМЕННАЯ ЛИТЕРАТУРА И ОНЛАЙНОВЫЕ БИБЛИОТЕКИ	
http://lib.ru	Электронная библиотека Максима Мошкова
http://rvb.ru	Русская виртуальная библиотека
http://magazines.russ.ru	Журнальный зал: все литературные журналы России
http://vavilon.ru/texts	Современная русская литература на сервере «Вавилон»
http://levin.rinet.ru/FRIENDS/	Друзья и Знакомые Кролика (избранная современная поэзия и проза)
http://zhurnal.lib.ru http://stihi.ru http://proza.ru	Сайты литературного самиздата
http://sf.amc.ru http://rusf.ru	Сайт любителей фантастики и фэнтези
http://anekdot.ru	Анекдоты
КИНО, АНИМАЦИЯ, ТЕАТР	
http://film.ru	Кино
http://videoguide.ru	Новые фильмы на видео
http://mult.ru	Студия Мульт.Ру (флэш-анимация)
http://mults.spb.ru http:// multiki.arjlover.net	Коллекции отечественных мультфильмов
http://www.wbr.com	Кинокомпания Worner Broz
http://www.disney.com	Кинокомпания Walt Disney
НОВОСТИ, ПРЕССА, ПОЛИТИКА	
http://rbc.ru	РосБизнесКонсалтинг. Деловая и политическая информация
http://polit.ru	Информационно-политический канал Полит.Ру
http://lenta.ru http://newsru.com http://prime-tass.ru	Агентства новостей

URL	Содержимое сайта
http://1tv.ru http://rutv.ru http://ntv.ru	Сайты телекомпаний
ДОСУГ, РАЗВЛЕЧЕНИЯ, СПОРТ	
http://turizm.ru http://travel.ru http://tours.ru	Туризм, путешествия
http://aqua.ru http://dive.ru	Подводное плавание
http://vvv.ru http://extreme.ru	Экстремальные виды спорта
http://biker.ru http://moto.ru	Мотоциклы
http://auto.ru http://motor.ru http://autoreview.ru	Для автолюбителей
http://sport-express.ru http://sport.list.ru http://sport.ru http://sports.ru	Спортивные новости
http://moda.ru http://fg.ru http://sarafan.ru	Мода
http://krasota.ru http://newwoman.ru http://devichnik.ru http://woman.ru	Женские журналы на русском языке
РАБОТА	
http://job.ru http://joblist.ru http://ancor.ru	Работа в России
ПОГОДА	
http://pogoda.ru	Погода в России (список сайтов)
http://weather.com http://cnn.com/WEATHER	Погода в мире
ОНЛАЙНОВЫЕ МАГАЗИНЫ	
http://price.ru http://newman.ru	Поиск и заказ компьютеров, комплектующих, оргтехники, цены, адреса, телефоны
http://books.ru http://ozon.ru http://www.wer.ru	Отечественные интернет-магазины: книги, музыка, видео, программы

URL	Содержимое сайта
http://amazon.com	Крупнейший интернет-магазин (книги, музыка, видео и многое другое)
http://shop.piter.com	Книжный магазин изд-ва «Питер»
ЧАТЫ	
http://divan.ru	Диван
http://krovatka.ru	Кроватка
http://chat.ru	Chat.ru
http://starchat.ru	Чат с приглашенной звездой
http://ochag.narod.ru	Чат «Кому за 30»
ИГРЫ	
http://games.mail.ru/shareware http://gameland.ru http://gamez.ru http://games.ru	Сайты, посвященные играм, и онлайновые игры
http://combats.ru	Бойцовский клуб
http://idsoftware.com	Quake II и другие игры фирмы id Software
http://blizzard.com/diablo/ http://blizzard.com/diablo2/ http://blizzard.ru	Онлайновые игры Diablo и Diablo II Русский сайт Blizzard (WarCraft, Diablo, StarCraft)
ЗАХОДИТЕ В ГОСТИ КО МНЕ И МОИМ ДРУЗЬЯМ!	
http://levin.rinet.ru	Мой сайт
http://levin.rinet.ru/Songs	Песни: альбомы «Французский кролик», «Заводной зверинец», «Untergrund», «О Птицах и рыбах» (в формате MP3)
http://levin.rinet.ru/SAMOUCHITEL	Мои компьютерные книги
http://levin.rinet.ru/STISH	Стишия народные и авторские (присылайте!)
http://levin.rinet.ru/MORE/more.htm	Новые стихи, а также изданные книги стихов
http://levin.rinet.ru/FRIENDS	Друзья и Знакомые Кролика

Александр Шлемович Левин
Краткий самоучитель работы на компьютере
3-е издание

Заведующий редакцией	А. Сандрыкин
Ведущий редактор	Ю. Сергиенко
Художник	К. Радзевич
Корректор	В. Листова
Верстка	Л. Харитонов

ООО «Питер Пресс», 198206, Санкт-Петербург, Петергофское шоссе, д. 73, лит. А29.
Налоговая льгота — общероссийский классификатор продукции ОК 005-93, том 2;
95 3005 — литература учебная.
Подписано в печать 18.01.08. Формат 60×90/16. Усл. п. л. 23.
Доп. тираж 12 000. Заказ 8505.
Отпечатано с готовых диапозитивов в ООО «Типография Правда 1906».
191126, Санкт-Петербург, Киришская ул., д. 2.
Тел.: (812) 531-20-00, 531-25-55

Основанный Издательским домом «Питер» в 1997 году, книжный клуб «Профессионал» собирает в своих рядах знатоков своего дела, которых объединяет тяга к знаниям и любовь к книгам. Для членов клуба проводятся различные мероприятия и, разумеется, предусмотрены привилегии.

Привилегии для членов клуба:

- карта члена «Клуба Профессионал»;
- бесплатное получение клубного издания – журнала «Клуб Профессионал»;
- дисконтная скидка на всю приобретаемую литературу в размере 10% или 15%;
- бесплатная курьерская доставка заказов по Москве и Санкт-Петербургу;
- участие во всех акциях Издательского дома «Питер» в розничной сети на льготных условиях.

Как вступить в клуб?

Для вступления в «Клуб Профессионал» вам необходимо:
- совершить покупку на сайте **www.piter.com** или в фирменном магазине Издательского дома «Питер» на сумму от **800** рублей без учета почтовых расходов или стоимости курьерской доставки;
- ознакомиться с условиями получения карты и сохранения скидок;
- выразить свое согласие вступить в дисконтный клуб, отправив письмо на адрес: postbook@piter.com;
- заполнить анкету члена клуба (зарегистрированным на нашем сайте этого делать не надо).

Правила для членов «Клуба Профессионал»:

- для продления членства в клубе и получения **скидки 10%**, в течение каждых **шести месяцев** нужно совершать покупки на общую сумму от **800** до **1500** рублей, без учета почтовых расходов или стоимости курьерской доставки;
- Если же за указанный период вы выкупите товара на сумму от **1501** рублей, скидка будет увеличена до **15%** от розничной цены издательства.

Заказать наши книги вы можете любым удобным для вас способом:

- по телефону: (812) 703-73-74;
- по электронной почте: postbook@piter.com;
- на нашем сайте: www.piter.com;
- по почте: 197198, Санкт-Петербург, а/я 619 ЗАО «Питер Пост».

При оформлении заказа укажите:

- ваш регистрационный номер (если вы являетесь членом клуба), фамилию, имя, отчество, телефон, факс, e-mail;
- почтовый индекс, регион, район, населенный пункт, улицу, дом, корпус, квартиру;
- название книги, автора, количество заказываемых экземпляров.

КНИГА-ПОЧТОЙ

ЗАКАЗАТЬ КНИГИ ИЗДАТЕЛЬСКОГО ДОМА «ПИТЕР» МОЖНО ЛЮБЫМ УДОБНЫМ ДЛЯ ВАС СПОСОБОМ:

- по телефону: **(812) 703-73-74;**
- по электронному адресу: **postbook@piter.com;**
- на нашем сервере: **www.piter.com;**
- по почте: **197198, Санкт-Петербург, а/я 619, ЗАО «Питер Пост».**

ВЫ МОЖЕТЕ ВЫБРАТЬ ОДИН ИЗ ДВУХ СПОСОБОВ ДОСТАВКИ И ОПЛАТЫ ИЗДАНИЙ:

- Наложенным платежом с оплатой заказа при получении посылки на ближайшем почтовом отделении. Цены на издания приведены ориентировочно и включают в себя стоимость пересылки по почте **(но без учета авиатарифа)**. Книги будут высланы нашей службой **«Книга-почтой»** в течение двух недель после получения заказа или выхода книги из печати.

- Оплата наличными при курьерской доставке **(для жителей Санкт-Петербурга и Москвы)**. Курьер доставит заказ по указанному адресу в удобное для вас время в течение трех дней.

ПРИ ОФОРМЛЕНИИ ЗАКАЗА УКАЖИТЕ:

- фамилию, имя, отчество, телефон, факс, e-mail;
- почтовый индекс, регион, район, населенный пункт, улицу, дом, корпус, квартиру;
- название книги, автора, код, количество заказываемых экземпляров.

Вы можете заказать бесплатный журнал «Клуб Профессионал»